Griselda Gambaro

GRISELDA GAMBARO

Las paredes
El desatino
Los siameses
El campo
Nada que ver

TEATRO 4

Ediciones de la Flor

Tercera edición: agosto de 2000

Gorriti 3695, 1172 Buenos Aires, Argentina
Hecho el depósito que prevé la ley 11.723

Impreso en la Argentina.
Printed in Argentina

ISBN 950-515-410-0

Indice

Las paredes 7
El desatino 59
Los siameses 107
El campo 157
Nada que ver 215

Las paredes

Las paredes

1963

Fue estrenada el 11 de abril de 1966 en el teatro Agón de Buenos Aires con el siguiente reparto.

Personajes

Joven	:	Francisco Cocuzza
Ujier	:	Natalio Oxman
Funcionario	:	Rafael Pollio
Escenografía y vestuario	:	Luis Diego Pedreira
Puesta en escena y dirección:		José María Paolantonio

Primer acto

Escena 1

Un dormitorio estilo 1850, muy cómodo, casi lujoso. Pesados cortinados en la pared de la izquierda ocultan lo que parece ser una ventana; en el centro de la pared de foro, un gran cuadro, con un soberbio marco labrado representa, con el verismo de la época, a un joven lánguido mirando a través de una ventana. Una sola puerta conduce a otras dependencias de la casa.
Al levantarse el telón, un joven de aspecto tímido y bondadoso, vestido pulcramente a la moda de fines de siglo, está sentado en una silla tipo Viena, al lado de la puerta, con el aire de estar esperando a alguien. A su lado, inmóvil, un ujier con un sencillo uniforme, abotonado hasta el cuello. El aseo del uniforme contrasta con la barba del ujier, despareja y de varios días.
Un largo silencio.
De pronto, se escucha un grito de socorro que llega desde otras dependencias de la casa. El grito termina en un alarido ahogado.

El joven se levanta de un salto.

Joven: ¿Escuchó?
Ujier (natural): Sí, sí.
Joven: ¿Qué ha sido?
Ujier: Un grito. *(Sonriendo)* Alguien a quien se le cayó la pared encima.
Joven: Alguien gritaba pidiendo socorro.
Ujier: ¿Sí? No crea. La acústica. Defecto de construcción, ladrillos mal cocidos. Negligencia. Es bochornoso, pero no se puede tirar la casa abajo, por eso.
Joven: Era una persona, una voz.
Ujier (admirado): ¿De quién?
Joven: De alguien. No sé.
Ujier (paternal): Sueña. *(Se rasca una oreja)* ¿Escuchó?
Joven (atiende, luego): No. Ahora no.
Ujier: ¡Cómo lo engañan sus sentidos! Me rasqué una oreja y cuando lo hago, la trompa de Eustaquio suena como una orquesta. ¡Bom! ¡Bom! Costumbre.
Joven: Pero antes, antes «sí» escuché un grito, una llamada de auxilio. Parecía alguien... a punto de entregar su alma.
Ujier (divertido): ¡Nunca lo hubiera expresado así! Decimos liquidado, muerto. Incluso fenecido. Pero «entregar su alma»..., es hermoso, poético. ¿Usted es escritor?
Joven: No.
Ujier: Es una lástima. Tiene condiciones. ¿Por qué no se sienta?
Joven: Me puso los pelos de punta ese grito.
Ujier: Tranquilícese. Fuera de eso, nunca se escucha nada por aquí. Silencio total. No sé si agradecerlo. A veces resulta aburrido. Otras veces, concedo, calma los nervios. ¿Usted está nervioso?
Joven (se sienta, nervioso): No.
Ujier: Pues debiera estarlo.
Joven: ¿Cree...?

Ujier: Sin duda.

Joven: ¡Entonces hay motivo para preocuparse!

Ujier: Ninguno. Pero siempre es bueno atizar los nervios. No vivir como una pasta.

Joven: Bueno, si debo hablarle sinceramente, no puedo negar que me inquieta esta situación, no me explico...

Ujier (lo interrumpe): ¿Qué situación? Se equivoca. Ningún encadenamiento de hechos se ha producido para crear nada. Usted otorga a los hechos una deliberación culpable. No, no, los hechos son inocentes. Simplemente, usted se ha llegado hasta nosotros, con un gesto amable que le agradecemos, para conversar un poco.

Joven: Me han traído.

Ujier: ¿Quiénes? No dirá usted que el alto y el bajo «lo han traído».

Joven: Fueron ellos, sin embargo. «Venga con nosotros», me dijeron.

Ujier: ¡Eso es distinto! ¡Qué joven atolondrado es usted!

Joven: ¿Yo?

Ujier: Sí, usted. Embrolla las cosas. No es justo.

Joven: Dije únicamente que ellos me condujeron hasta aquí. *(Intenta sonreír)* Solo no hubiera venido.

Ujier: ¡Ah! ¡Observe usted esto! Puede afirmarse que le hicieron un favor. Solo se hubiera perdido.

Joven: No lo entiendo. ¡Me obligaron!

Ujier: ¿A santo de qué iban a obligarlo? Y además, no es cierto. ¿Le han puesto cadenas, lo han traído a rastras por los cabellos? No. Lo invitaron. Con cortesía, lo sé. Los conozco. Usted accedió: por sus piernas subió al coche, con sus ojos vio el trayecto, sus posaderas, perdone usted la expresión, se han sentado por voluntad en esa silla *(El joven se levanta)* No, permanezca sentado.

Joven (como una posibilidad que hubiera rechazado tontamente): ¿Pero hubiera podido quedarme? ¿Acaso hubiera podido decir «no» y marchar a mi casa?

Ujier (divertido): ¡No! ¡No hubiera podido decirlo! *(Ríe)* ¡A todas luces imposible!

Joven (perplejo): Entonces... Confiese que hubo cierta presión, ¿verdad?

Ujier: ¡Vuelta a lo mismo! ¡Qué obstinación! No, no. No obligamos a nadie. Y por otra parte, ¡ni que fuéramos la peste! No aseguro que nuestro contacto social sea un placer, pero de ahí a afirmar que sólo con cadenas se hubiera llegado hasta aquí... Es poco cortés.

Joven: ¡No señor! ¿Qué está usted diciendo? Cambia mis intenciones. Hubiera preferido otra oportunidad. Pasé el día fuera, en el campo.

Ujier: Descansando.

Joven: Descansando, es claro, pero caminé entre los árboles, remé. No estoy acostumbrado a tanto ejercicio, por eso...

Ujier (exultante): ¡Me lo hubiera dicho antes! ¡Qué manera de hablar a tontas y a locas sin comprendernos! ¡Lo felicito!

Joven: ¿A mí? ¿Por qué?

Ujier: ¡Pasó el día en el campo! ¡Usted es como yo! Yo adoro el campo, el pasto, las bestias. ¡Ah!, ¿y las puestas de sol? ¿Qué me cuenta de las puestas de sol? *(Desorbitado)* ¡Las nubes y los arreboles! ¡El canto de los pájaros! *(Golpean en la puerta)*

Voz del Funcionario: ¿Molesto? ¿Puedo pasar?

(Entra el Funcionario, un señor alto y robusto, de mediana edad. Está vestido con llamativa elegancia, demasiado vibrante el color del chaleco, excesivos la blancura y bordados de la camisa. Tiene un rostro simpático y jovial, gestos teatrales y enfáticos, risa fácil)

Funcionario: ¡Querido señor! ¿Cómo está usted? Hace tiempo que tenía deseos de conocerlo. La ocasión la pintan calva: la aprovecho. ¡Muy, muy contento de verlo! *(Estrecha calurosamente la mano del joven. Se aparta, lo observa)* Es como me lo imaginaba. Joven, amable, rostro franco, una lealtad a toda prueba. ¿Me equivoco? *(No espera respuesta)* ¡No, no, sé que no! Espero que me perdone el pequeño cambio que hemos introducido en sus planes. Usted los tendría, ¿eh? Ah, no hay joven que no sueñe con alguna muchacha encantadora. Proyectos: la luna de domingo, el cuerpo dispuesto... *(Ríe con una corta carcajada cómplice)* Pero todo será para bien. «Tutto per bene», ¿no? Puede retirarse, ujier. Yo hablaré con el joven. La juventud habla mi idioma. *(Divertido)* ¡Yo no hablo ninguno! *(Ríe. El ujier sale. El joven, que no ha tenido oportunidad de pronunciar palabra, no sabe qué decir ahora, da unos pasos y mira ansioso al Funcionario. El Funcionario imita ostensiblemente el gesto del joven, lo mira a su vez y le sonríe con alentadora cordialidad. Ríe. Finalmente pregunta, señalando a su alrededor)* La habitación, ¿es de su agrado? ¡Qué cuarto!, ¿eh? Con toda seguridad, no esperaba esta sorpresa.

Joven: No.

Funcionario (con júbilo): ¡Ah! ¡Por fin escucho su voz! Congratulaciones. *(Le estrecha las manos)* Bella voz, excelentemente modulada. A ver, a ver, ¡otra vez! ¿Le gusta la habitación?

Joven: Sí.

Funcionario: «No, sí». ¡Muy bien! *(Lo abraza)* ¡Muy bien, repito! Me preocupé especialmente, con cuidado digno de mejor causa, de que su alojamiento resultara confortable. Me rompí el alma.

Joven: Por favor, no debió molestarse.

Funcionario: ¡Si no fue molestia! Los resultados compensaron. Este no es un alojamiento principesco, por desgracia.

Joven: Sin embargo...

Funcionario (cortante): Sin embargo, puede ser la habitación de un caballero en desahogada posición económica, lo sé. Alguien que viva libre y sin apuros. No es su caso, evidentemente.

Joven: ¿Estoy en un apuro?

Funcionario (sonríe): ¿Quién no está en un apuro? Dígame: ¿en su habitación de la pensión disfrutaba usted de esta comodidad, estos cortinados, estos muebles? ¿Disponía de un espacio tan amplio para estirar las piernas?

Joven: De ningún modo. Mi habitación es mucho más modesta. Vivo bien, pero sin lujos.

Funcionario: ¡Me alegra escuchar eso!: su sinceridad. *(Señala el cuadro)* ¿Vio usted el cuadro? Lo colgamos ayer. Busqué en el sótano un tema grato: la juventud, la nostalgia... ¿Advirtió qué finura de ejecución, qué matices?

Joven: Sí.

Funcionario: ¡Pero hable un poco! Parezco un charlatán. *(Con alarma)* ¿Lo intimido, acaso? ¡Ay!, me sentiría muy herido.

Joven (con un esfuerzo, vence su timidez): No, no, señor. Esperaba encontrar una... *(vacila)*

Funcionario: ¡Sí, sin miedo!

Joven (con timidez): Una celda...

Funcionario (admirado): ¡Una celda! *(Ríe)* ¡Vaya, vaya! Las ideas de la gente...

Joven: Y me encuentro con este cuarto... Sí, mucho más confortable que mi propia habitación.

Funcionario: Qué idea...

Joven: Pensaba en el cielo desde un pequeño cuadrado. Lo temía.

Funcionario: ¿Qué temía usted?

Joven: Pues... eso: una celda. La opresión del espacio, el no poder abrir una puerta y salir.

Funcionario (admirado): ¡Qué lejos de la realidad vive usted!

Joven: Me sorprenden con esta gran ventana, estos cortinados. ¿Me permite?

Funcionario: Sí, por supuesto.

Joven: Mentalmente, me había preparado para enfrentar barrotes, el signo convencional de una cel... *(Aparta los cortinados. Corren sobre la pared lisa)*

Funcionario (ríe, contento): ¡Qué hallazgo!, ¡qué hallazgo! *(El joven, atónito, se vuelve hacia él)* Idea mía, el elemento sorpresa. Cortinados que no cubren una ventana se transformman en símbolos puros de bienestar, de lujo. ¿Se da cuenta? Evito todo despilfarro utilitario. *(Silencio del joven)* ¿Qué le pasa? ¿Digo mal?

Joven (vacilando): No sé realmente...

Funcionario (agrio): ¿Cómo?

Joven (desanimado): No se me había ocurrido. Es un punto de vista... particular.

Funcionario: Lógico: mío. ¿Acaso hay otro?

Joven: Creía encontrar allí una ventana...

Funcionario: ¿Lo hubiera preferido?

Joven: Tal vez...

Funcionario (ríe, paternal): ¡Qué niño es usted aún!

Joven: ¿No le incomoda una pregunta?

Funcionario: ¡Todas las que usted quiera! Para eso estoy.

Joven: Si hubiera allí una ventana... ¿tendría barrotes?

Funcionario (con sincera y divertida sorpresa): ¿Barrotes? ¡Qué idea! «¡Quelle idée!» ¿Para qué?

Joven: En fin... Si esto hubiera sido una celda, no resultaría tan descabellado.

Funcionario (ofendido): ¿Una celda? ¿Tiene usted una idea fija? ¿Con este lujo, con este «confort»? El país de Jauja sería, vamos.

Joven: Perdóneme. No sé por qué me han traído, *(rectifica)* me he llegado hasta aquí.

Funcionario (se encoge de hombros): Y si no lo sabe usted, ¿cómo voy a saberlo yo?

Joven: Yo vine, pero ellos me invitaron.

Funcionario: ¿Ellos? ¿Quiénes?

Joven: Los... El alto y el bajo, los nombró el ujier. Uno era alto, y el otro, bajo.

Funcionario: Eso es. Yo los mandé.

Joven (con una sonrisa de alivio): ¡Ah, usted!

Funcionario: Sí, pero no deja de ser un poco inconsciente de su parte, llegarse hasta aquí e ignorar el motivo.

Joven: Era de noche. Estaba rendido después del día en el campo. Los sentí... fuertes, poderosos, es tonto... armados.

Funcionario (con alarma): ¡Santo Dios!, ¿no me dirá que...?
Joven: No, no. No me amenazaron con armas. Me preguntaron el nombre debajo del foco de la estación. Entonces les vi el bulto en el bolsillo, no sacaban la mano del bolsillo, tuve la impresión...
Funcionario (muy fastidiado): ¡Ah señor, si vamos a vivir de impresiones! Yo también tengo la mano en el bolsillo. *(Saca la mano abierta del bolsillo)* ¿Y qué?
Joven: Tiene usted razón. Ahora que lo pienso serenamente, quizás procedí mal. Me acobardó mi fatiga.
Funcionario (indiferente): O la noche. O los dos hombres. O las armas que tenían en el bolsillo. Todo puede ser.
Joven: Me limité a seguirlos. Venga usted con nosotros y sabrá el motivo, dijeron.
Funcionario: Claro, por algo vino. Es evidente.
Joven (desorientado): Sí.
Funcionario: ¡Y no hubiera venido, señor mío! ¿Para qué?
Joven: Entonces... ¿me puedo ir?
Funcionario (ríe): ¡Ah, qué niño es usted! Ahora no. Hay un motivo. ¿Con quiénes habló? Cuénteme todo. Soy su padre.
Joven: En la puerta me recibió el ujier, me condujo a este cuarto.
Funcionario (furioso por la omisión): ¡Principesco! ¡No es una basura! *(Como el joven calla y lo mira con la boca abierta)* ¡Siga!
Joven: Me senté aquí, a esperar.
Funcionario (preocupado): El ujier le ofreció una silla, supongo.
Joven: Sí.
Funcionario (tranquilizado): Es muy amable. Ya lo verá usted. Pero lo interrumpo, continúe.
Joven: Escuchamos un grito, alguien gritaba.
Funcionario (sonriendo): No se habrá sobresaltado, espero. Gritan siempre, ¡qué vicio!
Joven: ¿Quiénes?

Funcionario: Los otros. Están como usted, alojados confortablemente, y gritan. ¿Se les cae la pared encima? *(Ríe)*

Joven: Eso dijo el ujier.

Funcionario: ¿Sí? ¡Qué casualidad! De trabajar tanto a mi lado, piensa y habla como yo: mimetismo. ¿Sabe lo que ocurre? El exceso de comodidad los vuelve desconsiderados, ingratos. Se les pone agrio el carácter. No les importa nada el silencio, la tranquilidad de los otros.

Joven: Me sobresaltó un poco. Había, sí, mucho silencio. Lo que menos esperaba... Y además parecía un grito de auxilio, un grito verdaderamente angustiado, alguien que ni siquiera a costa de la vida podía creer en lo que estaba sucediendo.

Funcionario (risueño): ¿Y qué estaba sucediendo? ¿Un dedo apretado en un cajón?

Joven: No sé.

Funcionario (colérico): ¡Ah, pasan la broma! ¿Eh? Descansan y no lo agradecen. Gritan, perturban. *(Depone el enojo y ríe, comprensivo)* ¡Ah, joven! No hay que pedir peras al olmo. No somos estoicos en este país, un poco de tortura y ponemos el grito en el cielo. No hablemos más. ¿Le explicaron algo sobre su situación?

Joven: No.

Funcionario (sin escucharlo, contento): La suya es una verdadera situación. Se lo habrá dicho el ujier. Usted está, propiamente, en el nudo dramático. ¿Y qué le dijeron? Yo aclararé detalles.

Joven: No me dijeron nada.

Funcionario: ¡El animal! ¡Esos animales! Completamente inútiles. Tengo que estar en todo. Discúlpelos, señor. ¡Yo les dije que no le explicaran nada! Me imagino, se lo debe estar comiendo la inquietud. ¿Usted cómo se llama? ¿Ruperto de Hentzau o Hentcau? Debe conocer la historia: hay un villano de novela que se llama Ruperto de Hentzau. Mejor que no sea usted.

Joven: No soy.

Funcionario: ¡Va a resultar sencillísimo entonces! ¿No es usted?

Joven (sonríe): En absoluto. *(Lleva la mano al bolsillo)* Le mostraré...

Funcionario (lo detiene): ¡No necesito documentos! ¡Faltaría más! Su palabra basta. *(Suspira)* ¡Qué alegría! Que por un azar del destino usted pudiera resultar Ruperto de Hentzau me quitaba el sueño. La averiguación demorará unos días. ¿Le fastidiaría mucho quedarse con nosotros?

Joven: No puedo. Realmente, no puedo. Trabajo, debo cumplir.

Funcionario: Oh, yo sé bien que usted trabaja y debe cumplir. Me entero de las cosas antes de que sucedan. Ya arreglaremos este inconveniente de algún modo. ¿Existe otro? *(Antes de que el joven pueda hablar. Bonachón)* Tenga usted en cuenta que no valen los impedimentos sentimentales y que, por otra parte, no se podrá marchar. Así que: ¿por qué no se queda?

Joven: Le ruego que considere mi trabajo. No estoy enfermo. ¿Qué excusa daré? Son muy estrictos.

Funcionario: No se inquiete por su trabajo. Usted es joven, conseguirá otro. O no conseguirá otro. Quizás lo favorezca la suerte. ¿Se tomó vacaciones este año? Descansará unos días. Vendré todas las mañanas a charlar con usted. Desayunaremos juntos. ¿Qué prefiere? ¿Café solo o café con leche?

Joven: Es igual. Le agradezco, pero para mí es...

Funcionario (le coloca la mano sobre el hombro): No me agradezca nada. Me siento un poco como su padre. Permítame unos consejos. Ponga buena cara al mal tiempo. Aunque no es justo llamar «mal tiempo» a este cuarto. Corramos las cortinas. Disminuye el lujo. *(Las corre y se vuelve hacia el joven)* ¿Observó usted el cuadro? Pintura de primera calidad. Usted creyó que había una ventana detrás de los cortinados, yo creí que había aquí una ventana. *(Señala la ventana en el cuadro)* Aquí, en estos vidrios que reflejan el sol, que se ensucian como los reales. Y todavía no me convenzo... Optimismo, joven. Mejor que la ventana no esté en ningún lado. Prefiero enriquecer los símbolos. Fraguar ventanas sobre un muro, un cuadro, un ojo. En todos lados, menos en las ventanas. *(Ríe, lo observa)* ¡Pero qué tristeza, joven! Sólo la muerte no tiene remedio. O el remedio es la muerte. A la inversa. *(Ríe)* ¡Ay, qué cabeza la mía! ¡Usted debe estar muerto de hambre! ¿Comió?

Joven: No. Pero no tengo apetito, se lo aseguro.

Funcionario: ¡Pues me alegro! ¿Por qué no tiene apetito? ¿ Le sucede con frecuencia? No tema decírmelo. No es una enfermedad venérea. ¿Consultó a un médico?

Joven: No. Normalmente como mucho, pero en este momento...

Funcionario: ¡Por la situación! Crea en mí: puede dormir en paz. ¿Usted no se llama Ruperto de Hentzau o Hentcau?

Joven: De ningún modo. Me llamo...

Funcionario: ¡Lo sé! Hernández. Basta que lo averigüemos para que quede usted en libertad. Aunque no se puede afirmar que esté preso ahora. Esto no es una celda. Usted debe saber cómo son las celdas, cómo son las cárceles. ¡Qué suciedad, qué promiscuidad! Ningún respeto por la persona humana. Como perros. *(Bruscamente)* ¿Qué hora es? ¿Sería tan amable? No tengo reloj. ¿Vio usted qué miseria?

Joven (saca un reloj del bolsillo y lo consulta . El Funcionario lo mira ávidamente): Las once y cuarto.

Funcionario: ¡Tan tarde! ¿Me permite, caballero? *(Toma el reloj, lo examina)* ¡Hermoso reloj! *(Se lo devuelve)* ¿Un regalo?

Joven: Recuerdo de mi padre.

Funcionario: ¡Ah, los padres, cuánto debemos agradecerles! ¿Es de plata?

Joven: Sí, me lo regaló al morir.

Funcionario (sin pensar en lo que dice): Al morir, ¡qué bien!

El mío no me regaló nada. *(De nuevo, toma el reloj que el joven mantiene entre las manos. Señala)* ¿Son sus iniciales?

Joven: Sí, me llamo como mi padre.

Funcionario (bonachón): ¡No diga más! Nosotros tenemos que averiguarlo. Cuestión de rutina. *(Con pesadumbre devuelve el reloj)* Tome. ¿Dónde lo guarda?

Joven: Aquí, en este bolsillo *(Lo guarda)*

Funcionario: ¡Qué cansado estoy! ¿Podría sentarme en su cama? Digo «su cama» porque considero que nuestros huéspedes son dueños absolutos' de nuestra habitación. *(Se sienta pesadamente en la cama, exagera)* A mi edad no se puede permanecer mucho tiempo de pie. ¡Cuánto envidio su juventud! El vigor, la decisión, y, ¿por qué no decirlo?, la capacidad para el amor. Siéntese a mi lado. *(El joven se sienta)* He tenido un día fatigoso. El cuerpo toma venganza. Pesan doblemente los años, los disgustos, los ligustros. ¿Qué hora dijo que era?

Joven: Las once y cuarto.

Funcionario: No, no eran las once y cuarto. Fíjese.

Joven (saca el reloj. El Funcionario vuelve a mirarlo, ávida y calculadoramente): Las once y cuarto... pasadas.

Funcionario (seco): Mejor ser exactos. Veintitrés y diez y ocho. ¿No se lo dije? Oh, sí, sí, la vida corre al mar y el tiempo la acompaña. *(Ríe)* Ayúdeme, por favor. *(Intenta incorporarse con exagerado esfuerzo. El joven lo ayuda solícitamente)* Gracias, las articulaciones duras, los goznes que se oxidan. *(Se levanta, tanteando subrepticiamente los bolsillos del joven. Después de un momento, parece recuperar su agilidad)* Hasta mañana, hijo. Me preocuparé por usted. Sí, moveré todos los goznes, resortes e influencias. Y mandaré al ujier para que lo ayude a instalarse.

Joven: Gracias. No necesito nada.

Funcionario: No diga eso. Cada hombre necesita su muerte, por lo menos. *(Ríe)* Hasta mañana, hijo, hasta mañana.

(Abre y se dirige al ujier que, obviamente, esperaba detrás de la puerta) Pase, ayude al señor. *(Al joven)* El ujier estará a su entera disposición. *(Muy paternal)* Descanse. ¡Buenos sueños! *(Sale)*

Ujier: ¿Me permite, señor? ¿Se ha instalado ya?

Joven: No tenía nada conmigo. *(Sonríe)* Me arreglaré.

Ujier: No es tan fácil: soplar y hacer botellas. ¿Cómo le sucedió?

Joven: Bajaba del tren, después del día en el campo, y...

Ujier (fastidiado): ¡Oh, sí, la misma historia! Se llegó hasta nosotros. Pero debió ser más previsor. ¿Cómo sale sin llevar una muda de ropa, algunos alimentos, suficiente dinero? ¿Dinero tiene, supongo?

Joven: Un poco. Nunca llevo mucho por temor de que me roben.

Ujier: Bueno, ya ve usted a lo que conduce el exceso de temor en cuanto al dinero, la falta de previsión en lo demás. No sé cómo se arreglará usted. El alojamiento es confortable, pero todo no se nos debe exigir.

Joven: ¡No, por supuesto!

Ujier: Usted es un joven simpático, por eso lo digo. No lo veo abusando, al contrario. Se habrá dado cuenta que eso de: «el ujier a su entera disposición» es una figura literaria.

Joven: Trataré de molestar lo menos posible. Ahora mismo, iba a acostarme.

Ujier: ¡Usted es como yo! ¡Qué buena voluntad! Da gusto. Lo que esté en mi mano... ¡cuente conmigo, señor! *(Le estrecha la mano efusivamente).*

Joven: Gracias. Todos son muy buenos aquí.

Ujier (seco): La bondad no basta. *(Lo observa)* Tiene una barba de chivo. ¿Cuándo se afeitó?

Joven (se palpa el rostro): Esta mañana. ¿Ve?, tengo un rasguño, me corté.

Ujier: «Esta mañana», ¡como si la barba no creciera! Crece en los muertos, ¿qué se puede esperar de los vivos? El desaseo de un barbudo es casi repugnante, ¿no?

Joven: Pero yo... *(Se palpa el rostro, vagamente inquieto)* ¿Tanta barba tengo?

Ujier: Obsérvese.

Joven (se toca las mejillas): Apenas si raspa. *(El ujier guarda un reprobador silencio, ajeno por completo a su barba de varios días)* ¿No podría afeitarme?

Ujier: ¡Ah, sí! Usted dice muy suelto: «¿no podría afeitarme?» Pero, señor, hay que hablar con más juicio. No pedir a tontas y a locas. ¿Dónde iríamos? Nosotros no tenemos nada. No somos una peluquería. ¿Por qué no salió con sus útiles de afeitar?

Joven: ¡Fui a una excursión al campo! ¡Qué absurdo!

Ujier: ¿Y con eso qué? No sea inconsciente. Mejor pecar por exceso que por falta. Supóngase que mañana temprano lo dejen libre, podría ir directamente a la oficina. Pero con la barba crecida, ni pensarlo.

Joven: El Funcionario dijo «varios días».

Ujier: Varios días, ¿para qué? ¿Para averiguar si usted es Hentcau o Hentzau? Vamos, esta noche mismo lo saben.

Joven: ¿Y puedo quedar libre?

Ujier: Esta noche misma, no. Nunca dejan libre de noche. Por los ladrones, la oscuridad. Mañana temprano, sí.

Joven: Y podría llegar a horario.

Ujier: Sería magnífico. *(Comprensivo)* ¿Lo quieren mal?

Joven: ¿En la oficina? No, no, me estiman. Pero prefiero no alterar el ritmo de las cosas. *(Vuelve a palparse el rostro)* ¿Quiere usted ayudarme? Se lo agradecería vivamente.

Ujier: Es un placer escucharlo. ¿En qué forma?

Joven (sin entender): ¿Cómo?

Ujier: ¿En cuánto? No, no, ¿qué digo? ¿Para qué pretender que el agradecimiento se traduzca en otra forma que en agradecimiento? Pero el problema de los útiles, ¿cómo solucionarlo? Tendrá que comprar jabón, navaja, una buena crema...

Joven: Sin crema es igual.

Ujier: No crea, la piel sufre. Vamos, no puedo quedarme aquí indefinidamente. *(Tiende la mano)* ¿Qué decide?

Joven (saca la billetera, cuenta los billetes, con visible pesar extiende uno): ¿Es suficiente?

Ujier (lo toma. Con impertinencia): El jabón. ¿O piensa afeitarse sin jabón, el caballero? Ya le avisé que carecemos de todo. En la casa hemos tenido pocas oportunidades de servir a caballeros con ocurrencias tan peregrinas como las suyas.

Joven: ¿Como las mías? No entiendo.

Ujier: Sí, caballeros que pensaran en afeitarse antes de... *(guarda un silencio significativo)*

Joven (palidece): ¿Antes? Dijo «antes». ¿Antes de qué?

Ujier (con sonrisa estúpida): ¿Yo dije antes? ¡Qué extraño! Es una palabra que no uso nunca: le tengo tirria. Si preciso decir antes, digo después. Mis actos me siguen siempre a la zaga, retardados. Después de acostarme, digo, iré a dar una vuelta.

Joven (bajo): Dijo antes.

Ujier (como si no entendiera): No, no. Nunca voy antes. Me acuesto, duermo un rato y después paseo, lúcido, rozagante. Así concilio, con una fractura de tiempo, el lenguaje con mis actos. Hay palabras que odio, otras que me abandonan por su cuenta. Le aseguro que a ésta la había desterrado de mi vocabulario, habrá vuelto.

Joven: La dijo. ¿Por qué?

Ujier: ¡Ya no me acuerdo! ¿Es que usted también quiere decirla?

Joven: No. ¿Pero por qué la dijo usted? ¿Antes «de qué»?

Ujier: ¡Ah, bueno! ¿Por qué no la termina? ¡Había resultado fastidioso, señor mío! ¿Cuándo quiere usted el jabón para afeitarse, mañana?

Joven: Ahora, si es posible.

Ujier: Ya está. ¿Vio cómo usted también dijo «si es posible» y yo no le hago cuestiones? *(Le muestra el dinero)* Esto no alcanza. Si pudiera comprar al fiado, lo haría, pero ni por usted puedo: me conocen. ¡Y a qué hora se le ocurre a usted afeitarse!

Joven (extiende un segundo billete): ¿Está bien así? ¿Alcanza?

Ujier (impertinente, con la mano abierta): No. No está bien. *(Cuando el joven agrega otro billete cierra la mano y embolsa el dinero. Muy amable)* En dos minutos vuelvo. Trate de no aburrirse. Puede pasear por el cuarto, deleitarse con la contemplación del cuadro, mirar por la ventana, verá usted a un joven que mira por la ventana. Duerma un rato. ¡Vuelvo en seguida! *(Sale. El joven, después de un momento, tienta el picaporte. La puerta está cerrada con llave. Vuelve al interior del cuarto, golpea con los nudillos un mueble para apreciar su solidez, contempla el cuadro con ingenua admiración. Luego se quita los zapatos y se acuesta. Se escucha un ruido, afuera. El joven se incorpora, camina hasta la puerta y prueba el picaporte. No cede. Con un gesto entre desalentado y sorprendido, se acuesta nuevamente, cuidando de no arrugarse la ropa. La escena se oscurece)*

Joven (somnoliento): Apenas llegue el ujier me afeitaré. Sí, me afeitaré y mañana... Mañana, a primera hora... *(Se oye nuevamente un grito que llega de otras dependencias de la casa. Una luz intensa ilumina la habitación. El joven se sienta en la cama con sobresalto)*
Oscuridad.

Escena 2

La escena se ilumina mientras se escuchan unos violentos golpes en la puerta.

Voz del ujier (grita): ¡Caballero, caballero, abra! ¡Despiértese!

Joven (ha despertado sobresaltado. Va a correr instintiva-

mente hacia la puerta, pero se detiene con un gesto de incertidumbre, porque se ha hecho silencio ahora. Va hacia la puerta y mueve el picaporte. No cede. Balbucea): Está cerrado...

Voz del ujier (melosa): Abra, caballero, se lo ruego.

Joven: ¡Está cerrado!

Voz del ujier: Se le enfría la comida y es una lástima. Este corredor está lleno de corrientes de aire. ¿Quiere usted que me resfríe? ¡Malo! Abra, por favor. Vamos, hágame el gusto. Dé un paso, otro... apoye la mano en el picaporte, ¡abra ahora!

Joven (a su pesar, ha seguido las indicaciones, mueve el picaporte: no cede. Retrocede con un gesto de desalentada incomprensión): ¡No...no puedo abrir! ¡La puerta está cerrada!

Voz del ujier (impaciente): ¡Ah, vamos! ¡Colma la medida! ¿Quién le dio tanta confianza, caballero? Yo, no. No hable tampoco. ¡Me las pagará usted! ¡Abra! *(Pega unos fuertes golpes en la puerta. El joven intenta abrirla infructuosamente. Se aleja unos pasos. Balbucea unas palabras incomprensibles. Se escucha nuevamente la voz del ujier, ahora melosa y persuasiva)* ¿Está allí, caballero?

Joven (con un hilo de voz): Sí.

Voz del ujier (ídem): Abra, conversaremos. Ya le dije que adoro el campo, el olor del campo cuando llueve, ¡qué gloria! *(Furioso)* ¡Abra de una maldita vez! Lo oigo cuchichear detrás de la puerta. Sé que está ahí. ¡No juegue conmigo, idiota! ¡Le romperé la crisma!

Joven: Pero... ¡no entiendo! ¿Qué pretende? ¡Está cerrada por fuera!

Voz del ujier (en un paroxismo de furia, pateando la puerta): ¡Ah, qué bestia! ¡Abra de una vez! ¡Abra, abra, abra! *(Irreflexivamente, el joven tiende el brazo hacia la puerta. Antes de que su mano alcance el picaporte, la puerta se abre bruscamente. Entra el ujier, empujando una mesa rodante con platos, fuentes y una botella en un balde, al frío. Contra lo que suponían sus gritos, está muy contento, tararea. Se ha afeitado y masajeado el rostro de tal manera que la piel luce tersa, empolvada, muy brillante. El joven lo contempla estupefacto)*

Ujier (risueño, con una veladura de burla): ¿Pero el caballero no tiene apetito? ¡Vaya que se hizo rogar antes de abrir la puerta! ¿Acaso le gusta estar encerrado?

Joven: ¿Qué dice? ¿Cómo iba a abrir?

Ujier: Lo ignoro, pero sé que cerró. Apenas me marché anoche, cerró. Escuché claramente el ruido de la llave, no soy sordo.

Joven: ¡Mentira! ¡Sabe usted bien que la puerta estaba cerrada por fuera!

Ujier (secamente): No, yo no sé nada. Usted sospecha que yo le gasté una broma, no adivino el fin, yo sospecho de usted: estamos a mano. ¡Y yo tengo razón!

Joven: ¿Con qué medios iba a cerrar yo, quiere decirme? ¿Con qué llave?

Ujier (enojado): ¡Me importa un rábano! No soy un niño para que me cierren la puerta en las narices. ¡Y concluyamos, caballero! Para que no repita usted esta broma estúpida, yo me ocuparé de eso. En el futuro, cerraré «yo» la puerta, se lo advierto. *(Bruscamente, rompe a tararear. Se afana preparando los platos. Su aire es risueño y diligente. Levanta la cabeza y ve al joven, inmóvil y cabizbajo. Cordialmente)* ¡No se quede así, señor! ¡Estimado señor, seamos amigos! Un momento de arrebato lo tiene cualquiera, por eso no nos vamos a amargar la vida. Contemple esto. *(Maquinalmente el joven se toca la barba)* Sí, el joven tiene barba dura, lo observé apenas entré. Pero no se preocupe. Su aspecto es óptimo aún. ¡Oh, qué olor delicioso! Tendremos otros defectos, pero en cuanto a atención... ¡silencio!, como cuando se escucha el himno. *(Se aleja unos pasos y contempla la disposición de la mesa. Ríe)* Me río porque... así debe ser la comida de los condenados... Sí, sí, así debe ser.

Joven (pálido): ¿De...? ¿De quiénes?

Ujier: De los condenados. ¡La comida fin de curso! *(Ríe)* La última, la víspera del luctuoso suceso, del tránsito. ¡Y ésta parece realmente...! ¿Se imagina cómo deben comer? Con las tripas estranguladas. ¡Tanto les daría tragar piedras! ¡Qué desperdicio! *(Ríe alegremente. Después de un momento, ve al joven que se ha desplomado sobre una silla. Afectuoso)* ¿Qué es eso?

Joven: Dice... dice usted que... que es la comida de...

Ujier (risueño): ¡No, no, señor! Cálmese. ¿Me cree capaz de semejante falta de tacto? Parece el almuerzo, pero no. ¡No es, no es! ¡Se lo aseguro! *(Ríe. Sirve una copa y se la tiende)* No sea tan pusilánime. Beba. *(El joven bebe. Ujier afectuosamente)* ¿Mejor? De suponer que usted iba a reaccionar así, me hubiera guardado bien de hacer consideraciones al margen. ¡Qué ánimo sensible el suyo! ¿Me permite una observación?

Joven: Sí.

Ujier: Uno de sus defectos, caballero, es preocuparse demasiado. Cuando entró usted con el alto y el bajo, observé esto en seguida: que usted se preocupaba demasiado. Otros no: vienen alegres, les interesa la aventura. Claro, tanto da una cosa como la otra: todos al tacho.

Joven (demudado): Todos... ¿a... dónde?

Ujier (ríe): ¿Ve? ¿Ve usted? Está preocupado de nuevo. Es una forma de decir, bastante ordinaria, por cierto. Y en su caso, se lo comunico confidencialmente, las cosas van bien, cada vez mejor. Se lo repito, deseche las inquietudes. Todo mal es temporario. Por fuerza debe ser temporario porque la vida es breve. ¿Sabe usted lo que soy yo?

Joven (tímidamente): Un ujier...

Ujier (brutalmente): ¡No diga sandeces!

Joven: No... no acierto.

Ujier (en el colmo de la diversión): Yo era un pobre diablo. Y ahora, no soy más un pobre diablo.

Joven: ¿Pues qué es usted?

Ujier: ¡Un diablito! *(Ríe. Se detiene bruscamente)* Vamos, ¿usted no se ríe?

Joven (sonriendo a duras penas): No... no.

Ujier (ríe): ¿De qué tiene miedo?

Joven (empieza a tentarse): De nada. ¿Pero por qué voy a...?

Ujier (riendo): ¡Porque sí! ¡Festeje su propio funeral! ¡Haga como yo!

Joven (conteniéndose): ¿Usted... usted festeja... su funeral?

Ujier (rápido): ¡No, el suyo! *(Ríe)* Le cortarán la cabeza, así que... ¡ríase!

Joven (conteniéndose con trabajo, como si el ujier hubiera dicho un chiste graciosísimo): ¡Que me cortarán...! ¡Vaya! Que... ¡qué divertido! ¡Que me cortarán...! No tengo ganas. ¡No quiero!... *(Se levanta, volteando involuntariamente la silla)*

Ujier (ríe): ¡Le apuesto que sí! *(El joven camina unos pasos, aguantando la risa, los puños apretados contra el pecho. Doblado en dos, se sienta en la cama. El ujier se le acerca, riendo, familiarmente le da un golpe formidable en la espalda)* ¿Se atoró, señor?

Joven (se levanta como si un resorte se hubiera roto en él, se arquea hacia atrás y comienza a reír abierta, angustiosamente): ¡Ay! ¡Ay! ¿Si me atoré, dice? ¡Qué gracioso! ¡Nunca escuché... nada... tan... gracioso...! *(Ríe hasta las lágrimas)* Ayúdeme! ¡Ayú... deme!

Ujier (que cesó en sus carcajadas apenas el joven rompió a reír, lo observa desde la puerta. Menea la cabeza con expresión un poco disgustada, un poco triste): Qué manera de reír, caballero...

Joven (cesa de reír por puro agotamiento): No pude evitarlo. Me tenté. Qué cosa... idiota.

Ujier: En su situación... No digo que sea para preocuparse, pero dista de ser lucida. ¡Dista bastante! Imagínese que el Funcionario pasara casualmente por el corredor, ¿qué pensaría de mí? ¿De usted?

Joven: ¡Pero no tengo la culpa! ¡Usted empezó!

Ujier (muy irritado): Yo empecé, ¿y con eso, qué? Deslindemos responsabilidades. No quiero censurarlo. Hay gustos y gustos. Pero trate de que sus gustos no perjudiquen a los otros. Limítese a arruinar su reputación, ¡no la mía! *(Se marcha dando un portazo)*

Joven: ¿Qué dice? Me tentó y luego... *(Bruscamente, va hacia la mesa y bebe dos copas de vino. Sonríe, animándose. Come algo mientras pasea por el cuarto, lo recorre metódicamente partiendo desde la pared de la izquierda hasta tropezar con la cama en el extremo opuesto, y viceversa. Tararea unas palabras ininteligibles. De pronto, se para en seco, espantado. Observa incrédulo las paredes. Repite el paseo con pasos visiblemente controlados)* ¡No, imposible! ¿Qué sucedió? ¿Qué...? ¡Qué...! *(Se abalanza hacia la puerta y golpea fuertemente) ¡Ujier! ¡Ujier!*

Ujier (se asoma de inmediato. Amablemente): Caballero, ¿llamó?

Joven (demudado): ¡La... la habitación!

Ujier (ídem): ¿Qué sucede con la habitación?

Joven (aterrorizado): ¡Disminuyó de tamaño!

Ujier (toma la botella y se la muestra al joven. Reprocha amablemente): ¡Señor! Vine corriendo desde la calle, ¡y me llamó para esto!

Joven: ¡No estoy borracho!

Ujier (sonríe): ¿Y entonces?

Joven: Está... más chica.

Ujier (ídem): ¡No me diga!

Joven: Paseaba por la habitación contando los pasos. Diez pasos había desde la pared hasta la cama, ¡y ahora hay ocho! Ocho...

Ujier (se sienta en la cama, indulgente): Veamos. ¿Siempre cuenta los pasos?

Joven: Aquí. Me paseo y canto: *(canta con un hilo de voz)* «diez pasos desde la pared hasta la cama, diez pasos desde la cama a la pared, diez pasos...» Es tonto, lo sé.

Ujier: ¿Siempre tuvo esa costumbre?

Joven: Sí.

Ujier (admirado): ¿Toda su vida se la pasó contando los pasos? ¿Cuántos contó usted, en total? ¿Lo sabe? Debe ser una cifra astronómica.

Joven: No. Quise decir... Aquí empecé, para distraerme, inconscientemente.

Ujier: Ah, inconscientemente. Yo conozco esta habitación. Le puedo asegurar que no ha variado un ápice.

Joven (con desaliento): ¿No?

Ujier: No. *(Una pausa)* Espere... La pintaron una vez, eso sí. Le cambiaron el color. Antes, las paredes eran grises. *(Las paredes son grises)*

Joven: Sin embargo, yo conté diez pasos y ahora hay ocho.

Ujier: ¡Qué obstinación! ¿O busca un pretexto para charlar conmigo? *(Sonríe, se le acerca, equívoco)* ¡Qué amable! Una sorpresa deliciosa.

Joven (retrocede): No. Estoy seguro.

Ujier: Yo también. Es fácil probarlo. *(Camina desde la pared hasta la cama. Con firme inconsecuencia)* Efectivamente, hay ocho pasos. «Siempre» hubo ocho pasos.

Joven: ¡No es posible!

Ujier: Sí, señor, es posible porque lo suyo resulta completamente inverosímil. ¿Siempre se ha preocupado usted por la exactitud? ¿Cuánto mide su cuarto de la pensión?

Joven: No sé, exactamente. No me fijé nunca.

Ujier (reticente): Curioso, ¿eh? Curioso. *(Breve pausa)* ¿Cuatro metros?

Joven: No. Menos. Es un cuarto chico de... tres por tres. Eso es: tres por tres.

Ujier: ¡Muy equivocado, señor! Mide tres con cinco centímetros. Realmente extraño que lo ignore. Lo sé yo y no vivo en él. ¿Cuánto hace que lo ocupa?

Joven: Dos años.

Ujier: Y aquí, controla la medida del cuarto antes de habituarse a él, puede decirse. ¿Cómo sabe si el cuarto no se está adaptando a usted?

Joven: ¿A mí? ¿En qué forma?

Ujier (agresivo): ¡Qué se yo! ¿O piensa que se lo estamos escamoteando a pedazos?

Joven: ¡No, no pienso! No era mi intención controlar nada. En este cuarto sucedió porque estaba ocioso, me entretenía.

Ujier: Como estaba ocioso, contó diez pasos, luego ocho, mañana contará veinte o cincuenta. ¿Sus pasos fueron iguales? ¿Está seguro?

Joven: Sí.

Ujier: No. Hacía largo rato que estaba solo. Demasiado tiempo. No es saludable: uno concluye por pisar su sombra.

Joven: ¿Largo rato? ¡Se había ido usted!

Ujier (no lo escucha): La soledad crea alucinaciones, no está acostumbrado a estar solo.

Joven: ¡No fue por eso! El cuarto...

Ujier: ¡Basta! Le hago una comparación: la oscuridad crea fantasmas, ¿y existen los fantasmas? No, señor. La verdad sólo se salva por las comparaciones. Sus ojos han apreciado mal el tamaño del cuarto. Me ha llamado a mí para comparar nuestras verdades. Y yo le digo, caballero, ¡que está absolutamente equivocado!

Joven: ¿Yo? *(Mira a su alrededor, vacila)* Sería una locura...

Ujier (contento): ¿No es cierto?

Joven: Sin embargo, hubiera apostado...

Ujier: ¡Nada, no apueste nada que pierde!

Joven: ¿Qué?

Ujier (ríe tranquilizadoramente): ¡Qué sé yo lo que pierde! ¡Resígnese! El Funcionario vendrá a verlo mañana, a primera hora. Cuando el Funcionario llega temprano, siempre trae gratas noticias. «La felicidad no puede esperar», dice, y madruga. Sería conveniente que lo esperara despierto, aseado. Es tan bueno que no lo pide, pero sé que eso le encantaría.

Joven: ¿Cómo va a molestarme? Por supuesto que voy a estar despierto. ¿A qué hora vendrá?

Ujier: A las diez o a las veintidós. ¿Le gusta a usted el campo, caballero?
Joven: Sí. Había ido al campo. Precisamente, al bajar del tren fue cuando me invitaron a...
Ujier: Lo sé. Yo lo adoro. ¡Las puestas de sol! Soy un campesino en potencia. Sueño con comprarme una granja. Sé castrar pollos... ¡y hasta gallinas! *(Ríe, luego serio)* La vida sana me apasiona, levantarse al amanecer, respirar el aire puro, sembrar, ordeñar, castrar... ¡qué gloria! *(Mientras el ujier habla, el joven busca el reloj en el bolsillo. No lo encuentra. Luego, con muestras de perplejidad, infructuosamente, revisa sus otros bolsillos. Se oye un grito, largo y angustiado)*
Joven (sobresaltado): ¿Escuchó?
Ujier (estira los brazos, bostezando): ¿Qué? No, no escuché.

Segundo acto

Escena 3

El mismo ambiente, sensiblemente empequeñecido. Han desaparecido las cortinas y el cuadro. Una pequeña lámpara lateral ilumina al joven, que está acostado y duerme. Entra el ujier y enciende la luz central del techo. Trae sobre una bandeja de estaño con una taza con café con leche y un pedazo de pan. Con grosera brusquedad, deposita todo sobre la mesita de luz.
El joven despierta y se incorpora.

Joven: Buenos días. ¿Qué hora es? Me quedé dormido.
Ujier (seco): Marmota.

Joven: ¡El Funcionario! ¿Todavía no llegó?

Ujier (ídem): Sí, llegó, pero es invisible.

Joven (ríe): Seguramente no tardará en llegar, ¿verdad?

Ujier (ídem): No puedo contestar a ninguna pregunta. ¡A ninguna!

Joven: Me dijo usted que vendría.

Ujier: Sí. ¿Y qué? Vendrá, no vendrá. No es asunto que me concierna. En el futuro, me limitaré a mis obligaciones: saldré ganando.

Joven: ¿Por qué lo dice? ¿Ha tenido disgustos?

Ujier (furioso): ¡Bastantes! Y le ruego que tome su desayuno. ¡No estoy aquí para sufrir plantones por nadie!

Joven: Sí, sí, por supuesto. *(Toma la taza y hace ademán de buscar la cucharita)*

Ujier: Ya tiene azúcar. Hoy no traje cubiertos.

Joven: No es nada. *(Toma unos tragos de café con leche ante el ujier que manifiesta ostensiblemente su impaciencia)* Deje la bandeja. La recoge después.

Ujier (agresivo): No. La llevaré «ahora». *(Con sonrisa equívoca)* Anoche faltaba una pieza.

Joven: ¿Faltaba?

Ujier: Sí, me extraña en usted. Pero está visto que sólo se puede confiar en uno mismo. Y no siempre.

Joven: ¿Qué es lo que insinúa?

Ujier: No insinúo: afirmo. Es común en los muchachos. Un vicio asqueroso: ir a los cafés y robar las cucharitas.

Joven: ¿Robarlas?

Ujier: Sí.

Joven: ¡Pero debe haberse caído! ¿Cómo se le ocurre que puedo escamotear una cucharita?

Ujier: Era de plata, ¿por qué no?

Joven: No es mi costumbre,¡por eso!

Ujier: Ah, señor, sus costumbres son cosa suya. Yo sólo sé lo que compruebo: traje cuatro cubiertos con la cena, llevé tres de vuelta. Usted no es el único. Aprovechan la impunidad. *(Furioso)* ¡Saben que no van a juzgarlos por eso! ¡Están tranquilos! ¡Roban!

Joven: ¡Me está calumniando! ¡Maldito sea si toqué esa cucharita! ¿Para qué la quiero?

Ujier: ¡Ladrón!

Joven: ¡Cállese, no le permitiré insultarme!

Ujier: Sí, me permitirá usted lo que se me antoje. Quién sabe lo que se habrá guardado ya.

Joven: Le repito que... ¡Me quejaré al Funcionario, le comunicaré sus estúpidas acusaciones!

Ujier: ¡Hágalo! Me admira su sangre fría. Pero yo tengo la culpa por ingenuo. Fue un error confiar en usted: la platería, mis confidencias sobre el campo y lo demás. Pero si me buscan, me encuentran. ¡Pagará con creces lo de la cucharita, verá!

(Silenciosamente, a tiempo de escuchar las últimas palabras del ujier, el Funcionario ha aparecido en la puerta. Conserva su aire teatral, invariablemente simpático y risueño)

Funcionario: ¿Qué está usted diciendo? No se irrite tanto, le vendrá dolor de cabeza. Cálmese. El joven no pagará nada. ¡Faltaría más! Es nuestro huésped, no lo olvide. *(Avanza sonriendo al encuentro del joven)* ¿Cómo está usted, querido señor? ¡Me alegra verlo después de tanto tiempo! ¡Cómo extrañé nuestras conversaciones! ¡Qué lástima que nunca hayamos podido conversar!

Joven (pálido de indignación, le estrecha la mano. Balbucea): Bien. ¡Me acusa...!

Funcionario: ¡De nada! ¡Niñerías! ¡No quiero enterarme! ¡Silencio! *(Al ujier, con paternal severidad)* Vaya, vaya, hijo, a sus obligaciones. No se demore más. Tiene mucho que hacer esta mañana. *(El ujier recoge la bandeja y al pasar delante del Funcionario se inclina con una exagerada reverencia servil, pero, al mismo tiempo, le guiña un ojo. El joven, estupefacto, advierte el familiar gesto de complicidad. Funcionario, muy contento, frotándose las manos)* ¡Bueno, bueno, bueno! Podemos decir, como en una comedia, ¡al fin solos! *(Ríe)*

Joven: Señor, ¿de veras no quiere usted saber...?

Funcionario: ¡Nada, nada, nada! Como ve, me tri-repito. *(Ríe, muy contento de su chiste)* ¿No le interesa su asunto? ¡Qué apático había resultado!

Joven: Es que estoy... sorprendido, asqueado. ¡Acusarme...!

Funcionario (categórico): ¡Ni una palabra! ¡Sobre ese punto, ni una palabra! ¡Chismes, no! *(Ablandándose)* ¿Quiere que conversemos sobre el tiempo, el arte? Me gusta la ópera.

Joven (desdichado): De lo que usted quiera.

Funcionario: No, diga usted.

Joven: ¿Tiene novedades para mí? Me dijo el ujier que hoy, seguramente....

Funcionario: ¡Sssss! ¡No lo nombre a ése! Apesta. *(Una pausa)* Novedades tengo, ¡y muy buenas! ¡Excelentes! Pero, ¿por qué esa prisa? Vita longa, res breve. *(Ríe)*

Joven (ríe ansioso, por compromiso): ¿Así que tiene usted novedades?

Funcionario: ¡Qué impaciente! ¡Cómo le gusta acribillarme a preguntas! Déjeme respirar. No soy joven como usted. ¿Qué edad tiene?

Joven: Veintidós años.

Funcionario: Lo advertí en seguida, le daba veinte o cuarenta, ni uno más. Y lo advertí por su impaciencia, caballero, ¡su carácter! *(Ríe)* Si no, se comportaría como yo. Obraría con mesura, con voluptuosa lentitud. Apenas si movería el brazo con la esperanza de no mover el tiempo. *(Se sienta)* ¡Ah, la juventud! Mi padre visitaba prostíbulos. Me lo dijo él. ¡Qué viejo puerco! Yo no. Continencia, moderación, impotencia. *(Ríe)* ¡Qué serio y callado es usted! ¿No ríe nunca?

Joven: ¡Sí, desde luego!

Funcionario: ¡Ya sabía que no iba a mentirme! ¿De qué reían tanto usted y el ujier, la otra mañana?

Joven: ¿La otra mañana?
Funcionario: Sí. Pasaba casualmente por el corredor. Le pregunté al ujier: broma del caballero, me dijo. Es muy alegre, un carácter regocijado. Lo apruebo. La juventud hay que disfrutarla.
Joven: ¿Broma mía?
Funcionario: Sí, por eso me asombra verlo tan serio. Cuénteme usted la broma, me gusta reír. Con humor sano, naturalmente.
Joven: No, ninguna broma, Fue...
Funcionario (muy interesado y risueño): Sí...
Joven: Nada, imagínese usted que... No sé cómo explicárselo.
Funcionario (ídem): ¿Un cuento verde?
Joven: No.
Funcionario (ríe): ¿Así que distraía al ujier con cuentos verdes? No protestaré, aunque estaba trabajando y no debía. Cuéntemelo.
Joven: No. No era eso.
Funcionario (lo palmea familiarmente): ¡Animo! No acostumbro, pero por esta vez... Yo le contaré otro. Sé miles.
Joven: Le repito que no fue por eso. Es que ignoro realmente el motivo por el cual empezó a reír el ujier, o, por lo menos, no lo recuerdo. Yo no quería reírme...
Funcionario (seco y desconfiado): ¡Qué extraño!... ¿Reían de mí, acaso?
Joven: ¡No, por favor! ¿Cómo piensa usted? Me tenté.
Funcionario: ¿Y por qué se reía él? Usted no está en situación de tentarse de risa.
Joven (lívido): ¿No estoy en situación?
Funcionario (sonríe instantáneamente): Porque su situación no es grave ni jocosa: «entièrement normal». ¿Qué tal mi francés, señor? Lo estudié con Madame Ninón de Lenclos. *(Espía al joven que, obviamente, no conoce a Ninón de Lenclos)*
Joven: Me parece excelente, lo habla usted muy bien.
Funcionario (probando): «¡Bon jour, bon jour!» *(Alarmado)*

¿O «bon soir»? *(Saca el reloj del joven del bolsillo y lo consulta con naturalidad delante de él, que no acusa la evidencia)* ¿No digo yo? ¡Me atrasé! Mi maldita costumbre de ponerme a charlar con imbéciles, me entusiasmo, me extravío. Joven, estimadísimo joven, buenas noticias. Las que usted esperaba, quizás. No defraudar nunca es mi mayor alegría. ¿Oídos atentos?

Joven: Sí.

Funcionario: Tenemos una sorpresa. *(Se calla)*

Joven: Lo escucho, señor.

Funcionario: ¿No imagina lo que puede ser?

Joven (imaginando mal): Sí, sí, imagino.

Funcionario: Esta breve temporada que está pasando entre nosotros, «avec nous», debe ser imborrable para usted. Le hemos traído a... ¡Adivine!

Joven: ¿Cómo?

Funcionario: Sí, fuimos a buscarla hasta su propio cuarto, en la pensión. *(Pícaro)* ¿Quién es?

Joven (aplastado): ¿Cómo? No tengo a nadie.

Funcionario (satisfecho): Piense.

Joven: A nadie. *(Intenta sonreír)* Por lo menos, en mi cuarto. Esta... ¿ésta es la noticia?

Funcionario: ¿Qué esperaba? Yo le dije noticias, lo sé. Fue un error de plural. ¿Está contento?

Joven: No. Creí... ¡Creía que iba a salir en libertad!

Funcionario: Nadie le impide creerlo. *(Toca un timbre en la pared y llama al mismo tiempo)* ¡Ujier, ujier! ¿Sabía que había aquí un timbre?

Joven: No. Pero no saldré hoy.

Funcionario: ¿Por qué lo asegura? ¿Qué hay de cierto en el mundo? No toca.

Joven: ¿Saldré hoy?

Funcionario (categórico): No. Apretemos el timbre, quizás suene. «Nessuna cosa è certa».

Joven: ¿Cuándo, entonces? No quisiera pecar de fastidioso, señor Funcionario, pero en la oficina son estrictos. ¿Qué excusa daré para esta ausencia? Temo perder el trabajo. No dispongo de otras entradas y mi pensión corre, sigo ocupando el cuarto, en cierta forma.

Funcionario: ¿Su pensión corre? *(Ríe)* ¡Vaya figura! *(Risueño)* Trataremos de que eso no suceda, de que no ocupe dos cuartos a la vez. ¡Con la escasez de alojamiento!

Joven: ¿Puedo contar, entonces...?

Funcionario (tranquilizador): ¡Con todo! Créame, me satisface comprobar que, no obstante su situación, piensa usted en la oficina.

Joven (inquieto): ¿No obstante?

Funcionario: ¡Su óptima situación! Otros pensarían en bueyes perdidos. Usted, no. Es un joven de porvenir. *(Aburridísimo)* ¡Qué cargante! ¿Escuchó el timbre?

Joven: No.

Funcionario: Sin embargo, funcionaba. Todo puede ser cierto, pero es mejor asegurarse. *(Grita, mientras toca el timbre)* ¡Ujier, ujier!

Voz del ujier: ¡Ya voy, señor!

(Se presenta el ujier, trae contento una muñeca de porcelana entre los brazos. Es una muñeca enorme, vestida con excesiva profusión de tules y puntillas, enteramente cursi y anti-infantil, rulos ensortijados y una boquita roja y fruncida)

Funcionario (contento): ¡Ah, muy oportuno! Me leyó el pensamiento. *(Toma la muñeca y, muy ufano, se la presenta al joven)* ¿La reconoce?

Joven (atónito): ¿Este adefesio? Yo esperaba... No me explico cómo me traen esto. ¿Para qué?

Funcionario: ¡Ah, no, señor! ¡Había resultado mal agradecido!

Joven: Excúseme. ¡Ni siquiera me pertenece! Pertenece a mi patrona.

Funcionario: ¡Pero la tenía usted en su habitación! ¿Dónde estaba, ujier?

Ujier: En la habitación del caballero.

Funcionario (ufano): ¡Ya ve!

Ujier: Estaba sobre la cama, así. *(Toma la muñeca y la deposita sobre la cama. La acomoda con una ostentación equívoca)* En la cama del caballero, eso es. *(Ríe)* ¿Dormía con ella, caballero? Como sucedáneo es bastante insatisfactorio.

Funcionario (furioso): ¡Impudicias no, ujier! ¡Repórtese!

Ujier: ¡Perdón!

Joven (tímidamente): Precisaba unas camisas, una muda de ropa. Claro que si mañana puedo salir en libertad...

Funcionario (risueño): Puede salir, puede entrar, colita no vale. *(Ríe)* Le hemos traído el arte, caballero. ¿Qué importancia tienen las camisas? Puede quedarse con la camisa sucia hasta mañana, hasta pasado, hasta mil años. ¿Pero sin el arte, caballero? Nos asfixiaríamos. Agradézcanos.

Ujier: La señora de la pensión me rogó encarecidamente que la cuidara. Sólo por excepción permito que se la lleve usted al joven, es un alma sensible, dijo. Se expresa muy bien para ser dueña de una pensión.

Joven: Odio esa muñeca. No sabía cómo sacármela de encima sin ofender a la patrona. Demasiado grande. Es un fastidio en el cuarto, una aberración.

Ujier (divertido): Aberración, quizás..., la tenía usted sobre la cama.

Joven: ¿Y con eso?

Ujier: Como de noche todos los gatos son pardos, ¿quién le dice? *(Ríe)*

Funcionario (paternal): ¡Ujier! Modere el lenguaje. Se lo recomendé. Es su único defecto.

Joven: Los huéspedes se la pasan unos a otros. Nadie la quiere. Nadie se atreve a romperla. Temen a la patrona. Yo también.

Ujier (toma la muñeca, la examina): Ni una sola cascadura. Perfecto estado.

Funcionario (divertido): No, no temen a la patrona. Es el arte, caballero. ¿Cómo no lo entiende usted? Por eso no se han atrevido a romperla, los huéspedes de su patrona y usted mismo. El arte es todo lo que merece perdurar: la elevación de sentimientos, el devenir de los seres y las cosas. Usted no rompe la muñeca para asegurar la belleza de los mundos, el orden. En una palabra: para que los árboles puedan seguir creciendo e impulsando nuevas hojas hacia afuera, de manera que la tierra no se transforme en un páramo desolado. *(Toma aliento)* ¡Ah!

Ujier (ufano): ¡Muy bien, señor! ¡Ha estado elocuente!

Funcionario (modesto): Gracias.

Joven (lanza una tímida risita): ¡Es tan fea!

Funcionario: Sí, lo acepto. Es un vehículo desgraciado, pero cumple sus fines.

Joven: ¿Sus fines?

Funcionario: Sí, joven, sus fines. Usted me agrada porque pregunta siempre. Sirve al arte.

Joven: No quisiera contradecirlo, señor, pero me gustaría romperla. Apenas puedo, la oculto bajo la cama. Y aun así, sueño pesadillas.

Funcionario: Se engaña, caballero. Usted protege a la muñeca, los demás huéspedes también. Por eso está intacta. Rómpala.

Joven: ¡Que la rompa!...

Funcionario: Sí, no repita. Parece el eco. Hágala pedazos.

Joven (al cabo de un silencio): Bueno, ¡no es mía!

Funcionario: ¡Tanto da! ¿Quién se lo impide?

Joven: ¿Para qué? No entiendo para qué.

Funcionario: ¿No lo deseaba?

Joven: No así.

Funcionario: ¿Y cómo?

Joven: ¡Por un accidente!

Funcionario: Los accidentes se buscan. Tropieza usted con esta silla, ¡y adiós la muñeca!

Ujier (entrega la muñeca al joven. Risueño): ¡Animo, caballero!

Joven (buscando una salida): Pienso... Señor Funcionario,

usted tenía razón, yo no entiendo nada. ¿Para qué apresurarme? Sirve al arte, quizás.

Funcionario (furioso): ¡Ah, maldito hipócrita! ¡Rómpala!

Joven (atemorizado): Si usted me lo ordena, lo haré.

Funcionario: De ningún modo. ¿Qué me importa? ¡Me voy!

Joven: ¡No, no! ¡La rompo!

Ujier: ¡Adelante, caballero! Aquí está la silla. *(Le pone la silla por delante)*

Joven (después de un silencio): No puedo.

Funcionario (irritado): Pero, dígame, ¿no se moría usted por romperla? Dése el gusto.

Joven: No puedo. Mi patrona. Ni un vaso se nos podía volcar en la mesa. Rezonga el día entero. No quiero escucharla.

Funcionario (con brutal franqueza): ¿Y por qué va a escucharla? ¿Cuándo?

Joven (alelado): ¿Cuándo...?

Funcionario (furioso): ¡Póngase cera en los oídos! ¡Sáqueme esta porquería de la vista! ¡Rómpala!

Joven (intenta obedecer, pero le falta valor. Angustiado): ¿Pero por qué? No me parece correcto. Usted dijo que representaba el arte.

Funcionario: ¡Y ahora le digo que es un esperpento!

Joven (como si la muñeca quemara, la deposita sobre la cama): ¡No es mía! Pertenece a mi patrona. Perdone usted, no puedo romperla. *(Angustiado)* ¿Es que no voy a salir más de aquí?

Funcionario (un silencio. Luego, como si la pregunta lo divirtiera, depone su enojo, ríe bonachonamente. En seguida, el ujier le hace eco): ¡Ah, cómo piensa usted esa barbaridad!

Joven (lo mira en suspenso, luego sonríe también, con alivio): Me asusté. ¡Ser impune hasta ese extremo, señor Funcionario! Si no fuera por los gritos de mi patrona, la rompería con gusto. Es un adefesio, lo sé bien.

Funcionario (seco): Yo no estaría tan seguro.

Joven (sorprendido): ¿No cree usted que es un adefesio?

Funcionario: Ah, ¿cómo puedo pronunciarme irreflexivamente sobre cuestión tan delicada? Meditaré esta noche. ¿Qué hora es, joven? *(Apresuradamente)* ¡No, no! No me diga la hora, la conozco. Todas las horas, hasta la caída del sol. Y después de todo, ¿quién lleva la cuenta del tiempo? Yo, no. Así el tiempo me olvida. *(Ríe)* ¡Qué tarde! Hasta mañana. *(Le estrecha la mano calurosamente)* Mañana vendré, espéreme sentado. Conversaremos. Optimismo. «Bonne nuit». «¡Buona notte!»

(Se marcha. El joven lo ve alejarse con expresión sorprendida y estúpida. Luego mira a la muñeca, con cuidado la deposita sobre el piso, debajo de la cama)

Ujier (se le acerca, meloso): ¿Quiere que vaya hasta su casa? Si usted me facilita la llave de su cuarto, puedo traerle los útiles de afeitar, una muda de ropa.

Joven: ¿Para qué?

Ujier: Está sucio. Lo estimo, señor.

Joven: Entonces, ¿no saldré más de aquí?

Ujier: Usted entiende todo al revés. Probablemente mañana.

Joven: El Funcionario no me lo aseguró.

Ujier: Es tímido. ¿No observó usted cómo se ríe siempre por timidez? Le prometió venir mañana, le traerá buenas noticias. En caso contrario, desaparece. Promete venir y desaparece. *(Ríe)*

Joven (con recelo): ¿No será mi caso? ¿Vendrá?

Ujier (fastidiado): ¡Cuántas vueltas! *(Amable)* ¿Está contento de nosotros?

Joven (sin saber qué decir): Sí. *(Después de una pausa)* ¡Sí, sí!

Ujier: No nos cansamos de hablar sobre usted. Se comentan sus gestos, sus generosidades, hasta sus pequeños tics.

Joven (inquieto): ¿Mis tics?

Ujier: Sí, incluso eso. Pocos alojados han contado con tantas simpatías. No las pueden contar, eso es todo. El Funcionario está encantado. De mí, no hablo. ¡Tenemos tantos puntos de contacto!

Joven: ¿Quiénes?

Ujier: ¡Nosotros! ¡El campo! *(Muy hastiado)* ¡Otra vez! *(Sonríe)* Usted vino del campo directamente hasta aquí, yo sueño con ir de aquí al campo. Déjeme que lo huela. *(Huele)* Margaritas, tréboles. Olor a gallinas también.

Joven (ofendido): No, a gallinas no. No me acerqué a ninguna gallina.

Ujier: Lástima. Pero alguna vez se habrá acercado y le quedó el olor. Un olor gratísimo, como a espliego. Yo lo tendré al tanto sobre su situación.

Joven: ¿Sabe usted algo?

Ujier: Es inmejorable.

Joven: ¿Averiguaron ya cómo me llamo?

Ujier: Están en eso. Henfó.

Joven: ¡No, no me llamo Henfó!

Ujier: Están en eso, averiguaron que no se llama Henfó. Y en el fondo, carece de valor lo que averigüen. Su libertad está próxima, es inminente.

Joven: ¡Mentira!

Ujier: ¡Ah, le agradezco la confianza!

Joven: ¿Por qué no me lo dijo el Funcionario?

Ujier: Por delicadeza.

Joven: No entiendo.

Ujier: No importa.

Joven: No... ¡no lo creo!

Ujier: ¡Palabra de honor! ¿Por qué voy a decirle una cosa por otra?

Joven: ¿No está bromeando, verdad?

Ujier (con un gesto ampuloso): ¿Yo?

Joven: Sería tonto, cruel... Sabe lo que significa para mí.

Ujier (indiferente): Como para mí.

Joven: Se lo ruego entonces, dígame la verdad.

Ujier: Está dicha como en presencia de la muerte. Usted saldrá en libertad dentro de... horas, mañana a primera hora. ¿Qué gano en esto? Tanto me da.

Joven: Me saca usted un peso de encima. *(Ríe)* Estaba un poco inquieto. ¿Por qué? Por aprensión, me doy cuenta.

Ujier (muy comprensivo): No se culpe. Culpe a la naturaleza humana, caballero.

Joven: Muy cierto.

Ujier (lo interrumpe): ¡No me agradezca! ¿Sabe adónde voy mañana?

Joven: No.

Ujier: ¡Al campo! Y aquí es donde veré la gratitud de su corazón.

Joven: No entiendo, pero si en algo puedo serle útil...

Ujier: Podrá. Imagínese, debo consultar la hora con mucha frecuencia. Despertarme a las siete y tomar el tren de las siete y treinta. Observé que usted tiene un hermoso reloj, ¿recuerdo de familia?

Joven: Sí, me lo regaló mi padre.

Ujier: ¿Sería tan gentil de facilitármelo por algunos años?

Joven (una pausa. Con desaliento): No lo tengo.

Ujier: ¿Qué dice?

Joven: Lo perdí.

Ujier (incrédulo): ¿Lo perdió «aquí»?

Joven: Supongo que en el cuarto.

Ujier (da un paso hacia atrás): Ah, querido señor, si no desea prestar su condenado reloj, dígalo y no se hable más. Pero no use subterfugios Yo sé bien que en este cuarto no puede haber perdido su reloj.

Joven: ¡Pues le repito que no está en mi poder!

Ujier: ¡Y yo le digo que miente!

Joven: Mire. Lo ponía bajo la almohada. *(Levanta la almohada)* No está. No lo tengo conmigo. Desapareció.

Ujier: ¿A quién se lo quiere hacer creer?

Joven: ¡A nadie! ¡Le digo que desapareció! ¿Es usted sordo? ¿Qué le diré a mi padre? No le diré nada: murió. Pero es lo mismo: como si tuviera que verlo y rendirle cuentas. Dios mío, ¿qué excusa daré a mi propia conciencia por haberlo extraviado tan tontamente?

Ujier: ¿No me está haciendo un escamoteo sucio, como el de la cucharita? Me parece que no le agrada prestar sus cosas. ¡Tacaño asqueroso!

Joven: ¡Váyase al diablo!

Ujier (con un empellón, lo arroja al suelo): Más cuidado, jovencito. ¿O se tragó el cuento de que sale mañana? *(Le revisa los bolsillos, da vuelta de arriba abajo las ropas de la cama)* ¡No lo tiene! ¡Ni que lo hubiera hecho adrede! ¡Vaya idiota! ¡Se lo hizo robar!

Joven (se incorpora): Me lo hice...

Ujier (furioso y desolado a la vez): ¡No repita! ¡Idiota! ¡Es usted un idiota! No puede negarlo. ¡Qué mala suerte! Tratarlo con tantos bemoles para esto. ¡Qué insaciable, maldito sea! ¿Para qué quiere él tantos relojes? ¡Nunca me puedo quedar con nada!

Joven: ¿Quién es él? ¿Qué dice usted?

Ujier (se abalanza furioso hacia el joven): ¿No lo sabe? ¡Idiota! ¡Idiota! *(Le pega)* ¡Lo mataría por idiota!

Escena 4

La escena a oscuras. El ambiente se verá luego notablemente reducido. Como únicos muebles, un catre y una silla. Se escuchan las toses y la respiración de alguien fuertemente resfriado.

Voz del Funcionario: ¿Puedo encender la luz?

Voz del joven: Sí, cómo no. Estoy despierto. Encienda usted.

Funcionario (enciende entre resoplidos): Perdóneme por molestarlo a esta hora, pero es mi único momento libre. Me dije: mejor temprano que nunca.

Joven (está sentado en el catre, tiene el traje arrugado, un ojo negro y se mueve como si hubiera recibido una paliza):

Por favor, cómo va a molestarme, al contrario. Le agradezco mucho que haya venido. Se le ve muy resfriado.

Funcionario: ¡No me hable! Pesqué una gripe anoche, a la salida del teatro. El aire caldeado del interior, la noche fría: en resumidas cuentas, hoy no puedo más. Me sostengo en pie de milagro, *(se golpea el pecho)* puro espíritu. ¿Le gusta a usted el teatro? Fui a escuchar Lucía de Lamermoor. El aria de la locura me pone los pelos de punta, me arrebata del asiento. Adoro el bel canto, joven, la ópera. Yo mismo, ¡ejem...! *(Carraspea y sonríe tímidamente, los ojos bajos)*

Joven (sin entender): ¿Usted mismo?

Funcionario: ¿No es asombroso?

Joven (que sigue sin entender): ¡Ah...! ¡Qué bien! ¡Usted mismo!

Funcionario: ¿No me cree? Ocurre siempre. Nadie imagina que uno tiene su sensibilidad. Todos ven al Funcionario, ¡qué época! Escuche. *(Se pone la mano sobre el pecho, adelanta un pie, tropieza con el catre, lo apoya encima, y canta unas notas con voz ruda y muy potente)*

Joven (comprende al fin): ¡Ah, qué hermosa voz! Claro, ¿cómo se me iba a ocurrir? Mis felicitaciones.

Funcionario: ¡Espere!... *(vuelve a cantar y luego mira al joven, esperando su reacción)*

Joven (tonta y sinceramente impresionado): ¡Qué extraordinario! ¡Si yo tuviera esa voz...! Son verdaderas condiciones artísticas. ¿Canta en algún lado?

Funcionario (rojo de placer): ¿Cantar en algún lado? ¡Ni soñarlo! ¡Con este resfrío! ¡Si pudiera dejar el puesto...! Pero a esta altura de la vida, ¿quién se arriesga? Yo, no. Cantaría en La Scala. *(Bruscamente)* ¡Ah, joven, su asunto! ¡Cómo perdemos tiempo hablando! ¿Pero qué le pasó en el ojo?

Joven: Tuve... tuve una incidencia con el ujier.

Funcionario: ¿Qué clase de incidencia? ¿Le pegó acaso?

Joven: Sí, me pegó.

Funcionario (seco): Ah, ¿suele usted delatar a los ausentes?
Joven: ¿Delatar?
Funcionario: ¿Qué es lo que está haciendo?
Joven: No era mi intención, en absoluto. Precisamente deseaba explicarle lo sucedido.
Funcionario: Sea breve, no me sobra el tiempo. No me agrada tampoco, cuchichear a espaldas de los otros.
Joven: ¡No lo pretendo! ¿Cómo supone usted...?
Funcionario (interrumpiéndolo): Para mí no hay subordinados y ajenos, hay amigos y enemigos. Así, exponga sus quejas con precisión y saldremos ganando. Fallos salomónicos, señor mío.
Joven: Fue... fue un error...
Funcionario (áspero): ¡Cállese! ¡No juzgue, si no quiere ser juzgado! *(Una pausa, impaciente)* ¿Y? ¿Qué espera?
Joven: El ujier me pidió prestado el reloj.
Funcionario: ¡Vaya descaro! ¿Por eso le pegó usted?
Joven: No, él me pegó a mí.
Funcionario: Había entendido lo contrario.
Joven: No, observe usted mi ojo.
Funcionario: Está negro, ¿Y por qué le pegó al ujier?
Joven: No, señor. Yo no le pegué. Vino él...
Funcionario: No diga «él», diga «el ujier». Mejor evitar toda familiaridad.
Joven: Vino el ujier y...
Funcionario (abstraído): Podría decir «el señor ujier...» «C'est plus joli».
Joven: Vino el señor ujier y me pidió prestado el reloj.
Funcionario: ¡Vaya descaro! ¿Por eso le pegó usted a él?
Joven (confundido): No, no, señor, no le pegué.
Funcionario: Sin embargo, los hechos son muy claros. Cantan los hechos, pruebas al canto. Vino el ujier, le pidió el reloj, usted se enfureció y le pegó. Y, vamos a ver, ¿de quién era el reloj?
Joven: Mío. Recuerdo de mi padre.

Funcionario: Bueno, pero el ujier tiene edad para ser su padre. No comprendo porqué procedió usted con tanto arrebato.

Joven: Le aseguro que no le levanté la mano. No me hubiera atrevido.

Funcionario: ¿Por qué no? Se lo merecía, ¿entonces?

Joven: Me parece que es un malentendido, señor. *(Tocándose el ojo)* Me... me duele.

Funcionario: No tiene ninguna mancha en el ojo, el ujier, pero no puedo juzgar por eso. Usted se dará cuenta. Déjeme ver, ¿no es de nacimiento?

Joven: No, señor. Ayer no la tenía.

Funcionario: Sí, a veces ocurren accidentes parecidos. Uno se acuesta sin dolor de muelas y se levanta con dolor de muelas. Así debió sucederle a usted. ¿Acaso cree, por ventura, que este resfrío lo tengo de nacimiento? Tampoco me esperó levantado. ¡Vaya falta de cortesía! Soy bueno, pero no tonto.

Joven: Perdóneme, me sentía mal. Me encuentro molido.

Funcionario: ¿Es mi culpa? Yo también me siento mal y aquí estoy, cumpliendo con mi deber. Prescindamos de lo personal, joven, porque si continuamos en este tren de siento y no siento, no terminaremos nunca. Sabe que dispongo de contados minutos y me demora. ¿Lo hace a propósito?

Joven: ¡No! No, señor. No sé cómo expresarle que lo lamento mucho.

Funcionario: ¡Ah, por fin escucho una frase atinada! ¿Quiere saber cómo marcha su asunto, «l'affaire»?

Joven: Sí, por favor.

Funcionario (alegre y ampuloso): «¡Laissez faire!»

Joven: No... no entiendo.

Funcionario (ufano): ¿Por qué no estudia? El porvenir pertenece a los que estudian idiomas. Le hice una comunicación de interés, ¿y con qué resultado? ¡Ninguno! Se levantó con el pie izquierdo, esta mañana, usted.

Joven (al borde de sus fuerzas): Sí. Sería tan amable de...

Funcionario: ¡De repetirla! ¡Cómo si no costara nada! Hagamos un esfuerzo. Su asunto marcha bien, requetebién. ¿Quiere más detalles? Se los daré. ¡Qué nombre enrevesado el suyo! ¿Cómo se pronuncia? ¿Hencau, Hencó, Hempó? ¡Ah, pero no importa! Para los resultados finales es completamente indiferente. Deseo congratularlo a usted, ahora. *(Ríe)* ¡Joven afortunado! Mañana a esta hora, usted... *(Lanza una alegre carcajada, ahogada a medias por un resoplido. Saca un pañuelo y se suena. El joven sonríe, pero, quebrado por la emoción, se sienta en el catre y oculta el rostro entre las manos. El Funcionario emerge el rostro del pañuelo y lo observa, encantado, divertido. Luego se acerca y se inclina hacia él. Con tono confidencial y casi tierno)* Vamos ¿qué es eso, qué es eso? No lo pasó mal entre nosotros, ¿verdad? La vida es sueño. Y la muerte. No se asuste. Sólo le costará un poco soñarla...

Joven (levanta la cabeza, no ha entendido o no ha escuchado): ¿Qué dice usted?

Funcionario (se aleja hacia la puerta, sonríe alegremente): ¡Si fuera joven! No sabe cómo lo envidio. ¡Ah, la juventud! ¡Me dedicaría al canto! ¡Do, do, do! *(Canta)* Hasta mañana, hijo, hasta mañana. Aunque mañana ya no nos veremos. ¡Quién sabe!

(Sale. El joven se palpa el rostro, intenta pasear por la reducida habitación, tropieza con el catre. Levanta la muñeca del suelo, la mira, concluye por colocarla encima del catre, la acomoda con torpeza y se sienta al lado, en la silla, como si velara a alguien. Después de un momento, se presenta el ujier con una jofaina y una compresa)

Ujier (desenvuelto): ¿Quiere usted colocarse esta compresa? Lo aliviará. El Funcionario siempre me aconseja obrar con mesura. Golpea, pero trata de no lastimar a nadie, me dice. Aunque en esta oportunidad, no me reprendió. ¡Es tan comprensivo! Tome. *(Le coloca la compresa sobre el ojo)* Sosténgala. ¿Le duele?

Joven (lo aparta. Sostiene la compresa): No. Ahora no.

Ujier (ufano): No fui al campo hoy. ¿Se acuerda? Soñaba con respirar tréboles y margaritas. Vaya, ujier, me rogaba el Funcionario, usted necesita un poco de sol, de esparcimiento. Distráigase. ¡Pero no pude marcharme! Me dolían en carne propia cada uno de los golpes que le di, me sacudía el remordimiento.

Joven (con un gran esfuerzo): No quiero... saber nada con usted.

Ujier: ¡Compréndame! Mi gran anhelo de volver al campo, a la vida sana y bucólica, suele impulsarme a gestos reñidos con el buen gusto, hasta un poco despreciables, lo admito. ¿Pero es mía la culpa?

Joven: Lo ignoro. Usted sabrá.

Ujier: ¡No sé nada! ¡Muy cómoda su actitud! *(Le arranca la compresa)* Cometo acciones despreciables bajo el impulso de necesidades líricas, ¿no merezco tolerancia? Como lo del reloj, por ejemplo. ¿Podría el señor perdonarme? ¡Qué malentendido lo del reloj! Pero, caballero, ¿la vida entera no es acaso un malentendido? ¿Llevamos la misma vida? Y entonces, ¿por qué el mismo final? ¿Es justo? ¿Cómo no perder la paciencia?

Joven: No me interesa. Salgo mañana. Ya no nos veremos más. Se lo digo ahora: ¡me alegro!

Ujier: ¡Ay, no! No puede desaparecer dejándome con el remordimiento. ¡No lo soporto! Excuse mi actitud con lo del reloj. Obré con excesiva vehemencia. Después de todo, el Funcionario estaba en su derecho.

Joven (asombrado y aterrorizado a la vez): ¿Cree usted que se llevó mi reloj?

Ujier (con naturalidad): Sí, acostumbra. Después los vende.

Joven: ¡Me está mintiendo! ¡El Funcionario es un caballero! Es... un padre... Sí, un padre.

Ujier: ¡Quién lo duda! No permitiré media palabra contra el Funcionario.

Joven: ¡Pero me está usted diciendo que me robó el reloj!

Ujier: ¡Que se lo llevó! Cuidado con las expresiones, joven.

Joven: ¡Es lo mismo!
Ujier: No. Sostuve que se llevó su reloj, de ahí al robo hay un gran trecho, ¿no le parece?
Joven (balbucea): ¡Mi... «mi» reloj!
Ujier (muy comprensivo): ¿De su padre, verdad? Duele perder los recuerdos de familia. No es el valor intrínseco lo que se lamenta, es la sonrisa con la que nos entregaron el reloj, las palabras...
Joven (bajo): ¿Cómo lo sabe usted?
Ujier (con una risita): Lo intuyo.
Joven: Entonces, por favor, conteste esto, nada más que esto: el Funcionario, ¿se llevó mi reloj?
Ujier: En primer lugar, ¿qué quiere usted que le conteste?
Joven: Sí o no.
Ujier (ríe): Yo supongo...
Joven (trastornado): ¡Imposible! Me aseguró, no, no me aseguró por... exceso de honestidad, para que ningún hecho imprevisible pudiera desmentirlo, que salía mañana. Y usted sostiene ahora... Llevarse mi reloj, ¿para qué? ¡Me lo hubiera pedido! *(Casi gritando)* ¡Es un Funcionario, no un cualquiera!
Ujier: ¿Quién sostiene lo contrario? Yo creo que usted desea pensar que el Funcionario no se llevó su reloj. ¿Y por qué no se da el gusto?
Joven: ¡No es que quiera pensarlo! Me niego a creer una infamia semejante. Seré como un padre para usted, me dijo.
Ujier: ¡Lo es! Un padre le da un reloj, otro padre se lo quita. *(Ríe)* Bromeaba. Habrá perdido el reloj en el cuarto. ¿Revisó el cuarto? ¿Revisó sus bolsillos? Hablando de bolsillos, ¿no tiene usted algún cuarto?
Joven: ¿Para qué?
Ujier: ¿Cómo para qué? ¿No desea enterarse de una noticia que le interesa muy de cerca?
Joven: ¿Qué noticia? Salgo mañana. De esto tengo que preocuparme.

Ujier: Ciertamente, hará bien en preocuparse. Está por verse.
Joven: ¿Cómo?
Ujier: ¡Ah, no! Odio los apresuramientos.
Joven: ¿Qué sabe usted?
Ujier: La gratitud es un sentimiento de mérito, pero no se puede comprar nada con ella, ni una gallina. ¿Y cómo conciliaré mi apetito de gallinas y...?
Joven (con nerviosidad, saca la billetera y le entrega unos billetes): ¡Basta, termínela! ¿Qué pasa? ¿Adelantaron la fecha? ¿Saldré hoy? ¿Es eso?
Ujier (ríe y le agita los billetes delante de la cara): ¡No digo nada ahora! ¡No digo absolutamente nada! ¡Qué miseria! ¡Guárdese su puerco dinero! *(Sin embargo, se lo embolsa en el bolsillo)* ¡Maldito tacaño! Está a punto de... Cierro la boca. ¡Buenas noches!
Joven: ¡Vuelva! ¿Cómo va a dejarme así?
Ujier: ¡No me arrancará una palabra! ¡Miserable! *(Sale. El joven se restriega las manos con un gesto de impotencia, camina, choca con los muebles. Bruscamente, se dirige hacia la puerta y llama. De inmediato, se asoma el ujier que, a todas luces, ha estado esperando el llamado. Muy contento)* ¿Señor?
Joven: ¿Puede servir la billetera? *(Se la tiende. Mansamente)* Por favor, ¿quiere usted hablar? El Funcionario me prometió que mañana...
Ujier (sin escucharlo, toma la billetera y la examina): Un poco ajada en los bordes, su billetera, caballero. *(Se la guarda)* ¿No puede ofrecerme otra cosa? Aumentó el precio.
Joven: ¡Pero...! ¡Usted es un...!
Ujier: ¡No discutamos! Si no está conforme, me voy. De inmediato, mutis eterno. Al fin y al cabo, la culpa es suya por salir con tan poco dinero.
Joven: ¿Qué quiere usted que le dé? ¿Lo imposible? ¿No ve que no tengo nada conmigo? Cuando salga...
Ujier (terminante): ¡No contemos con eso!

Joven (demudado): ¿No saldré nunca más?

Ujier: No afirmé eso. Su futuro no me interesa. Yo no me comprometo con el futuro de nadie, es como si usted estuviera muerto. *(Se apresura)* Es una forma de decir.

Joven: ¿Quiere usted la muñeca?

Ujier: ¿Ese cachivache? ¡No! Además, ¿cómo me da una cosa que no le pertenece?

Joven: Discúlpeme. ¿Pero qué puedo ofrecerle? ¡No tengo nada! ¿No entiende?

Ujier: ¡Me voy!

Joven (lo sujeta humildemente): Por favor... No quise ofenderlo. Pierdo la cabeza. ¿Qué es lo que usted sabe? Comprenda mi inquietud.

Ujier: La comprendo, la comparto. Ninguna causa espúrea ha hecho aumentar el precio, caballero. Las novedades viejas son las que cuestan más. Sí, señor, hace ya media hora que me enteré casualmente, pegando el oído a una puerta, de su próximo destino. ¿Ignora acaso lo que significa media hora en la vida de una novedad? Puede significar mucho tiempo. Puede ocurrir que ya no se conozca, que se transforme en secreto. Y el secreto es como la muerte. *(Sonríe)* No pretendo asustarlo. Nadie sabe lo que hay detrás. Puede ser... sí... la muerte.

Joven (lúcido): ¡Mi muerte!

Ujier: ¡Dale con su muerte! Estoy hablando en general. Podría hacerlo en particular, si usted quisiera. Investigue su persona. ¿Quién le asegura que no olvidó algo de valor en sus bolsillos?

Joven (revisa sus bolsillos, saca un llavero): Tengo este llavero. Quizás sirva.

Ujier (lo examina. Impertinente): ¿Sin llaves?

Joven: Han desaparecido.

Ujier: Ah, sí, cuando nos llevamos todo de su cuarto.

Joven: ¿De mi cuarto?

Ujier: No, de mi cuarto. *(Guarda el llavero)*

Joven: Dijo usted que se llevaron todo de mi cuarto.

Ujier: ¡Cuánta reticencia! Usted es capaz de agotar a un santo. ¿No le trajimos la muñeca? ¿Qué pretende? ¿Que hubiéramos entrado por la ventana? No discutamos porque me callo la boca y asunto concluido.

Joven (con un hilo de voz): ¿Hablará usted?

Ujier (amable): ¡Naturalmente! De cualquier modo le hubiera comunicado la noticia. ¿A mí para qué me sirve? No hacía falta tanto escándalo. ¿Por qué grita? *(Un silencio)* ¿Está cómodo allí?

Joven: Sí.

Ujier: Así me gusta: ¡alegre! ¿Quiere usted sentarse? ¿No? Sería mejor. Sentado, no se aflojan las rodillas. En todo caso, el suelo está más próximo. *(Ríe. El joven se sienta)* ¡Muy bien! Considere esto como un regalo de despedida. En efecto, es un regalo comunicarle una noticia tan sorprendente por tan poco. *(Al joven que, mordido por la impaciencia, va a levantarse)* ¡No, siéntese! ¿Está dispuesto?

Joven (al borde de sus fuerzas): Sí.

Ujier: La novedad es la siguiente: a medianoche, caerán las paredes sobre usted. *(Alegremente)* Daba lo mismo que no lo supiera. Por excepción, la novedad es la muerte. La muerte es como un secreto, haga ver que no lo sabe.

Joven (no encuentra su voz, tiembla, finalmente, salta del asiento): ¿Qué dice usted, canalla?

Ujier: No, moderación en los términos. Hubiera querido comunicarle otra noticia, su próximo casamiento, por ejemplo. Desgraciadamente, nada de mujeres. No soy misógino, pero en la novedad no había mujeres.

Joven: Escúcheme. No lo dice en serio, ¿verdad?

Ujier: ¿Recuerda usted los gritos?

Joven: Sí.

Ujier: ¡Ya ve!

Joven: Se equivoca, se equivoca totalmente. Gritan por vicio. No hay por qué inquietarse. El Funcionario me lo explicó.

Ujier (mundano): Muy interesante. ¿Qué le explicó?

Joven: Eso: gritan por vicio. El tiempo los hace gritar, pasa sin tocarlos, como si estuvieran muertos. Y entonces, gritan para llamar al tiempo, para que acuda y los toque, los envejezca, los haga... acudir a la oficina. *(El ujier ríe. El joven, obstinado)* Eso les pasa a los otros. Yo mismo... A veces, siento impulsos de gritar. Pienso en la oficina, me angustio.

Ujier: No todos son oficinistas.

Joven: Gritan porque se cansan, se aburren, ¡pero no se mueren!

Ujier (con sospechosa aquiescencia): No, no se mueren.

Joven: Me estaba usted mintiendo.

Ujier: Los matan. No es lo mismo, reconózcalo, que haber vivido y estar sobre una cama y dejar que venga la muerte, como un sueño. Es otro temperamento, otra situación.

Joven (grita): ¡No, no! Quiere asustarme. ¡No sé con qué objeto, quiere asustarme!

Ujier (complaciente): ¡Dios me libre!

Joven (con un esfuerzo): Pero no... lo logró.

Ujier (ríe): ¡No es fácil asustar a la gente!

Joven: ¿Qué creía usted? *(Sonríe penosamente)* Ahora... dígame la verdad.

Ujier: Las paredes caerán sobre usted. Es nuestra costumbre al dar las doce. Hora aciaga, hora nupcial. Vaya usted a descubrir si es una cosa, si es la otra, si son las dos cosas a la vez.

Joven: ¡Usted no puede comunicarme esto tan tranquilamente! ¡No puede exigirme mi billetera, el llavero, para comunicarme una noticia así!

Ujier: ¿Así cómo?

Joven: ¡Así atroz!

Ujier (se sienta, se golpea los muslos): ¡Ah, ah! ¡Qué arbitraria interpretación! ¿Por que no tenía derecho a solicitarle una retribución justa? ¿Qué digo justa? ¡Una miseria! Estuvo clamando por la noticia. Buena, mala, allá usted. ¿Qué sé yo? Podía ser, incluso, una buena noticia. ¿Qué era usted antes? Empleado de oficina. No todos poseen la suerte de morir aplastados, planchados.

Joven: ¡No puede comunicarme una noticia así! ¿Qué he hecho? ¿Está loco?

Ujier: Señor, ¿qué quiere que le diga? Usted de todo hace un drama. Me limito a darle una noticia confidencial y no la termina nunca.

Joven: Se achicó la habitación, pero eso puede suceder... ¡No esta cosa horrible!

Ujier: No, tampoco eso.

Joven: ¿Verdad? No estamos en un país de locos. El cuarto no se achicó. *(Sonríe infantilmente)* El vino.

Ujier: Sí, por eso fue.

Joven: Me confundí. Después no conté más. El cuarto dejó de moverse. Nadie mueve el mundo. Está como siempre, intacto.

Ujier: ¡Pero está equivocado, señor! ¡Le mueven el piso!

Joven (rectifica, gritando): ¡Las paredes! ¡Son las paredes! *(Helado)* No, no. Me está mintiendo.

Ujier (lo contempla. Después de un silencio, ríe): ¿Por qué no? Le miento, no le miento, ¿qué significa para usted? ¿Es para poner el grito en el cielo?

Joven (gritando): ¡Significa mucho: me pone nervioso! ¡Déjeme en paz! ¡Me aturde! ¡Me...!

Ujier (festivo): ¡Y se enojó! ¡Finalmente, se enojó! ¡Bromeaba! ¡Nos alegramos tanto cuando usted dejó de jorobar con el cuarto! Nos inquietaba su salud. Por este motivo le buscamos la muñeca, el arte, como dice el señor Funcionario. Para que se distrajera o... *(guarda un equívoco silencio)*

Joven: ¿Por eso me miente ahora? ¿Para distraerme, para probarme?

Ujier: Sí.

Joven: Estoy en mi sano juicio, no le haré caso.

Ujier (ríe): ¡Me lo temía! «Murió la verdad». *(Una pausa)* Queda muy bien el cuadro.

Joven: ¿Dónde?
Ujier: En el otro alojamiento. Un joven también. El cuadro le gustó. Usamos siempre el mismo, por otra parte.
Joven: El Funcionario lo eligió para mí, en el sótano.
Ujier: ¡Desvaría! Imagínese si vamos a tener un cuadro para cada uno. ¿Y cuando se caigan las paredes?
Joven: ¡No vuelva con eso, estúpido!
Ujier: Perdóneme, la costumbre.
Joven: ¿Y los cortinados? ¿También están allí los cortinados, en la otra habitación?
Ujier: Por supuesto.
Joven: ¿Está allí mi reloj?
Ujier: ¿No habíamos arreglado el punto? ¿No lo había perdido?
Joven: No sé. Quizás esté allí y usted lo ignora. Quizás se lo apropió el joven ése que ocupó mi alojamiento.
Ujier (le encanta la idea): Sí, sí. Deducción muy atinada. ¿Cómo no lo pensamos antes? El tercero en discordia.
Joven (obstinado): Quizás esté consultando la hora en este momento. ¿Por casualidad no le vio usted mi reloj entre las manos?
Ujier: Me pareció verlo. Sí, sí, cuando lo guardaba en el bolsillo. *(Blandamente)* ¡Qué porquería!
Joven (con furia reconcentrada): Cuando salga, le rompo todos los dientes.
Ujier: Lo apruebo. Desquítese.
Joven: El domingo iré al campo.
Ujier: ¡Como yo! ¡Ni que fuéramos hermanos!
Joven: Necesito descansar un día. El lunes volveré al trabajo. No me crearán problemas.
Ujier: No se preocupe. Por otra parte, el Funcionario lo recomendará. Conoce a toda la gente. Hablando del Funcionario, me voy. No quiero que me acuse de charlatán. *(Se encamina hacia la puerta)* ¡Tiene un carácter! ¡La peste!
Joven: ¡Escúcheme! Me... me prometió comunicarme una noticia.
Ujier (se detiene, con negligencia): ¡Le comuniqué tantas!

Joven: ¿Me ha mentido?
Ujier: ¡Sí, sí! «La verdad sospechosa». *(Ríe)*
Joven (con obstinada decisión): El domingo iré al campo.
Ujier: Muy bien. Ninguna objeción. Pero de aquí al domingo, faltan unos días. *(Divertido)* No puede esperar de pie, de ningún modo. Venga, siéntese acá. *(Le acerca una silla, el joven se sienta dócilmente. El ujier, con repentina inspiración, le pone la muñeca entre los brazos. Lo contempla risueño)* Así, sea usted bueno y espere. El domingo irá al campo, recuérdelo. Quédese tranquilo, no se mueva. Espere, espere, espere…
(Diciendo esto, sale, suave, furtivamente, la misma expresión divertida y risueña. La puerta queda abierta. El joven mira hacia la puerta, luego, con obediente determinación, muy rígido, la muñeca entre los brazos, los ojos increíbles y estúpidamente abiertos, espera)

Telón

El desatino

A Jorge Petraglia

El desatino

1965

Fue estrenada el 27 de agosto de 1965 en la Sala del Centro de Experimentación Audiovisual del Instituto Torcuato Di Tella con el siguiente reparto:

Personajes

Alfonso	:	Jorge Petraglia
La madre	:	Lilian Riera
Luis	:	Leal Rey
Lily	:	Claudia Durán
El muchacho	:	Fernando Lozano
El niño	:	Carlos A. Gaeta
Los vecinos	:	Pablo Moretti, Rubén Bustos, Oscar Anderman, Gustavo Colautti

Escenografía y vestuario	:	Leal Rey
Puesta en escena y dirección	:	Jorge Petraglia

Primer acto

Escena 1

Una habitación de aspecto gris; una cama con respaldo de hierro, una mesa de luz, ropero, cómoda con espejo y sillas. Una bacinilla floreada debajo de la cama. Bordeando el fondo del escenario, grandes tiestos de lata con lo que alguna vez han sido plantas, grandes hojas completamente marchitas. Algunos tiestos tienen simplemente palos clavados, estacas. En la mesa de luz un reloj despertador y, apoyada contra la pared, una revista con la fotografía de una vedette a cuerpo entero. Dos puertas, una a la izquierda, exterior, y otra a la derecha, que conduce a un pasillo interior. Una ventana que da a la calle. Al levantarse el telón, Alfonso, en camiseta y calzoncillos largos, mira ingenuo y sorprendido, un bulto que ciñe uno de sus pies, es un artefacto negro de hierro, de unos 40 cm de lado. Después de un instante, mueve el pie intentando librarlo, pero no lo consigue. Murmura algo ininteligible. Intenta mover infructuosamente el artefacto. No parece preocuparse demasiado. Bosteza.

Alfonso (bajo, tibiamente): ¡Condenado!... *(Trata de sentarse en la cama y después de varios esfuerzos en los que por poco no va a parar al suelo, consigue sentarse en equilibrio sobre el borde. De pronto, suena el reloj despertador. Alfonso manotea para pararlo, pero lo único que consigue es arrojarlo al suelo, donde sigue sonando. Trata de patearlo con el pie libre, pero está fuera de su alcance. Protesta)* ¡Suena cuando se le ocurre! *(Al reloj)* ¡Sigue sonando! ¡Por mí...! *(Cesa la campanilla. Con un gesto de furia, se apoya nuevamente contra la cama. Se escucha una voz malhumorada e histérica que rezonga, acercándose por el pasillo)*

Voz de la madre: ¡La limpieza! ¡Todos los días la limpieza! ¡Apenas una aprende a caminar, le ponen un plumero en la mano! ¡Qué destino! ¡Carroña!

(Alfonso se apura a levantarse. Entra la madre. El ruedo del camisón sobresale de una bata vieja que se ha echado encima. Tiene aspecto desgreñado, como si recién se hubiera levantado de dormir. Sin embargo, luce en el cuello un gran collar de perlas que cae en dos vueltas sobre la bata desteñida. Trae un plumero bajo el brazo. Al ver a Alfonso, que intenta cubrirse con la sábana, lanza una exclamación de sorpresa)

Madre: ¡Alfonso! Alfonso, ¿qué haces aquí, a esta hora? ¿No escuchaste el despertador?

Alfonso (respetuoso): Buenos días, madre.

Madre: ¡Como para saludos estamos! ¿Qué mosca te picó? ¿No vas a trabajar?

Alfonso: Hoy no.

Madre (agria): Asunto tuyo. Pero yo debo limpiar *(Agita el plumero)* ¿No ves? Tengo que agitar el polvo. Cuando una agita el polvo, los bichos no tienen paz para crecer.

Alfonso: No limpies por hoy.

Madre: ¡Bueno, bueno! No trabajas, no quieres que limpie, ¿para qué vives, Alfonso? ¿Y por qué tiras todo? *(Levanta el reloj del suelo y con un golpe violento lo arroja sobre la mesa de luz)*

Alfonso: Mamá, ¿puedes alcanzarme las herramientas?

Madre: ¿Para qué? Alfonso, siempre con tus pedidos descabellados. Sabes bien que mi columna no me obedece. Ser vieja no es ninguna ganga. ¿Por qué no me guardas un poco de consideración?

Alfonso: Lo siento, mamá. Había olvidado que no puedes inclinarte.

Madre: Ah, ¿lo recuerdas? Cuando te tuve, se me movió un disco de la columna. Así estoy ahora, por ti, completamente dura.

Alfonso: Mamá, no te fastidies.

Madre: ¡Como para no fastidiarme! ¿Qué pretendes? ¿Que me ría? Es bastante ingrato no poder inclinarse. ¡Dura, completamente dura! *(Saca un gran pañuelo grisáceo del bolsillo, se suena, y luego se entretiene en deshilacharlo con profunda concentración. Alfonso adelanta la cabeza y la observa ansiosamente)*

Alfonso (con timidez): Mamá, ¿ése no es un pañuelo de Lily?

Madre (sin mirarlo): ¿De quién?

Alfonso: De Lily.

Madre (levanta la cabeza y lo mira, se ríe): Es mi nuera. ¿No puedo usarle los pañuelos?

Alfonso: ¡Pero ella todavía no los usó!

Madre: Ah, ¿tengo que usar cosas viejas? Un adminículo tan personal como un pañuelo, ¿usarlo cuando haya pasado por otras narices? ¡Gracias!

Alfonso: No, mamá. No me interpretes mal. Tú tienes otros. Esos son de Lily. Se los compré a Lily para el cumpleaños.

Madre: ¿Cuántos cumplió?

Alfonso: Veinte.

Madre: En cada pata.

Alfonso (obstinado): No, cumplió veinte. Abriste la caja. La había guardado en el ropero.

Madre (divertida): Encontré la llave. Hay pañuelos por todos lados. Miles. ¿Por qué no le compras otra cosa?

Alfonso: Ella no los usó todavía. No tienes derecho.

Madre: ¿Por qué? Ya ves la importancia que concede a tus regalos. *(Ha deshilachado casi completamente el pañuelo)* Si no fuera por mí, hubieras ocupado toda la casa con cachivaches.

Alfonso (tímidamente): Y... y el collar... Te has puesto el collar también.

Madre (sacude el pañuelo, que ha quedado transformado en un cuadrado microscópico, y se lo guarda en el bolsillo. Contesta, acercándose al espejo): ¿Te gusta? Eso que sobre el batón no luce bien. A pesar de mi edad, conservo la piel tersa. Debiera hacerme un vestido escotado. ¿Por casualidad no le compraste a Lily un vestido escotado?

Alfonso: No.

Madre: ¿Te imaginas estas perlas sobre la piel? *(Empuja su escote hacia abajo, dejando ver un cuello flaco, una piel flácida. Con satisfacción)* Sí, sí, todavía la mercadería está fresca.

Alfonso: Mamá, el collar no es tuyo. Pertenece a Lily.

Madre: Oh, Alfonso, ¡cómo cansas con Lily! ¿Acaso un collar se gasta? Hace dos años que se lo compraste, cuando cumplió veinte años, dijiste, y no lo usó. Yo lo aireo un poco. Guardadas, las perlas se enmohecen, se ponen verdes. En vez de perlas, vas a encontrar aceitunas.

Alfonso: Pero mamá, ¿qué podré ofrecerle a Lily cuando venga si le usas todo? La ropa, las alhajas, los zapatos.

Madre (enojada): ¿Por qué pierdo tiempo contigo? ¿Los zapatos, dices? ¡Pero si estoy cansada de decirte que me quedan chicos! ¡Maldito seas, me haces arruinar todos los pies! ¡Mira! *(Levanta unas astrosas zapatillas)* Yo me veo obligada a usar esto, ¡y la señora tiene el ropero lleno de zapatos! ¡Cabeza dura! ¡Te digo que calza mi mismo número!

Alfonso (obstinado): No, no. Ella no calza tu número, no tiene el pie grande.
Madre: ¡Vete al diablo! ¿Para qué pierdo el tiempo contigo? Ya me atrasé con el trabajo de toda la casa. ¿Así que hoy no vas a trabajar? No estoy dispuesta a limpiar tu cuarto mientras permanezcas en él. Los hombres en la calle, las mujeres en la casa. Así me enseñaron a mí.
Alfonso (conciliador): Sí, mamá. Apenas pueda, me voy.
Madre: Ya sabes, por mí, que te coman los piojos. No limpio.
Alfonso: Sí, mamá.
Madre (airada): ¡No estoy loca para que me digas que sí! Por lo menos alguna vez puedes decir «cómo no». Varía un poco ¿eh?
Alfonso: No quería ofenderte, mamá. *(Pausa breve)* ¿Me... puedes alcanzar la revista?
Madre: ¿Qué revista?
Alfonso: La de la mesa de luz.
Madre (toma la revista, la hojea): ¡Ah, lindas porquerías! Te felicito. ¿Para esto te mandé a la escuela? Mujeres desnudas... Y no valen nada. Te lo aseguro yo, que soy mujer. Hombres... *(mira absorta)* Hombres desnudos también. *(Mira agitando la cabeza, con reprobación)* Hum, hum. *(Dobla la revista y se la pone bajo el brazo)*
Alfonso (inicia un movimiento de protesta, pero renuncia): Mamá, ¿no puedes llamar a Luis?
Madre: ¿A Luis? A ese esperpento, ¿para qué?
Alfonso: Me alcanzaría las herramientas.
Madre: ¡Dale con las herramientas! ¿Es motivo para que me obligues a hablarle? Pocas personas me resultan tan odiosas.
Alfonso: Llámalo por teléfono.
Madre: No. Está descompuesto.
Alfonso: Habla por el teléfono del almacén.
Madre: No, no, al almacén no voy hasta que necesite algo. Y no voy a necesitar nada porque no tengo dinero. ¿Tú tienes?

Alfonso: En los pantalones.

Madre (revisa los pantalones y se embolsa el dinero. Se ablanda): Bueno, llamaré a Luis. *(Pensativa)* Ese muchacho no me es simpático, te lo repito. Cuida mucho el aspecto, pero con la cara que tiene, ¡trabajo inútil! ¿No puedo llamar a otro, alguien mejor parecido?

Alfonso: Es mi amigo, mamá. Dile que es urgente.

Madre: ¿Para qué? Le diré que se tome su tiempo. Así se usa entre la gente fina. Tómese su tiempo. Es lo correcto. Mi familia era distinguida, sabes.

Alfonso: Dile que es urgente.

Madre (enojada): Llamaré y basta. Apenas sonrío, te tomas confianza. Soy yo la que da la cara. Luis es un esperpento. De sólo pensar en él me desanimo. ¿Qué quieres? Un poco de belleza no hace mal a nadie.

Alfonso: Mejoró mucho, mamá. Ya verás. Llámalo y dile...

Madre: ¡Basta, Alfonso! Los apuros los guardas en el bolsillo. ¡Qué ocurrencia! *(Sale. Alfonso se acurruca nuevamente sobre el borde de la cama. Paciente, se pasa la sábana sobre los hombros y así cubierto, espera, adormilándose. De pronto, el artefacto rechina y se levanta sobresaltado)*

Escena 2

El día siguiente. La habitación a oscuras. Alguien sopla en la oscuridad.

Voz de Luis: ¡Uf! ¡Uf! ¡Qué frío!

(Luis enciende y aparece al lado de la puerta. Es un joven con dientes de caballo, vestido con mucha elegancia, casi un dandy. Lleva sobretodo, guantes y una bufanda al cuello. A su lado, formando un extraño contraste, está un chico de unos diez años, rapado, flaco y astro-

so. Alfonso, con una sombra de barba y aspecto caído, se encuentra sentado incómodamente sobre el borde de la cama. Parpadea. Debajo de la cama, dos bacinillas floreadas)

Luis: ¿Qué haces? ¿El sueño de la marmota? ¿Todavía en la cama? Son casi las diez. Me muero de frío.

Alfonso: Yo también. Estoy helado.

Luis: ¡Pero aquí no es nada! Estás en tu habitación, abrigado. Afuera es el problema: el viento, la lluvia.

Alfonso: ¿Llueve?

Luis: No, hay sol, pero no calienta. Tengo el estómago vacío. Me hiciste llamar anoche con tanto apuro que hoy no alcancé a desayunar. Salí disparando. Traje a mi hermanito.

Alfonso (al chico, con indiferencia): Hola. *(El chico no contesta, inmóvil)*

Luis (al hermano): Vete a ese rincón y juega. *(Dócilmente, el chico se dirige a un rincón y se sienta. Mira las estacas y subrepticiamente saca una. Contento, coloca la estaca sobre sus piernas cruzadas y con un ritmo muy rápido, mecánico, empieza a pasar la punta del dedo sobre la superficie de la madera, de un extremo a otro, en un juego aparentemente sin sentido. Luis)* ¿Tu madre no me servirá el desayuno?

Alfonso: ¿Por qué no le preguntas? Yo no me atrevo. Se levanta con malhumor.

Luis: ¡Cuántos bemoles! *(Se acerca a la puerta y llama)* ¡Señora! ¡Señora! *(A Alfonso)* ¿Es sorda? *(Grita)* ¡Señora! *(A Alfonso)* ¿Cómo se llama?

Alfonso (molesto): ¿Quién? ¿Mamá? *(Vacila)* Se llama... Marta... *(Piensa)* Marta Cristina.

Luis: Me habías dicho otro nombre.

Alfonso: Se llama... Viola.

Luis (riendo a carcajadas): ¿Viola? ¿Señora Viola? *(Ríe)* ¡No, no puedo! ¡Qué nombre! *(Se calma)* ¿Se levantó o duerme?

Alfonso: Se levantó. Escuché correr el agua del baño.

Luis (llama): ¡Señora! ¡Señora! *(A Alfonso, divertido)* ¡Ahí viene! ¡Qué cara, Dios mío! ¿De dónde sale? ¿Se acuesta en una cama o duerme debajo de un puente? ¡Está toda arrugada! *(Compone la expresión)*

Madre (tiene el mismo aspecto que el día anterior, hosca): ¿Señora? ¿Qué señora? ¿Yo o la otra?

Luis (simulando sorpresa): ¿Hay otra?

Madre: Lo sabe bien. Hay dos mujeres en la casa, mi nuera y yo.

Luis (sonriendo): ¿Su nuera?

Madre: Lily.

Luis (divertido): ¡Ah, me había olvidado de Lily!

Madre: No me río. Aclare antes de seguir conversando: ¿yo o la otra?

Luis (ríe): La otra es un truco.

Alfonso (angustiado): ¡Luis! ¿Qué estás diciendo?

Luis (galante): Sólo usted existe para mí.

Madre (halagada): ¡Bueno! ¡Bueno! ¡Ya sé lo que quiere! *(Se marcha)*

Luis (vuelve al interior del cuarto, se restriega las manos): ¿Viste qué fácil?

Alfonso (con admiración): Consigues todo.

Luis: Y es fácil, te digo, con un poco de buena voluntad. Levantarse temprano para ir a la oficina, impresiona bien.

Alfonso: Pero tú no vas.

Luis (amoscado): Simulo y es bastante. Esto es lo que ha impresionado a tu madre: mi aire limpio y atareado. Tú, en cambio, apestas.

Alfonso (tapándose la boca): Perdona. No me lavé los dientes.

Luis: Es otra cosa. *(Señala las bacinillas con el pie)*

Alfonso: ¡Ah, por eso! Mi madre no ha querido vaciarlas. *(Protesta herido)* Tiene la pretensión de que lo haga Lily. ¿Es un trabajo para Lily?

Luis (bromista): ¡Claro que es un trabajo! No te casaste sólo para el placer, ¿eh, Alfonso?

Alfonso (enojado): ¡No para eso! ¡Tú también te la tomas con Lily! ¿Qué le ha hecho?

Luis (ídem): Nada, no te enojes, Alfonso. *(Pausa breve, comienza a irritarse)* Soy yo el que debiera enojarse. ¿Qué querías con tanta urgencia? Tu madre dispone de mi tiempo. «Venga mañana, venga mañana», ¿qué cree? No son amables en tu familia, ¿sabes?

Alfonso: Es culpa mía. Mamá no quería molestarte.

Luis: ¡Esa bruja!

Alfonso: ¡Pero no! Es culpa mía. Te necesito. Por eso le rogué a mamá que te llamara. ¿Estabas ocupado?

Luis: Sí, sí, mucha delicadeza ahora. ¿Qué nueva idea se te ha metido en la cabeza? Tiemblo.

Alfonso: Las herramientas. Necesito las herramientas, Luis. Mi madre no me las puede alcanzar. Pesan.

Luis (malamente sorprendido): ¿Quieres las herramientas? ¿Ahora?

Alfonso: Sí.

Luis (ídem): ¿Ahora? ¿Y dónde están?

Alfonso: En el galpón.

Luis: ¿Quieres que vaya ahora al galpón, a ensuciarme?

Alfonso: No te ensuciarás. Sólo hay un poco de polvo.

Madre (entra con un pedazo de pan y una taza de café con leche): No le haga caso. Desde ayer que insiste con las herramientas. ¡Qué cargoso! En el galpón hay polvo, grasa, cagadas de lauchas. Por eso no se las quise alcanzar. Se va a poner a la miseria.

Alfonso: Mamá, no precisa ensuciarse.

Madre: ¡No me repliques! Se ensuciará. ¿No ves cómo está vestido? Otra vez te fijas dónde pones los pies.

Luis (en babia): ¿Los pies?

Madre: Venga conmigo, Luis. Le he servido el café con leche en el comedor. Tómelo conmigo. Estoy siempre sola. ¿Para qué una pone hijos al mundo? Para que hagan su vida y la dejen sola. *(Deposita la taza sobre la mesa de luz)*

Alfonso: Mamá, no digas eso. Eres tú la que no quieres que permanezca a tu lado. Me echas siempre a la calle.

Madre: ¿Cuándo? Por temor al complejo de Edipo. Por eso. Pero tú no te haces rogar: ¡agarras siempre la calle! Y luego... ¡siempre con esa Lily! *(Lacrimosa)* ¡Siempre con ella! Te sorbió el seso, Alfonso. ¿Y yo? ¿Soy un trapo, yo?

Alfonso: No te mortifiques mamá, mamita.

Madre (se acerca a Alfonso, lo acaricia): Ahora te arrepientes, lo sé. Toma. *(Le da el pan en la mano. Lo besa en la frente)* Te mimo demasiado, hijo. Venga, Luis. El café se enfría. *(A Alfonso, en la puerta)* Hijito, volvemos en seguida. *(Salen)*

Alfonso (empieza a comer el pan; quiere alcanzar la taza, pero se encuentra fuera de su alcance. El niño deja de jugar y lo mira. Afonso retuerce los huesos de los dedos. Consigue una sonora e increíble cantidad de ruidos muy aumentados. Concluye por cansarse. Intenta alcanzar nuevamente la taza. No lo consigue. Al niño, seco): Alcánzame la taza. *(El niño no se mueve. Alfonso, impaciente)* ¿No oyes? ¡Alcánzame la taza! *(El niño se incorpora; lentamente, evitando a Alfonso se acerca a la mesa de luz. Mira el artefacto. Levanta la taza, se aleja unos pasos y se bebe el contenido. Luego se seca la boca y deposita la taza nuevamente sobre la mesa de luz. Vuelve a su rincón, recoge la madera y se absorbe en el juego. Alfonso ahoga su decepción, murmurando)* ¡Cretino! *(Muerde el pan. Ve que el niño juega con la estaca. Ordena)* ¡Deja la madera! *(El niño lo mira y luego sigue jugando. Una pausa. Alfonso, más alto)* ¡Deja la madera! *(Más alto)* ¡Deja la madera! *(Impotente, busca a su alrededor algo para arrojarle. No encuentra nada y le arroja a la cabeza el pedazo de pan. El niño se aparta ágilmente. Se agacha sobre el suelo, busca el pan y se lo come, mirando fijamente a Alfonso. Alfonso mueve repetidas veces la cabeza. La furia cede paso al desengaño. Murmura, como si hiciera una comprobación penosa)* ¡La infancia!... ¡La inocencia...! *(Furioso)* ¡Cuentos!

Luis (entra, muy satisfecho): ¡Cómo me llena tu madre! ¡Doña Viola! *(Ríe)* ¿Qué murmurabas?

Alfonso: ¡Tu hermano! ¡Mis plantas! ¿Cómo van a crecer si me las arranca de cuajo?

Luis (indiferente): ¡Este es siempre el mismo! *(Se dirige hacia el chico, le arranca la estaca, que arroja descuidadamente al suelo y le pega dos bifes)* ¡Quieto, niño!

Alfonso: ¡Plántala!

Luis: ¡Ah no! ¡No tengas pretensiones! *(Saca un cigarrillo, lo enciende. Da una bocanada y se acerca a Alfonso, que sonríe con temor, le aproxima el extremo encendido a los ojos)*

Alfonso (sonriendo asustado): ¿Qué vas a hacer? *(Luis, lentamente, le acerca más el cigarrillo a los ojos. Alfonso, anhelante, tirándose hacia atrás)* ¡No, Luis! ¡Por favor!

Luis (riendo): No te quemo, Alfonso. Hasta las pestañas solamente. Sé hombre, Alfonso.

Alfonso (con temor, intentando reírse): Sí, sí, soy hombre. Sé que no vas a quemarme, pero... *(lanza un alarido)*

Luis (plácido y sorprendido): ¿Te quemé?

Alfonso (con la mano sobre el ojo): Me quemaste, sí. ¿Por qué tendrás esas manías?

Luis: Bueno, no exageres. No fue para tanto. La culpa es tuya. Si no te movieras... ¿Cuándo podré hacer la prueba de los cuchillos?

Alfonso (sonriendo aterrorizado): ¡No, déjate de pruebas! ¡No, no!

Luis: Juguemos a otra cosa, quiero distraerte. *(Se saca la bufanda y se la anuda a Alfonso en el cuello)* Te abrigo, te abrigo, Alfonso.

Alfonso (bromeando dolorosamente): ¿Vas a estrangularme? ¿Eh, quieres estrangularme?

Luis: ¿Estrangularte? *(Ríe)* ¡Qué idea soberbia! Nunca vi a un ahorcado, se ponen negros, sacan la lengua. *(Seco)* ¡Saca la lengua! ¡Afuera, afuera!

Alfonso (saca la lengua por juego, pero la deja afuera luego porque no puede respirar. Quiere seguir la broma): Ya está bien, ya está bien, Luis. *(Manotea en el aire)* ¡Quédate quieto...!

Luis (tira fuertemente por los extremos de la bufanda, apoya el pie sobre la cama a modo de palanca. Ríe, bromea): ¡Ah, viejo bribón! ¡Defiéndete ahora! ¡Vamos, defiéndete!

Alfonso (boqueando, los brazos en cruz): ¡Luis! Por... por... pie... pie... *(tartajea algo ininteligible mientras Luis sigue apretando)*

Madre (entra, muy malhumorada): Alfonso, ¿qué haces? ¿De todos los colores? Y usted, Luis, ¿por qué no se está quieto? ¿Por qué no pone las manos donde debe? *(Luis suelta los extremos de la bufanda enojado. Alfonso se apura a recobrar aliento)* ¿No tienen juicio? ¡Como para realizar la limpieza con tranquilidad! Siempre con el pensamiento puesto en ustedes, par de tontos. ¿Qué hace esa planta en el suelo? ¿Por qué no vigilan al niño, en lugar de hacer estupideces? Me gustan los niños, pero no los soporto. *(Se dirige hacia el niño)* ¡Niño, no toques mis plantas, si no me conocerás ! *(Toma la estaca y la mete dentro del tiesto. Luego dirige una enfurecida mirada a los tres y sale)*

Luis (muy ofendido): ¡Qué humor tienes, querido! ¡Te felicito! Mejor hacer compañía a un cadáver. Es más divertido.

Alfonso: Luis, no quería ofenderte.

Luis (reticente): Sí, sí.

Alfonso: Perdóname. No puedo vencer mi pánico de que me ahorquen. Es tonto, lo sé, pero no puedo evitarlo.

Luis (grita): ¡Entonces no se juega! *(Se acerca a la ventana y tamborilea los dedos sobre el vidrio. Pausa. Hablando ostensiblemente para sí mismo)* Están arreglando la calle. Un montón de tipos, chicos, grandes, un energúmeno.

Seguramente tendrán mejores modales que en esta casa. Sí, seguramente, ¡mejores modales! *(Un silencio)*

Alfonso (tímidamente): ¡Luis...! *(Silencio de Luis)* ¡Luis...! Sé un chiste nuevo. ¿Te lo cuento? *(Silencio de Luis)* ¿Sabes por qué los perros cuando se encuentran se huelen la cola? *(Tamborileo indiferente de Luis sobre el vidrio. El niño levanta la cabeza y escucha con gran atención)* Hubo una vez una fiesta y los perros colgaron todos sus traseros en las perchas porque la cola les molestaba para bailar. Alguien dio una voz de alarma y salieron todos disparando. Cada cual agarró el trasero que le vino a mano. Y ahora... ahora se huelen para reconocer sus verdaderos traseros. *(Silencio de Luis. Se escucha de pronto, la risa del niño, es una risa deliciosa, ingenua y divertida, sin pasado. Luis y Alfonso lo miran adustos, y el niño se calla. Luis se vuelve hacia Alfonso, lo mira, se ablanda)*

Luis: Tú... ¡para contar cuentos!... Eres horrible.

Alfonso (dócil): Sí, sí.

Luis (se acerca a Alfonso, comprensivo): ¿Qué pasa Alfonso? ¿Por qué ese malhumor?

Alfonso (conmovido. Señala el artefacto): Mira.

Luis: ¿Dónde te lastimaste? ¿Pero cómo cometiste esa torpeza? ¿No tienes ojos?

Alfonso (disculpándose): Pa... pasó.

Luis (inclinándose hacia el artefacto): ¿Pero cómo pasó?

Alfonso: Anteanoche. Iba por la calle, siempre miro los tachos de basura, si encuentro alguno bonito, volteo la basura y se lo traigo de regalo a mamá. *(Señalando los tiestos)* Ella pone tierra y planta. Y anteanoche... al lado de un tacho de basura, encontré esto. Toca. Es de hierro. Pensaba venderlo como hierro viejo o regalárselo a mamá, no sabía. Y a la mañana siguiente... ¡ay! *(Luis tironea del pie)* voy a... a... ¡ay!, ¡me lastimas!...

Luis (muy atareado, tironeando el pie de Alfonso): Cállate. Sigue contando.

Alfonso: Voy... a levantarme... y meto el pie... ¡ay! Y no sé cómo, *(transpira)* cómo sacarlo... Ni siquiera... puedo... puedo mover este... armatoste... del suelo.
Luis (tironeando): No, no se mueve.
Alfonso (lívido): Y... ¡ay!... y entonces...
Luis: Cállate, ¿quieres? ¡Qué embrollón! Déjame pensar. *(Se aparta y observa con altiva superioridad el artefacto. Alfonso se inclina tratando de agarrarse el pie, encuentra sangre y sin atreverse a observar, a tientas, recoge la sábana y se cubre el pie, manteniendo la sábana sujeta con las manos. Luis, con una sospecha)* ¿No puedes caminar?
Alfonso: No.
Luis (ídem): ¿Nada, nada?
Alfonso: No.
Luis: ¿No es por pereza? Por pereza tú eres capaz de cualquier cosa.
Alfonso: Te aseguro que no.
Luis: ¡Ay, Alfonso, si pudiera creerte! ¿Pero cómo? Me hiciste tantas trastadas. *(Se inclina y aparta la sábana, fastidiado)* Saca esto. *(Trata infructuosamente de mover el artefacto. Agita el pie de Alfonso que se cubre la boca con la mano para que no se escuchen sus gritos. Luis forcejea obstinado. Se incorpora, francamente fastidiado)* Imposible mover este trasto. ¿Qué hiciste? ¿Lo pegaste con cemento?
Alfonso: No, no. Lo traje al hombro, anteanoche.
Luis: ¿Y ahora? ¿Por qué no lo mueves ahora?
Alfonso: No puedo.
Luis: ¿Y quieres que lo haga yo? ¡Qué cómodo! *(Una pausa)* Para esto necesitas una persona especializada.
Alfonso: No quiero llamar a nadie. ¿Cómo voy a explicar un accidente tan estúpido?
Luis (agrio): ¿Y por qué a mí, entonces?
Alfonso: Eres mi amigo.
Luis: No es suficiente. No creas que esto: ser amigo, sea sufi-

ciente. No sirve para nada. Hubieras debido evitarme esta mortificación. ¿Qué pretendes que haga contigo, ahora?

Alfonso (disculpándose): No lo había pensado.

Luis (digno): Muy propio de ti no pensar en las consecuencias de tus actos. *(Un silencio, Luis, con ánimo de broma)* ¿Si llamáramos a Lily?

Alfonso (molesto): ¡Déjala en paz! Está durmiendo.

Luis: ¡Uf! ¿Esa duerme siempre? Cuando se despierta, ¿la ves?

Alfonso: ¡Claro que la veo!

Luis (sonriendo): ¡Bueno, bueno! Cálmate. Cuando te tocan a Lily... *(termina riéndose)*

Alfonso: ¿Por qué te ríes? Siempre te ríes cuando hablas de Lily. ¿Es para tomarla a broma?

Luis (con una sombra de burla): ¿Quién la toma a broma? Tu madre, los vecinos, yo no.

Alfonso (ansioso): ¿Quieres... quieres que te cuente la forma en que la conocí? Te lo cuento en dos palabras. Fue en un baile, estaba solo, triste, aburrido y...

Luis (lo interrumpe, simulando espanto): No, Alfonso. No. ¡Otra vez!

Alfonso (con decepción): ¿No quieres escucharlo? *(Ansioso)* ¿Mi casamiento? Te cuento... te cuento la noche de bodas...

Luis: No, no. ¿Otra vez? Varías poco. Además, no pasó nada.

Alfonso: ¿Que no pasó nada?

Luis: Sí. Así me lo contaste: noche completamente inocua. Después te arrepentiste y quisiste arreglarlo. Pero la primera versión es la que vale. No te avergüences: los nervios. *(Se inclina hacia el artefacto, señala, con seguridad)* Aquí hay un tornillo. ¿Ves?

Alfonso (se inclina): No. No veo.

Luis (ídem): ¡Te digo que sí! Si sacamos este tornillo, todo este artefacto se deshace. Pura cáscara. Mañana vendré con ropa de trabajo, un mameluco.

Alfonso: Tengo uno allí, en el ropero.

Luis: ¿Estás loco? Yo no me disfrazo con ropa ajena. Además, perdóname, no me parece higiénico.

(Aparece la madre. Se ha puesto una peluca con un peinado a la moda, brillante y juvenil, que contrasta horriblemente con su cara, muy pintarrajeada ahora. Lleva zapatos de tacos altos con los que casi no puede caminar y viste un vestido, blanco y juvenil, que no corresponde a su medida)

Madre (agria): ¿Todavía aquí?

Luis (gentil): ¿Molesto?

Madre: No lo decía por usted. Los amigos de Alfonso, son mis amigos.

Luis: ¡Ah, señora! Es un placer escucharla. Soy amigo de Alfonso, sólo para ser su amigo.

Madre (ríe halagada): ¡Ah, cómo habla usted! Las chicas deben perseguirlo a montones.

Luis: No crea.

Madre (sintiéndolo): ¡Con esa cara...!

Luis: Las que me importan son las que están en la flor de la edad.

Madre (coqueta): ¿Cuáles?

Luis (se le acerca, insinuante): ¿No lo imagina?

Madre (ídem): ¡Ay, no sé! ¡Tengo tan poca práctica! *(Toma la taza encima de la mesa de luz)*

Luis: Señora, no se incomode. ¿Para qué estoy yo? *(Trata de sacarle la taza de las manos)*

Madre (no abandona la taza): ¡No! ¡Por favor, Luis! Puede mancharse.

Luis (magnánimo): ¡Qué importa! *(Se queda con la taza)* Después me baño.

Madre (ríe): ¡Cómo es gentil usted! Ya no quedan muchachos así. Ni siquiera Alfonso.

Luis (riendo): ¡Soy de la «belle époque»!

(Van a salir y tropiezan con alguien. De rebote, caen de nuevo sobre la escena, la taza vuela, la madre pierde los zapatos)

Madre: ¡Carroña! ¡Mis zapatos! *(Los busca)*

Luis: ¿Quién es usted? ¿Qué quiere? ¿No ve dónde camina? *(Entra el muchacho. Es un joven inmenso y musculoso, con un saco azul de trabajo y un pequeño casquete en la cima del cráneo. Trae una botella en la mano)*

Muchacho: Perdonen. Sólo quería un poco de agua...

Madre (agria): ¿Para qué?

Muchacho: Para mí. Reviento de sed.

Luis: Fíjese cómo habla. Hay chicos. Después aprenden y hablan como la mona.

Muchacho: Discúlpeme.

Madre (tendiendo la mano hacia la botella, con malos modos): Déme.

Luis: No. No se moleste. *(Al hermano)* Muévete. ¡Trae agua! *(Le da la botella, el niño la toma y sale)*

Muchacho (mira amistosamente a Alfonso. En seguida, ve el artefacto): ¿Qué le pasó?

Alfonso (molesto): Un... un accidente.

Madre (muy digna, a Luis): ¡Hay que aguantar cada intromisión!

Luis: Tenga paciencia, señora.

Madre: ¿De dónde salió?

Luis: Están arreglando la calle. *(Despectivo)* Usted es de la calle, ¿no?

Muchacho: Sí. *(A Alfonso, amistosamente)* ¿Por qué no se acuesta?

Alfonso (seco): No puedo.

Muchacho: ¿No puede...? ¿Por qué? *(Con entera facilidad levanta el artefacto y por ende a Alfonso, que pega un alarido y cae sobre la cama)*

Luis (con rabioso asombro): ¿Cómo lo movió?

Muchacho: Fue fácil. No pesaba. *(A Alfonso, enjugándole la cara con un pañuelo sucio. Afectuosamente)* ¿Está mejor así?...

Alfonso (a regañadientes): Sí, estoy mejor. *(Apartándole la mano y el pañuelo)* ¡Déjeme tranquilo!

(Entra el niño con el agua. Se la da al muchacho)

Muchacho: Gracias. *(Hurga en los bolsillos y saca un caramelo. Al chico)* Abre la boca. *(El niño niega con la cabeza)* Vamos, abre la boca. Cierra los ojos. *(Desconfiado, el chico obedece. El muchacho le pone el caramelo en la boca. Ríe bonachonamente)* ¡Tiene papel! *(El chico, desconfiado, se saca en seguida el caramelo de la boca y lo examina. Al ver que no hay engaño, sonríe al muchacho con una sonrisa idéntica a la risa, ingenua y transparente. Empieza a sacarle el papel)*

Muchacho: ¡Gracias por todo! *(Sale)*

Luis (se acerca al hermano, le arrebata el caramelo, le pone otra vez el papel y se lo guarda en el bolsillo): ¡Mil veces te repetí que no aceptaras nada de extraños! *(Le señala el rincón)* ¡Vete a ese rincón y juega!

Alfonso (sincero): ¡Qué alivio!

Luis (amoscado): ¿Por qué?

Alfonso: ¡Estirarme!...

Luis (ídem): Sí, ya me parecía que no podía ser por otro motivo, el alivio. ¡Muy bien! Toda la mañana perdida aquí, a tus pies, ¿y dejas que cualquiera intervenga? ¿Soy un idiota que no sé lo que hago?

Alfonso (disculpándose): No, Luis. Vino él solo.

Luis: Lo sé. Pero para otra oportunidad, me avisas. Si ese trabajo podía hacerlo cualquiera, no necesitabas llamarme.

Madre: No se haga malasangre, Luis. No vale la pena Alfonso será siempre el mismo desconsiderado. ¡Lo es conmigo, su madre! No escarmienta; va a quedarse solo como un perro.

Luis: ¡Uno cree hacerle un favor, señora, y...!

Alfonso (se incorpora): Luis, te agradezco tanto que hayas venido.

Luis: Sí, sí, agradece. Pero el mal está hecho.

Alfonso (infructuosamente intenta mover el artefacto): No puedo moverlo. Si no, te lo aseguro, me tiro al suelo otra vez.

Luis: ¡Cállate! ¿Qué gano yo con eso? ¿O crees que tirándote al suelo repararás mi dignidad? *(A la madre)* Señora, lamento que contemple esta escena, pero comprenderá mi decepción. La amistad, ¿para qué sirve? Pensaba venir mañana con un mameluco blanco, descuidar mis propias actividades, permanecer aquí, oliendo esos pies hediondos, hasta librarlo, pero ahora, se lo confieso, me pregunto si valdrá la pena realizar tanto sacrificio. Si cualquier advenedizo puede entrar y actuar libremente...

Alfonso (ansioso): Pero puedes venir a quedarte, Luis. Había tornillos. No tocó los tornillos, el bestia ése.

Madre: Luis, querido, no se haga malasangre. Yo que soy la madre, le estoy muy agradecida. Lo necesitamos. Venga mañana.

(Un silencio)

Luis (al cabo, muy digno): Vendré. Por usted, señora.

Madre: ¡Qué buen corazón el suyo, Luis! *(Aparte)* ¡Si no fuera por la cara! Venga. Usted es goloso. Preparé unas masitas. ¿Me acompaña?

Luis (galante): ¡Encantado! En su compañía, hasta el fin del mundo. *(Risa complacida de la madre)* ¿Qué preparó? *(Salen. Se escuchan sus voces conversando íntimamente en el pasillo y luego una exclamación de la madre, como si la hubieran pellizcado)*

Voz de la madre (regocijada): ¡Ay! ¡Luis, por favor! ¡No tan fuerte! *(Lanza una risa erótica y senil)*

(Un silencio)

Alfonso (mira al niño, hosco): ¿Qué estás haciendo? *(Pausa breve, tímidamente)* ¿Quieres... vaciar... vaciar...? *(Señala las bacinillas debajo de la cama. Silencio e inmovilidad del niño)* ¡Inútil! ¿Para qué te trae tu hermano? ¡Habla! ¿Eres estúpido? *(Silencio del niño, Alfonso, con otro tono)* ¿Quieres otro caramelo? ¿Quieres?

El niño (bajo, ansioso): ¿Tiene?

Alfonso (ríe, divertido): ¡No, no tengo! Caíste, ¿eh? *(Se toca la cabeza)* Te falla algo aquí, ¿no es cierto? ¡Qué mala suerte tener este clavo por compañía...! ¿Por qué no serás Lily? *(Pausa. Bajo)* Lily... ¡Cómo te extraño, Lily...! Y que me veas en este estado... Pero me pondré bien e iremos a pasear. Iremos al zoológico. ¿Te gusta ir al zoológico, Lily? No, creo que no. *(Piensa)* O sí, te gusta todo. *(Mientras habla, la escena se va oscureciendo hasta la entrada de Lily, que aporta otro tipo de luz, más cálida y viva)* El baile te gusta. *(Humildemente)* Yo no sé bailar... torpe... he sido siempre torpe... *(Entra Lily, da unos pasos y se queda inmóvil. Es una rubia despampanante, cabellera muy rubia y ondulada, boca grande y todos los atributos de la femineidad en doble volumen: senos, caderas, piernas. Está vestida con gusto chabacano, vestido muy ajustado, rojo brillante, con un tajo en el ruedo que deja ver las piernas, flores en la cintura y una piel sobre los hombros. Es una especie de Anita Ekberg en «La dolce vita», pero distorsionada a través de los ojos de Alfonso. Sonríe con una media sonrisa enigmática, burlona y al mismo tiempo llena de una convencional coquetería. Tiene un cigarrillo encendido en la mano y fuma insinuantemente, arrojando bocanadas de humo en dirección a Alfonso, quien la descubre maravillado, como si no pudiera dar crédito a sus propios ojos. Alfonso, después de un silencio, al niño, sin apartar la vista de Lily, absorto y encandilado)* ¡Vete, niño! Márchate de este cuarto. *(Fuerte)* ¡Déjanos solos! Vete a jugar... a cualquier lado... afuera, lejos... Desaparece, por favor, desaparece... Déjanos... *(El niño se incorpora lentamente, luego queda de pie, inmóvil, sin expresión. Alfonso, con una voz distinta, grave, muy emocionada)* ¡Lily! ¡Lily! ¡Ven a mis brazos, Lily! *(Los tiende y cae con gran estruendo fuera de la cama)*

Segundo acto

Escena 3

La escena vacía, salvo un árbol raquítico a la izquierda y unas feísimas flores artificiales, muy enhiestas, colocadas directamente sobre el piso del escenario. Alfonso está sentado debajo del árbol, más macilento y con la barba crecida. Viste un saco sobre la camiseta, pero sigue con los calzoncillos largos, el aparato ceñido al pie, envuelto en unos trapos. Está resfriado. Sorbe de tanto en tanto. Aparecen Luis y la madre por la derecha, tomados de la mano. Luis viste un impecable mameluco blanco, con camisa y corbata con perla. La madre lleva peluca, un vestido claro y juvenil que no le pertenece y zapatos con tacos altos. Están contentos y canturrean.

Luis: ¿Qué haces aquí, solo como un hongo?
Alfonso: Me distraigo.
Luis: Podías ser más divertido. ¿Por qué no te trajiste una guitarra?
Madre: ¿Te gusta el paseo, hijo?
Alfonso: Sí, mamá. ¿Dónde fueron?
Madre (señalando): Por allá. No hay nada. Piedras y cascotes por todos lados. *(A Luis)* ¿Y por allá que hay, Luis?
Luis: Casillas.
Madre: ¿Deshabitadas?
Luis (con empaque): Circunstancialmente. *(Saca un paquete de cigarrillos)*
Alfonso (ansioso): ¿Me das uno?
Luis: ¡Ah, no! Cómprate. *(Invita a la madre)* ¿Fuma, señora?
Madre: No, Luis, no fumo. ¡A mi edad!
Luis: Nunca es tarde para aprender. Pruebe.
Madre (riendo): ¡No, Luis! ¿Qué dirá Alfonso? ¡Es tan severo! ¿No te opones, Alfonso?

Alfonso: No, mamá. Prueba. Si no te gusta, me lo das. *(Luis enciende un cigarrillo y se lo coloca en la boca a la madre)*
Madre: ¿Cómo se hace?
Luis: Aspire.
Madre: ¿Tan simple? ¿Nada más que eso?
Luis: Nada más. ¿Vio qué fácil? Todas las chicas fuman.
Madre (aspira como para tragar a un buey, se atora, tose y escupe): ¡Ay, qué asco! Estoy mareada. Me siento desvanecer. *(Se apoya en Luis)*
Luis (la sostiene por debajo de las axilas y le toca los senos): No se asuste. Yo la sostengo, señora.
Madre: ¿Y tú, Alfonso, qué haces? ¿Me dejas así? ¡Qué hijo! *(Infructuosamente, Alfonso está tratando de alcanzar el cigarrillo tirado en el suelo)*
Luis (a la madre): Venga, señora. Vamos a tomar aire.
Madre: ¿Qué hay en las casillas?
Luis: Los dueños vienen durante el verano. Ahora no hay nadie. Venga, le mostraré. Se abren con una patada.
Madre (coqueta): ¿Nadie?
Luis: Le digo que no.
Madre: ¿Y qué hay adentro?
Luis: Cajones, sillas, catres.
Madre (interesada): ¿Catres?
Luis: Sí. Venga. *(Saca un peine y un espejo del bolsillo. Le entrega el espejo a Alfonso y comienza a peinarse. Se peina con mucho cuidado, interminablemente)* Derecho, Alfonso. *(Se aplasta el pelo con unos golpecitos de las manos. Alfonso mueve el espejo)* Derecho, Alfonso. Manos de manteca.
Madre (acercándose): ¡Oh, cuánta caspa! Espere que se la saco. *(Le sacude los hombros. Se pega a él y mojándose la punta del dedo, le saca la caspa, una por una)*
Luis (halagado): Usted es la mujer de mis sueños.
Madre: ¿No Lily?
Luis: ¿Quién conoce a Lily?

Alfonso: Luis, tú para quedar bien con mi madre excedes cualquier límite.

Luis (bromista): Yo no la conozco. ¿Usted, señora?

Madre (ídem): Yo no tengo más remedio. ¡Ay, cómo me duelen los pies! ¡Estos malditos zapatos! *(Se los saca y los arroja a Alfonso)* Sigue obstinándote en comprarle zapatos chicos a Lily. Pobrecita, se quejó el otro día, conmigo. ¿No te dijo nada?

Alfonso: Lily tiene el pie chico mamá. A ella le quedan bien.

Madre: ¡Qué cabeza! *(A Luis)* Imposible convencerlo. *(Nuevamente a Alfonso)* ¿Me trajiste las zapatillas?

Alfonso (saca las zapatillas del bolsillo y se las tiende): Aquí están, mamá. Tengo frío.

Madre: Yo también.

Alfonso: ¿No podremos volver?

Madre: ¿No escuchas? Te digo que tengo frío. Quiero caminar y calentarme un poco. Ya estaré quieta en la tierra.

Alfonso: Me gustaría volver, estoy cansado. Voy a resfriarme, mamá.

Madre (ríe): Alfonso, ¡con tu salud de hierro! Además este frío sólo penetra hasta los huesos. No va más allá.

Alfonso (débilmente): Quiero volver.

Madre (irritada): ¡No insistas! No fue ese el trato. Aguántate. No eres compañía agradable, hijo. Por otra parte , el aire fresco tiene sus ventajas, te hará bien, despierta el apetito. Jamás vi a nadie con un color como el tuyo. ¿No es verdad, Luis, que tiene mal color?

Luis: Sí, muy mal color. El encierro. ¡Si no sale nunca!

Alfonso: Atardece, mamá. Lily me espera.

Madre: ¡No mientas! Lily estaba durmiendo cuando nos fuimos. Tú sabes que ella duerme a tirones. Puede ser que siga durmiendo, que haya salido. De cualquier forma, no te espera. Contesta: ¿es cierto o no?

Alfonso: Sí, mamá. Es cierto, pero...

Luis: Señora, si continuamos en este tren, se nos viene la noche encima.

Madre: Tiene razón. ¡Es este cargoso! ¡Qué aguafiestas! ¿Para qué lo trajimos?
Luis: Idea suya, señora.
Madre: ¡Pero, Luis! ¿Qué iba a pensar la gente si salíamos solos? No soy una niña. Debo cuidar mi reputación. Por Alfonso.
Alfonso: ¿No podría irme solo, mamá?
Madre: ¿Con quién? Tengo que avisarle al muchacho para que pase a recogerte.
Alfonso (molesto): ¿A ése?
Madre: ¿A quién? No te voy a llevar en brazos. Ya pasaron esos tiempos.
Alfonso: ¿Y el carrito del verdulero?
Madre: No. El verdulero dijo que su oficio era vender verduras, no llevar a jóvenes al campo. Y no le falta razón. Te sentaste sobre un tomate. Tuve que pagárselo.
Alfonso: Fue sin querer.
Madre: Sin querer o queriendo, es lo mismo. Espera al muchacho, Alfonso. Lo más, podrás pisarle los callos. *(Luis rompe a reír estruendosamente, festejando el chiste. Madre, indulgente)* Usted cállese y lléveme a ver las casillas.
Luis: A sus órdenes, señora.
Madre (a Alfonso): Una vueltita, nada más. Para entrar en calor. *(Lanza una risita tonta)* ¡En calor...! Luego le aviso al muchacho. Regresaremos para hacerte compañía. ¡Por qué te querré tanto, querido!
Alfonso: Dile que venga pronto, mamá.
Madre (mirando a Luis, distraída): Sí, querido, sí, querido. *(A Luis)* ¿Por allá están las casillas?
Luis: Sí, por allá.
Madre: ¿Son fuertes los catres? ¿Resistentes?
Luis: Aguantan.
Madre: ¿No hay nadie? *(Salen. Se escucha el grito de la madre, como si Luis la hubiera pellizcado y su risita erótica y senil. Madre, riendo, afuera)* ¡Otra vez!

Escena 4

Alfonso duerme, cada vez más macilento. Amanece. Despierta de golpe, se mata un bicho sobre la mano. Está completamente duro. Poco a poco consigue mover los hombros, el cuello, girar la cabeza. Estornuda. Sorbe. Entran la madre y Luis. La madre corre hacia Alfonso.

Madre: ¡Alfonso, querido! *(Lo besa)* Ayer se nos hizo tan tarde mirando las casillas que nos marchamos directamente a casa. ¿Qué íbamos a hacer los tres en la oscuridad? ¡Hacía tanto frío! ¿Pasaste mala noche?

Alfonso (ansioso): ¿Me esperó Lily?

Madre (con una mueca): ¡Es imposible quererte! ¿Por qué preguntas por Lily? Apenas llego, preguntas por Lily. Sabes que no la puedo ver. ¡Déjala en paz!

Luis (cantando): ¡No había nadie en el hogar!
¡No había nadie en el hogar!
¡Entramos y no había nadie!

Alfonso (entiende, contento): Está bien, mamá, está bien. No te pregunto nada. No me importa.

Luis (pisa un hormiguero): ¡Ay! ¡Me picó una hormiga! *(Salta como un acróbata)*

Madre (corre hacia él): ¡Venga, Luis! ¡No corra! Sáquese la media. *(Luis sigue saltando)* ¡Venga! Si no, la hormiga camina, camina y quién sabe adónde llega. *(Lo hace sentar, le saca el zapato y la media)* Acá está. *(Le muestra la hormiga)*

Luis: Me pica.

Madre (se pone saliva en la punta de un dedo y le frota el pie, le besa el lugar lastimado): Sana, sana, culito de rana... ¿Pasó?

Luis: Sí, ¡qué buena es!

Madre: ¡Cómo para no serlo con usted, Luis!

Alfonso: Mamá, ¿avisaste al muchacho?

Madre (molesta por la interrupción): Sí.
Alfonso: ¿Cuándo vendrá?
Madre: Esta tarde. Debes tener un poco de paciencia, hijo. Tú le diste confianza y ahora te aguantas.
Alfonso: ¡Se la toma, mamá!
Madre: Es lo mismo.
Alfonso: Quiero irme.
Madre: Nunca estás conforme. Puedes aprovechar el aire libre. En el futuro no podrás salir muy seguido, así que: aprovecha. No hay mal que por bien no venga.
Alfonso: ¿A qué hora vendrá?
Madre: La hora, no sé. Después del trabajo. Siempre que no vaya al cine con la novia.
Alfonso: ¿Sólo vendrá después del cine?
Madre: ¡Y sí! ¿Qué quieres? Es joven, no puedes tenerlo atado a tus pies, siempre a tu disposición. Reflexiona.
Luis: ¡Oh, señora, no defienda a ese energúmeno!
Madre (coqueta): ¿Está celoso?
Alfonso: ¿Por qué tendrá tanta fuerza, eh, Luis? ¡Qué distribución más injusta!
Madre: Te traje un sandwich. *(Le pone un sandwich en la mano)* Te mimo demasiado, hijo.
Luis (molesto): ¿Le da un sandwich a él? ¡Pero, señora, le dije que tenía hambre!
Madre (muy preocupada): ¿Tiene hambre, Luis?
Luis: Sí.
Madre: Alfonso, ¿tú para qué quieres...? Comes mucho pan, bebes agua, y la miga se te hincha en el estómago. Y además, ¡tienes tan poco apetito! *(Suavemente, le arranca el sandwich de las manos y se lo da a Luis, mientras le habla a Alfonso como a un niño, casi canturreando)* Limpié tu cuarto, le puse flores, regué las plantitas... Espera, voy a recogerte unas flores...
Luis (aparte, susurrando mientras la madre recoge flores, bromista): Esta tarde voy al cine con Lily. *(Come el sandwich)*

Alfonso: ¿La viste?
Luis: Sí, en la esquina.
Alfonso: Que no se entere mamá.
Luis: ¿La dejas ir al cine?
Alfonso: Sí, sí. ¿Cómo no voy a dejarla? ¡Pobrecita!
Luis: ¿Conmigo?
Alfonso: Sí.
Luis: ¿No desconfías?
Alfonso: Por Dios, Luis, ¿qué ideas se te ocurren? ¿Quién mejor que tú?
Luis (con doble sentido): Sí, sí, ¿quién mejor que yo?
Madre: ¿Qué murmuran?
Luis: Secretos.
Madre (aniñada): ¡Quiero saberlos! ¡Quiero saberlos!
Luis (tiernamente): ¡No sea niña!
Alfonso (sorbe): Mamá, ¿no tienes un pañuelo?
Madre (le entrega uno): Sí, toma.
Alfonso (lo observa): ¿De Lily? *(Sorbe y no se atreve a sonarse)*
Madre: ¿Qué pretendes? ¿Que te preste los míos? Lily volvió a repetirme que todos los zapatos le quedan chicos.
Alfonso: No, no, mamá. No le quedan chicos.
Madre (en tren de pelea): ¡Te digo que sí!
Luis (pisa otro hormiguero. Salta con grandes aspavientos. Se aleja saltando sobre un solo pie): ¡Ay! ¡Ay! ¡Me picó otra hormiga! ¡Ay! ¡Ay!
Madre (a Alfonso): ¡Mira qué escandaloso! ¿Adónde va? *(Tira las flores al suelo y corre en su seguimiento)* ¡Qué tipo! *(Salen Luis y la madre. Alfonso sorbe, mira el pañuelo de Lily y se lo pone en la cabeza. Llega el muchacho con un carrito, una especie de carretilla baja con una o dos ruedas)*
Alfonso (desagradablemente sorprendido): ¿Usted aquí?
Muchacho: Vine a buscarlo.
Alfonso: ¿No trabaja?
Muchacho: Pedí permiso. Mañana compenso. ¿Lily?

Alfonso: Fue al cine. Debí obligarla. Siempre metida en casa, necesita distraerse un poco. Temo que se enferme.

Muchacho: ¿Cómo es Lily? ¿Parecida a quién?

Alfonso (seco): No la puedo describir. No es una actriz de cine.

Muchacho: ¿Cuándo la conoceré? Tengo muchas ganas de conocerla, señor Alfonso.

Alfonso (malhumorado): ¡Hay tiempo! ¡Hay tiempo! *(Para cambiar de conversación)* ¿Su novia?

Muchacho: Allá quedó. No quería que faltara al trabajo.

Alfonso (fastidiado): ¿Pero faltó o pidió permiso?

Muchacho: Es igual. No tiene importancia. Cuando no hago su voluntad, se enoja. Nos peleamos. Pero tanto me da, me aguantaré.

Alfonso: Pero faltar al trabajo sin causa justificada, no me parece correcto. ¿Por qué no le hizo caso?

Muchacho: Es lo que me dijo su madre. Vaya al trabajo, no hay apuro. No lo comprendo.

Alfonso: ¿Qué es lo que no comprende usted? Deje tranquila a mi madre.

Muchacho: No quise ofenderla, señor Alfonso. ¿Pero hasta cuándo esperaría usted? ¡No le va a hacer bien!

Alfonso (acalorándose): ¡Sí, el aire fresco me hace bien! Se dará cuenta de que no me causa ninguna gracia crearle problemas.

Muchacho: Ningún problema, señor Alfonso. Créame. Debí callarme la boca.

Alfonso: Pero habló. *(Muy molesto)* ¡Por mí! ¡Por mí! ¡Maldito sea!

Muchacho: No maldiga, señor Alfonso. No lamento lo sucedido. Lo hecho, hecho está. Pollitas hay en todos lados. No todas las mujeres poseen las cualidades de Lily, lo sé. Pero... pero la quería...

Alfonso: Está bien. Lo comprendo. Pero si vino para contarme sus cuitas, se hubiera ahorrado el viaje y el disgusto con su novia. Lily quizás me esté esperando. No tengo tiempo para perder y luego, entre hombres, las confidencias están de más.

Muchacho: Oh, discúlpeme, señor Alfonso. ¿En qué estaba pensando? *(Con mucho cuidado, casi con ternura, levanta a Alfonso, lo sostiene entre los brazos. Visiblemente, Alfonso le hunde el codo en las costillas para apartarse del contacto)* ¿Se siente bien, señor Alfonso?

Alfonso: Sí, sí. Pero dos días de campo me han puesto a la miseria.

Muchacho (natural): Huele mal. *(Huele)* El pie huele mal, señor Alfonso.

Alfonso (agrio): No es el pie. Es el artefacto que se está pudriendo. El hierro se pudre, ¿sabe usted? Vamos. Quiero higienizarme un poco antes de que llegue Lily. Imaginará que las relaciones entre hombre y mujer exigen salud, limpieza, salvo casos de necrofilia, y no es nuestro caso, evidentemente. *(Concluye con una corta risa de superioridad)*

Muchacho (que lo escucha absorto): ¿No es el caso de ustedes?

Alfonso: Naturalmente, pero insisto en que esos detalles no se cuenta a cualquiera. *(Una pausa)* ¡Pero siénteme, hombre! Me encuentro ridículo.

Muchacho: Sí, sí, perdóneme. *(Solícito, lo deposita sobre el carrito)*

Alfonso (con sospecha): ¿O abriga otras intenciones conmigo?

Muchacho (sin entender): ¿Con usted?

Alfonso: No soy tonto ¡Puerco!

Muchacho: ¿En qué lo ofendí, señor Alfonso?

Alfonso: ¡En nada, en nada...! Aguanta, Alfonso, aguanta. ¿Qué vas a hacer? ¡Lléveme a casa!

Muchacho: En seguida, señor Alfonso. *(Empuja el carrito. Una pausa).* Y Lily, ¿Lily cómo es? ¿Rubia? ¿No tiene una fotografía?

Alfonso (mientras el muchacho lo empuja con el carrito, enojado): ¡No tengo nada! ¿Usted cree que me paso la vida pensando en Lily? ¡Tengo otras cosas que hacer!

Muchacho: Pero... ¿qué puede usted hacer... así?
Alfonso (violento): ¿Cómo así? ¿Qué soy? ¿Un inútil?
Muchacho: ¡No, no! Me entendió mal.
Alfonso (para sí): ¡Qué falta de tacto! ¡Qué caballo!
Muchacho: No me sé explicar. Hablo poco y cuando hablo...
Alfonso: En boca cerrada no entran moscas. Cállese.
Muchacho: Pero... Quería decir... Creía que usted pensaba siempre en Lily. No sé en qué cosa mejor puede pensar.
Alfonso: ¡Lily no es una cosa! ¿Usted qué sabe? Tengo cerebro, joven. Lo uso. Pienso... pienso... *(no encuentra nada)*
Muchacho (sinceramente interesado): ¿En qué?
Alfonso (contento): En los muertos. En eso pienso.
Muchacho (estúpido): ¿En...?
Alfonso: ¡En los muertos! Me gusta pensar en los muertos. Es una costumbre vieja. Los cuento.
Muchacho (asombradísimo): ¡Hay tantos!
Alfonso (con envidiosa sospecha): ¿Tantos? ¿Conoce muchos usted?
Muchacho: No. Conocer... no.
Alfonso: Y entonces... ¿para qué se da corte? Los que conozco, dije. Personalmente. A los muertos que conozco personalmente, me refiero.
Muchacho: ¡Ah!
Alfonso: Conté seis anoche, mientras esperaba el sueño. El aire de campo me despejó. Nunca había llegado a más de uno.
Muchacho: ¿Y ahora?
Alfonso: Tengo seis. *(Con una risita)* Los había olvidado.
Muchacho: ¿Quiénes son, señor Alfonso?
Alfonso: Mi abuela, mi abuelo, mis tres primos. Murieron todos juntos. De golpe, aumentó mi colección. Los agarró un tren. *(Ríe)* ¡Se llama tener suerte! *(Súbitamente desalentado)* Pero podría conocer más. Es poco. *(Una pausa)* ¿Usted se siente bien?

Muchacho: Sí, ¿por qué? ¿Y Lily? Lily nunca debe estar enferma, ¿no?
Alfonso: ¡Se lo dije! ¡Somos sanos!
Muchacho: ¿La conoceré ahora, señor Alfonso? ¿No me podría mostrar una fotografía? Así, apenas la vea...
Alfonso (lo interrumpe, muy fastidiado): ¡No la va a ver! No se haga ilusiones, ¿quiere? ¡Termínela con Lily! ¡Me pudre! ¡Estoy cansado de repetirle que no quiero hablar de Lily con usted! ¡Ni una palabra quiero hablar! ¿Es sordo? *(Salen)*

Escena 4

La habitación de Alfonso. Han desaparecido las bacinillas debajo de la cama. Entra el muchacho con Alfonso en brazos.

Muchacho (grita): ¿No hay nadie? *(a Alfonso)* Parece que no han llegado aún, señor Alfonso. *(Lo deposita sobre la cama).* Le traeré una palangana con agua, podrá lavarse.
Alfonso (hosco): No. No quiero nada, esperaré a mi madre.
Muchacho: Quién sabe cuánto tardará aún, señor Alfonso. Ahora le traigo el agua.
Alfonso: ¡Le digo que no, joven! Está ansioso por intimar conmigo, me doy perfecta cuenta. Pero no, no lo secundaré en su juego. *(Grita)* ¡Soy un hombre sano!
Muchacho (pacífico): Sí, señor Alfonso. Es el artefacto el que huele mal. Lávese.
Alfonso: ¿Qué tengo que ver yo con el artefacto? Déjeme en paz, joven. No se tome confianza. Cada cual en su lugar, es lo mejor.
(Se escucha el ruido de la puerta de calle y la voz de la

madre. Viene cantando. Entra. Trae la peluca en la mano y está desgreñada, como si hubiera trotado bastante)

Madre: Oh, ¿ya aquí? ¡Cómo se adelantaron! ¿Por qué tanto apuro? Usted, joven, ¿no iba a buscar a Alfonso a la tarde? ¿Por qué dice una cosa por otra?

Muchacho: Pedí permiso en el trabajo.

Alfonso: O faltó. *(Despectivo)* Dice cualquier cosa. Mamá, ¿podrías alcanzarme una palangana con agua?

Madre: ¿Yo?

Alfonso: Estoy a la miseria. Me duele todo el cuerpo.

Madre: ¿Y qué quieres? ¡Pretender salir a pasear en tu estado...!

Alfonso: Se le ocurrió a Luis, mamá.

Madre: No. Fue por las conveniencias. Y no acuses a Luis, que está ausente. *(Una pausa)* Fue a bañarse a la casa. *(Al joven)* Nosotros no tenemos ducha. ¡Es tan limpio!

Alfonso (con timidez): Mamita, ¿serías tan buena...?

Madre (cortante): Del agua, olvídate. No estoy a tu servicio. Espera a Lily, que te atienda ella. Para algo la tienes, ¿no?

Alfonso: Pero me agradaría estar un poco presentable.

Madre: Es tu esposa. *(Al muchacho)* ¿Escucha eso? ¡Habrase visto! Si no venía usted a vaciar las escupideras, a esta hora hubieran llenado toda la casa. *(Sigue hablando mientras el muchacho sale)* No, Alfonso, la esposa está para algo más que para el placer. No soy tu nodriza. Que te atienda ella. Yo estoy molida. He trotado demasiado. *(Soñolienta, sonriendo)* ¡Este Luis! ¡Si no fuera por la cara...! Voy a acos.... *(Se interrumpe. Entra el muchacho con una palangana con agua y una toalla muy sucia).*

Muchacho (contento): Acá está el agua, señor Alfonso.

Madre (sardónica): ¡Ah, qué confianza! ¡Muy bien, muy bien, joven! ¡Sigamos así!

Alfonso (enojado): ¿Quién lo llamó?

Madre (ídem): ¡Dispone de todo como Perico por su casa! ¡Muy bien!

Muchacho: Pensé que... que quería usted lavarse. *(Le alcanza la palangana)*

Alfonso: ¡Es el colmo! *(Toma la palangana, arroja el agua al suelo y luego arroja la palangana a varios metros de distancia mientras la madre aprueba con la cabeza. Gritando)* ¡No quiero nada de usted! ¡Me resulta insufrible! ¡Váyase! ¡Váyase, cuernos! ¡Váyase y déjeme en paz!

Madre (muy digna, con irritación): Obedezca, joven. Se toma demasiadas atribuciones. Eso revienta a cualquiera. Esta no es su casa. Recuérdelo. Yo le aconsejaría que se marchara. No está el horno para bollos.

Muchacho (tímidamente): ¿Usted también quiere que me marche, señor Alfonso?

Alfonso (sin mirarlo, entre dientes): ¡Pero sí! ¡Váyase! ¡Váyase, hágame el favor!

Muchacho: ¿No puedo servirlo en nada...?

Alfonso (le da la espalda gritando): ¡No!

Madre (empujando al muchacho hacia la salida): Váyase, querido, váyase. Venga mañana, que quién sabe mañana pueda llevarlo al baño. Mañana es otro día, ¿eh? *(Admirada)* ¡Mañana es siempre otro día! Cambiará de humor. *(Le toca los bíceps. Admirada)* ¡Oh, qué músculos!

Muchacho (mientras la madre lo empuja): Hasta... mañana. *(Volviendo la cabeza)* ¡Hasta mañana, señor Alfonso! *(Alfonso no contesta, sale)*

Madre (feliz): ¡Oh, por fin nos lo sacamos de encima! ¡Qué pegote! ¡Tiene unos músculos! *(Ríe senilmente)* ¡Pero a mí me gustan más flaquitos! ¡Lástima haberle dado tanta confianza! Lástima... *(sale)*

Alfonso (se da vuelta, se huele): ¡Qué sucio estoy! ¡Qué olor! *(Pausa, reflexivo)* Puede ser que mañana mamá cambie de humor y me atienda... Qué carácter... Debe sentirse abandonada... Está tan celosa de Lily... ¿Y por qué? Lily la adora, Lily... *(Se interrumpe de pronto. Se incorpora, anhelante. Escucha un momento. Pregunta)* ¿Lily?... *(Entra Lily. Su entrada es teatral dentro del teatro, se queda inmóvil un momento y luego, como una actriz que hace su entrada en el escenario, comienza a moverse alrededor de la cama, con muchos meneos. No toca nunca a Alfonso ni se acerca como para que pueda tocarla. Está vestida como en la escena anterior. Alfonso, con una voz cambiada, casi de otro hombre, intensa y grave)* Lily, cómo siento que hayas venido ahora. ¡Estoy tan sucio!

Lily (habla con mucha exageración, con los vicios de una norteamericana que no sabe hablar bien el castellano; cuando habla en inglés lo hace con mayor exageración aun, abriendo mucho la boca y separando las palabras, un poco como los niños o adolescentes imaginan que hablan el inglés los gangsters o las vampiresas): ¡Oh, no importa, baby!

Alfonso: ¡Te extrañé tanto! Y llegas ahora, cuando ni siquiera puedo moverme de la cama...

Lily (ídem): ¡No importa, baby!

Alfonso: Lily, amor mío, querida, amor mío.

Lily (sonriente): Oh, tú también amor. ¡Darling!

Alfonso: Siéntate aquí, Lily. *(Le señala la cama)* ¿Te gustó el cine?

Lily (sorprendida): ¿Cine?

Alfonso (conmovido): ¿No fuiste al cine? ¿Por mí no fuiste?

Lily (canta con énfasis, casi representando): Todos los patitos se fueron a bañar, el más chiquitito se quiso quedar, la madre enojada, mucho, le quiso pegar. *(Pausa)* Lo aprendí para ti, Rodolfo.

Alfonso (corrigiendo): Alfonso, Alfonso, Lily.

Lily: ¡Oh, siempre olvida! ¡Torpe!

Alfonso: Gracias, Lily. Qué felicidad nuestros primeros tiempos. Te besaba las uñas, las manos. *(Cierra los ojos y se besa con amor su propia mano)* Nadie te conocía. Ni mamá ni Luis te conocían. Pero no hagas caso de mamá. Está vieja, rezongona. Luis se burla, pero te quiere. Te... *(bajo)* te desea, Lily.

Lily (ajena): Vimos... película... de amor. *(Traviesa)* Luis... pe... pe... ¿Cómo se dice? ¡Luis pellizca!

Alfonso: ¡No digas eso! *(Pausa breve)* Estabas tan hermosa cuando nos conocimos. Bailabas con los otros. Te miraba y no sabía cómo hablarte. Yo, que nunca había tocado a nadie, que nunca había sido tocado por nadie, te miraba. Me bastó eso: mirarte. Y de pronto, me perteneciste.

Lily (se ajusta las medias con los gestos de una vampiresa. Ajena): ¡Hello, Billy!

Alfonso: Y te acercaste y me dijiste: Alfonso, querido, amor mío.

Lily (ajena): ¡Hello, darling!

Alfonso: ¡Qué extraño! No tenía nada, salvo a mamá y los tachos de basura, y de pronto te tuve a ti. Nadie podía alcanzarte... Sí, en los primeros tiempos, nadie podía alcanzarte, pero ahora... *(Con un esfuerzo)* Hay algo que... que me preocupa, Lily. *(Angustiado)* ¿Por qué no quieres que me acueste contigo? Precisamente yo, no quieres...

Lily (festiva): ¡My darling!

Alfonso: La cama es chica, pero no es un motivo. ¡No es un motivo, Lily! ¿Por qué guardas tantas muñecas? ¿Para qué? Arroja algunas y hazme un lugar. Cuando camine, quiero ir contigo. No... no te tocaré, Lily, si no quieres. Te juro...

Lily: ¡No, no, please! No por eso, amor. Camita de nena, chiquita.

Alfonso: No importa. Apenas pueda caminar, ¿me lo prometes, Lily? Me quedaré encogido en cualquier rincón, a los pies de la cama. ¿Me dejarás?

Lily (plañidera): No lugar, darling.

Alfonso: Basta solamente con que arrojes dos muñecas, las de los pies: la negra y la de pelo de nylon.

Lily: ¡Oh, esas dos, no, no, no! ¡Muñecas estar conmigo siempre!

Alfonso: Sí, sí, Lily. Quiero sentir... el... el olor... *(tartajea)*

Lily: ¡Oh, Billy, Billy, cómo hablas cruel! Cama chiquita. No caber. No caber nadie más. Tú, yo, Luis, muñecas, no caber todos en cama.

Alfonso: Echa a las muñecas. Te compraré otras, después.

Lily (con risita idiota): ¡No, no, no! ¡Son mis hijitas, Billy!

Alfonso (desesperado): ¡Echalas, Lily! ¡Echalas! ¡Deja un pequeño lugar para mí, deja un lugar para mí!

Lily (llora): Mis hijitas... ¿Abandonarlas...? ¡Oh, bruto, grosero! ¡Echar a mis hijitas! ¡Pobres criaturas!

Alfonso (conmovido): No llores, amor. Amor mío, no llores. No quería causarte ninguna pena. Mejor muerto. *(Una pausa, bajo)* Perdóname. (Un silencio)

Lily (plácida y sorprendida): No lloro, Billy, ¿Por qué muerto? ¡Billy, Billy, hello! *(Saca un lápiz de labios y se pinta frente al espejo, canturrea)* Todos los patitos... Rodolfo, ¿te gustó la canción?

Alfonso (bajo): Sí.

Lily: ¡Good-bye, good-bye, dear!

Alfonso: Lily, ¿ya te vas? ¿Así?

Lily: Yes. ¡Cine con Luis! ¡Pellizca! ¡Malo!

Alfonso: ¡No digas eso, Lily!

Lily: ¿No querer que vaya al cine? ¿Querer que quede contigo, amor?

Alfonso: ¡No, no! Tienes que distraerte.

Lily: Yes, distra... distra... ¡Good-bye, baby!

Alfonso: ¡Lily! ¡Lily!

Lily (sale tirándole besos con la punta de los dedos): ¡Baby! *(se escucha su voz alejándose)* ¡Baby!

Alfonso (grita): ¡Lily!

Madre (entrando, en camisón, sin peluca, con los cabellos revueltos, agria): Alfonso, ¿quieres callarte? No puedo pegar un ojo con tus gritos. ¡Agotas con tu Lily! *(Con doble sentido)* Pero no te agotas, ¿eh?

Alfonso: ¡No te importa! ¡Deja en paz a Lily!

Madre: ¡La dejo, la dejo! ¿Quién es? ¿Una princesa? Cuando hay que hacer algo, desaparece. Hermoso amor, Alfonso. Si no venía el muchacho a vaciar las… *(señala el lugar que ocupaban las bacinillas)*
Alfonso: ¡Termínala con eso!
Madre: Sí, pero por una vez deja de defenderla. Tengo los pies arruinados con tu manía de comprarle zapatos chicos.
Alfonso: No son chicos. ¡Es una niña!
Madre: Sí, yo también. *(Se toma las puntas del camisón y canta como una niña idiota, balanceándose)* La, la, la, la, la.
Alfonso: ¡No te burles de Lily, mamá! ¡No te burles!
Madre (más alto, exacerbada): ¡La, la, la, la, la, la!

Escena 6

La habitación de Alfonso. Una tira de papeles de colores cuelga del techo. Alfonso se encuentra sentado en la cama, visiblemente débil y macilento. El muchacho le está colocando un saco sobre la camiseta. Luego, le seca la cara con la punta de una toalla. Muy compuesta y con aire atareado, entra la madre. Tiene las manos completamente ocupadas con platos y unas botellas. Dispone todo sobre la cómoda y aproxima unas sillas en círculo.

Madre (al muchacho, agria): ¿Terminó? ¡Mire que es lerdo!
Muchacho: Sí, señora. Ya está limpio.
Madre: ¿Quiere hacerme un mandado?
Muchacho (manso y obstinado a la vez): ¿Yo?
Madre (ídem): ¿Quién si no? ¿El vigilante de la esquina?
Muchacho: No quiero dejar solo a Alfonso…
Alfonso: Por mí… *(bufa)*

Muchacho: Conseguí una lima más grande, señor Alfonso.
Madre: ¡Oh, no, joven! Por favor. Hoy queremos divertirnos. Déjese de limas. No fastidie. Y no se haga el desentendido, ¿quiere? ¿Va o no?
Muchacho: No. *(Un suspiro)* No voy.
Madre (furiosa): ¡Maldito sea! ¡Siempre el mismo insolente!
Alfonso (tartajoso): Sea respetuoso... con... con... mi... mi... ma... ma... dre.
Muchacho: No quise ofenderla, señor Alfonso. *(Una pausa)* Le mostraré la lima. Hoy, seguramente... *(Se inclina y recoge un envoltorio del suelo, desenvuelve una gran lima)* Con esto, no hay artefacto que aguante.
Madre: Espere que se llene de óxido. Luego se rompe solo. Mi abuelo tenía un coche al aire libre y se oxidó tanto que desapareció. ¿Para qué tanto apuro?
Alfonso (tartajoso): No te... entiende... Es un... un... ado... adoquín, mamá. No te... te... te... te gastes.
Madre (muy digna): Lo sé, querido.
Alfonso (ídem): Mamá... ¿vendrá... Lily?
Madre: ¡Qué pregunta! ¡Naturalmente!
Alfonso: ¿Cucú... cu... cu... ándo...?
Madre: ¿Qué sé yo cuándo? Cuando se le antoje. Va, viene, como se le antoja. ¿Para qué estoy yo, eh, Alfonso? ¿Para qué tienes a tu madre?
Luis (llamando desde el interior): ¡Mamá, mamá! *(Se asoma, masticando)* ¿No hay vino?
Madre (indulgente): Pero, Luis, ¿qué está haciendo? Ya le di una botella.
Luis: Comí mucho, mamá. Necesito mojarlo.
Madre: Bueno, pero, ¿para qué se apuró a comer? Si tenemos fiesta.
Luis (con una risita): Por eso mismo. Me prevengo. ¡A ver si me quedo con hambre!
Madre (indulgente): ¡Ah, qué Luis, éste! *(Le pega un suave bofetón en la mejilla)* ¡Tan simpático!
Muchacho: ¿Su hermano? ¿No lo trajo, señor Luis?

Luis: ¿Ah, también se mete con mi hermano?
Muchacho: Le había comprado caramelos.
Luis: ¡Guárdeselos! *(Piensa)* No. Démelos. Se los daré. *(El muchacho le entrega los caramelos. Luis se los pone en el bolsillo, pero al instante sacará uno y se los irá comiendo uno tras otro)*
Madre (muy digna): ¿Con quién dejó al niño, Luis?
Luis (distinguido): Con nadie, mamá. Lo dejé encerrado en la habitación. La calle ofrece muchos peligros. Hace tres días que lo mantengo encerrado en la habitación. Los niños también necesitan una cura de reposo de vez en cuando.
Madre (ídem): Muy cierto. Lo notaba muy nervioso.
Luis: No recuerdo si le dejé comida. Pero está acostumbrado. Come poquísimo. Me asusta.
Alfonso: ¡Mucha... chacho...!
Muchacho (solícito): ¿Sí, señor Alfonso?
Alfonso: Quiero... una... una revista. Muéstrale, mamá... la... revista que quiero. *(Se queda sin aliento)*
Madre (saca del corpiño la revista de la vedette): Esta. *(El muchacho hace el gesto de tomarla, la madre la aparta)* Consiga otra. Esta es mía. No la presto. Tiene fotografías de Míster Músculo. *(Se la guarda nuevamente)*
Muchacho: Iré a buscarla. No tardaré, señor Alfonso.
Alfonso (mientras sale el muchacho, risueño): ¡Ta... ta... ta... tarde todo lo que quiera!... *(ríe espasmódicamente)*
Madre (contenta): ¡Qué idea, Alfonso! ¡Nos lo sacamos de encima!
(Ríen los tres, Alfonso con una risa estertorosa. La madre y Luis se toman de las manos y dan unas vueltas saltando. Se asoman varios vecinos amontonándose en el vano de la puerta)
Vecinos: ¡Permiso! ¿Podemos pasar?
Madre (muy digna y cortés): ¡Adelante! ¡Adelante!
Luis (ídem): Bienvenidos todos. *(Saludando a cada uno)* ¿Cómo está, cómo está, cómo está?

Vecinos: Buenos días.
¿Así que es cierto?
¿De cuántos meses?
¡Vaya sorpresa!

Vecino 1.º (se acerca a Alfonso y lo zamarrea, rudamente festivo mientras Alfonso gime): ¡Vaya mosquita muerta! Qué calladito lo tenía, ¿eh?

Alfonso (bamboleando la cabeza y con un hilo de voz): ¡Bien, bien, bien!

Vecino. 2.º: ¡Congratulaciones!

Vecino 3.º: ¿Y cómo fue?

Madre (pícara): Y... ¡como se acostumbra! *(Gran diversión)*

Vecino 1.º: ¿Está contenta, abuelita?

Madre (digna): ¡Imagínese usted! ¡A mi edad, se sueña con los nietos!

Luis (en anfitrión): Siéntense, por favor.

Vecino 1.º (a Alfonso): Congratulaciones, hijo. Cuando su madre me invitó a esta fiestecita, no lo quise creer. Era hora que usted y Lily pensaran en los hijos. Parará un poco en casa ahora, ¿no? Tendrá que amamantar. *(Ríe)*

Vecino 2.º: Y Lily, ¿cómo es? ¿Está gordita?

Alfonso (bamboleando la cabeza, en las nubes): ¿Eh, eh?

Vecino 2.º (al ver que los otros beben, ansioso) Señora, ¿se olvidó de mí?

Madre (con atropello juvenil): ¡Ay! Perdóneme. Con esta novedad de que Alfonso va a ser papá, pierdo la cabeza. Sírvase, por favor.

Todos (brindando): ¡Salud! *(Se llevan las copas a la boca y beben. En ese momento, entra el joven, muy agitado)*

Luis (seco): ¿Consiguió la revista?

Muchacho (respirando agitadamente): No... no estaba... No estaba en ningún lado.

Madre (despectiva): Puro músculo, pero no sirve para nada.

Muchacho: Préstele la suya, señora.

Madre: ¿Está loco? ¡Habrase visto desfachatado!

Muchacho (a Alfonso): Recorrí todos los puestos. Créame, señor Alfonso, no estaba.

Alfonso: ¡Vá... vá... váyase al cuerno!

Muchacho (se desconcierta, luego sonríe): Pero... pero conseguí algo. *(Contento)* ¡Miren! *(Sale y vuelve con el niño, a horcajadas sobre los hombros)*

Luis (furioso): ¡Te escapaste!

Madre (al muchacho): Vamos, no dé espectáculos.

Luis (ídem): ¡Ya arreglaremos cuentas! ¡Te escapaste!

Madre: Tranquilícese, Luis. Es una criatura. Luego le da unos azotes y listo. El culpable es otro. *(Al muchacho)* ¿Por qué no lo dejó en la calle?

Muchacho (desconcertado): ¿En la calle?

Madre: ¡Bah! Es mejor que no nos amarguemos la fiesta.

Los vecinos: ¡Sí, sí! ¡Otra copita!

Luis (furioso): ¡Baje a mi hermano de ahí! *(El muchacho lo baja y luego, lentamente, recoge la lima y se acerca a Alfonso. Luis al hermano)* ¡Vete a ese rincón! ¡Cara a la pared! *(Dócilmente, el niño se va a un rincón y se sienta, cara a la pared)* ¡Las manos sobre la nuca! *(El niño obedece)*

Madre (se acerca a Luis y le da una copa): Beba, Luis. Tranquilícese, querido.

Todos (con las copas llenas de vino): ¡Salud!

(Beben. En ese momento de silencio, se escucha el sonido agudo y electrizante de la lima que el muchacho mueve sobre el artefacto. Todo se vuelven hacia él. Sorprendido, el muchacho intenta una sonrisa de disculpa, que no obtiene el menor éxito, y se detiene. Un silencio)

Madre (a un vecino, digna): Imagínese qué contentos estamos con la noticia... *(vuelve a escucharse el chirrido de la lima. Madre, al muchacho, muy digna)* Por favor, joven. Ya hizo bastantes líos.

Muchacho: Sí, señora. *(Vuelve a trabajar con la lima, primero suavemente, pero luego se entusiasma y lima con fuerza. De vez en cuando se escuchan los ayes de dolor de Al-*

fonso que pasan desapercibidos. Los vecinos beben y ríen. A cada chirrido de la lima, la madre mira con acritud al muchacho. Chirrido más fuerte)

Madre (se levanta y se acerca al muchacho): ¡Qué ruido! ¡Qué desconsiderado, joven!

Muchacho (disculpándose): Falta poco.

Madre: Sí, sí, entiendo. ¡Pero qué ruido! ¿Vale la pena fastidiar a todos? No nos permite conversar. ¿Por qué no deja que se oxide tranquilamente?

Muchacho (señala el artefacto): Mire aquí, señora. Falta muy poco.

Madre (no mira. Impaciente): Ya sé que falta poco. Le advertí que queríamos silencio.

Muchacho: Discúlpeme. Es una lástima que abandone ahora, cuando... *(lima, un chirrido)*

Madre: ¡Oh, no! Termínela. Nos perfora los tímpanos.

Luis (acercándose, agrio): ¡Cuánta charla! Se charla demasiado aquí. ¿Para qué, madre? Con ciertos individuos no vale la pena. *(Al muchacho)* ¿No comprende dónde estamos, joven?

Muchacho (tímidamente): Sí.

Luis: En una reunión social o sea: un lugar donde la gente se saluda, se besa, conversa.

Muchacho: Sí, señor. Discúlpeme. ¡Pero falta tan poco!

Luis (airadamente): ¡Me importa un rábano! Estamos en una reunión social, se lo repito.

Muchacho: Sí.

Luis: Y si lo sabe, ¿por qué no se comporta como debe? No está en una fábrica o en la calle. En la calle puede hacer lo que se le antoje. No aquí. Esta es una casa de familia.

Muchacho: Sí, señor. No quiero molestar.

Luis: ¡Pero molesta! Aquí es un intruso, un indeseable. ¿Lo invitaron a esta fiesta?

Muchacho: No.

Luis: ¡Ya ve! Usted y mi hermano son dos intrusos. Si tuviera una pizca de vergüenza, se marcharía.

Muchacho: Pero como falta tan...
Luis (lo interrumpe, se acerca amenazadoramente al joven, le coloca el puño bajo las narices): ¡Al diablo! *(El muchacho, sobresaltado, deja caer la lima)* Compórtese como es debido. ¿Estamos? Si no, lo echaremos a patadas. *(A los otros, que observan la escena con gestos de aprobación hacia Luis)* ¿Lo echaremos, verdad? Somos muchos.
Los vecinos: ¡Sí, sí! ¡Lo echaremos!
Vecino 1.º (bajo, dudando): ¿Podremos echarlo?
Vecino 2.º (ídem): Empujando todos juntos...
Vecino 3.º: Yo lo empujo por la espalda.
Vecino 4.º: Yo por la nuca.
Vecino 1.º: Yo por el culo.
Vecino 2.º (mirando por la habitación): ¿No hay ningún palo? Empujando con un palo es más fácil.
Vecino 3.º (sin moverse): Podría ir a buscar...
Muchacho (manso y obstinado): No me muevo.
Todos: ¡No se mueve! ¡Vaya descaro!
Luis (a punto de estallar): ¡No abuse de mi paciencia, joven! ¡Usted no sabe a qué extremos puedo llegar cuando me irritan! ¡Sea prudente! *(Pero en vez de estallar, se aleja hacia el grupo de vecinos)*
Alfonso (aprobando con un bamboleo de cabeza y un hilo de voz): ¡Bien, bien, bien!
(Entra un vecino con una botella de vino en cada brazo)
Vecino 5.º: ¿Hay una fiestecita?
Vecino 1.º: ¡Más vino!
Madre (digna): Un acontecimiento familiar. Pero bienvenido.
Luis: Adelante, siéntese. *(Despoja a un vecino de su silla y se la ofrece al recién llegado. Abre las botellas, sirve. El joven, ocioso y abochornado, mueve los pies, levanta polvo)*
Vecino 1.º (tosiendo): ¡Cuánto polvo! *(Los vecinos empiezan a toser)*
Luis (grita): ¡Quédese quieto con los pies!
Madre (se acerca a Alfonso, lo besa): ¡Querido niño!

Alfonso (bamboleando la cabeza y un hilo de voz): ¡Bien, bien, bien!

Madre: ¿Me va a hacer un mandado, joven? *(A los otros)* Una botellita de ginebra no vendría mal.

Muchacho: No.

Madre: ¡Qué mala voluntad! No sé cómo lo aguanto. Tres semanas que no se mueve de esta pieza, siempre haciendo ruido con esa lima. Tengo la cabeza como un bombo. ¡Maldito sea!

Luis (cariñoso): Déjelo, madre. No se haga malasangre con ese tipo. Venga a tomar una copa.

Madre (muy alegre): ¿Otra copita?

Luis: Sí, venga madre. *(Le pasa la mano por los hombros, la besa. La madre lanza una risa quinceañera y se aparta. Todos beben y ríen con una algarabía en aumento. El muchacho los mira y cuando los considera lo suficientemente distraídos, se inclina hacia el suelo con intención de recoger la lima)*

Alfonso (tratando de avisar): Va... va... va... a... aaaaaa... gggggg... gggggrarrrrrr...

Luis (antes de que el muchacho alcance la lima, grita): ¡Deje esa lima en el suelo!

(El muchacho se queda inmóvil. La madre se sienta sobre las rodillas de Luis. El muchacho toma el artefacto entre las manos, trata de romperlo, transpira. De pronto, se escucha un gran crujido. Casi al mismo tiempo, Alfonso lanza un alarido tremendo, se incorpora y vuelve a caer en la cama, como un trapo, los ojos abiertos)

Muchacho (mira el artefacto que le quedó entre las manos): Se rompió, señor Alfonso. Se rompió, por fin. Un fierro viejo...

Los vecinos (interpretan mal el ruido y se vuelven hacia la puerta. Divertidos): ¿Será Lily, la mamita?

Vecino 1.º (erótico): ¡Mamita, mamita!

Vecino 2.º (abre la puerta, grita): ¡Lily! *(Tropieza y cae al suelo, donde permanece tranquilamente)* ¡Encanto mío! *(Sonido de besos)*

Muchacho (deja el artefacto en el suelo, sonríe muy feliz, se enjuga el sudor con un pañuelo. A Alfonso, con ternura): Señor Alfonso, señor Alfonso, está libre... ¿Se dio cuenta? *(Ríe)* Podremos salir juntos ahora. Conoceré a Lily. ¿Me permitirá conocer a Lily ahora, señor Alfonso? Yo buscaré a otra chica. Iremos los cuatro a todos lados. Al zoológico. ¿Le gusta ir al zoológico, señor Alfonso? *(Breve silencio)* Me apenaba usted tanto... *(Se emociona. Ríe y casi llora)* Tanto... Ser su amigo, señor Alfonso... Quiero ser su amigo. Sabe... Estoy solo. No tengo a nadie. Usted no sabe lo que es esto: vivir solo como un perro. Usted puede ser mi hermano mayor. *(Sonríe)* Luis es su hermano mayor y usted es mi hermano mayor...

Los vecinos (esperan, mirando hacia la puerta): No es Lily...

Madre (se acerca a Alfonso, está francamente borracha): Quiero darte un besito. *(Lo besa. Sin querer lo empuja y Alfonso cae de bruces sobre la cama. Sin darse cuenta cabal de lo sucedido, lo incorpora nuevamente y lo acomoda. Dice, sin convicción)* ¡Pobre hijo mío!... *(Pícara)* Me parece que Lily no va a aparecer más... Me parece que no, chicos.

Luis: ¿Qué pasa, madre?

Madre: Me voy a quedar sin los regalos que le hacía a Lily, pero ella no va a aparecer más. *(Con un suspiro)* Y no conseguí que le comprara zapatos grandes... ¡Qué fracaso!

Luis (cariñoso): ¡No se deprima, madre!

Madre (sorprendida): No me deprimo. *(Lanza una risita, pícara)* ¡Lily no va a aparecer más! Tengo esa intuición. Ya me había cansado con Lily. Lily de acá, Lily de allá. *(Canturreando)* ¡Lily, Lily, Lilú! *(Feliz)* No va a aparecer más...

Luis (divertido): ¿Cree, madre?

Madre: Vengan a ver, chicos, vengan a ver...

Todos: ¡A ver! ¡A ver! *(Se levantan, trastabillando y empujándose unos a otros, se acercan a la cama, con sus copas de vino. El niño, que ha permanecido de cara a la pared, con las manos sobre la nuca, se vuelve y se levanta. Todos miran a Alfonso, sonrientes y curiosos, lanzando cortas carcajadas de borrachos. El rostro del muchacho se desencaja poco a poco).*

Muchacho (llorando): ¡Señor Alfonso, señor Alfonso...! *(El niño, al ver que todos están distraídos, comienza a sacar las estacas de los tiestos y se las pone bajo el brazo. El muchacho lo ve, le grita ferozmente)* ¡Deja las estacas, puerco! ¡Deja las estacas!

Telón

Los siameses

Los siameses

1965

Fue estrenada el 25 de agosto de 1967 en la Sala del Centro de Experimentación Audiovisual del Instituto Torcuato Di Tella de Buenos Aires, con el siguiente reparto:

Personajes

Lorenzo :	Jorge Petraglia
Ignacio :	Roberto Villanueva
Dos policías: El Sonriente :	Jorge Fiszon
El Gangoso :	Carlos Marchi
Tres acompañantes para un entierro :	
El Viejo :	Alberto Busaid
Viejo 2º :	Miguel Angel Castro
El muchacho (Joven) :	Enrique Arimán
Escenografía y vestuario :	Juan Carlos Distéfano
Puesta en escena y dirección:	Jorge Petraglia

Reestrenada en octubre de 1986 en el teatro Planeta con el siguiente reparto:

Personajes

Lorenzo	:	Alberto Segado
Ignacio	:	José María López
Dos policías: El Sonriente	:	Daniel Toppino
El Gangoso	:	Eduardo Cuevas
Dos acompañantes para un entierro	:	
El Viejo	:	Julio González Paz
El Muchacho (Joven)	:	Oscar Trussi
Escenografía	:	Jorge Sarudiansky
Asesoría vestuario	:	María Julia Bertotto
Puesta en escena y dirección	:	David Amitín

En 1986, David Amitín encaró una nueva puesta en escena de "Los siameses" y, por razones de producción, me pidió que suprimiera uno de los dos viejos que figuraban como "acompañantes para un entierro". A raíz de este pedido, trabajé nuevamente la obra, introduciendo algunas modificaciones. En primer lugar, elegí para esta versión el uso del voseo y, sin alterar el sentido, cambié también algunos diálogos del final de la escena VI. Con relación al personaje suprimido, no lo borré del todo, simplemente condensé los dos personajes en uno, reduciendo por necesidades de la acción los respectivos parlamentos.
Aunque conceptualmente no haya diferencias ni otras modificaciones que las señaladas con respecto a las anteriores ediciones de la obra, pienso que el personaje suprimido la ha hecho ganar en economía de medios; si el tuteo, en el texto original, imponía un artificio distanciador, el uso del voseo en éste genera una proximidad que juega eficazmente con las situaciones límites de la acción. Por tales razones, juzgué de interés su publicación como versión que puede llamarse (momentáneamente) definitiva.

Primer acto

Escena 1

Interior de una pieza amueblada con una pequeña mesa de pino, un banquito, tres sillas, un ropero destartalado y dos camas de una plaza con los colchones a la vista, sin sábanas, aunque con dos frazadas ordinarias a los pies. Sobre la mesa, una botella con agua y dos vasos. En un rincón, en el suelo, una pila altísima de diarios viejos. Una puerta que da a la calle. Alejada de esta puerta, pero también sobre la calle, una alta ventana cerrada, sin cortinas. Otra puerta, con una gastada cortina de lona, conduce a un patio interior.
Al levantarse el telón, la escena aparece vacía unos instantes. Se escuchan luego los pasos de alguien que viene corriendo atropelladamente. Entra Lorenzo y en seguida cierra la puerta con llave, como si alguien lo persiguiera. Con inmenso alivio, se apoya contra la pared y empieza a reír a carcajadas. Es evidente que acaba de escapar de un peligro y lo festeja, aunque la fatiga le corta la risa, la vuelve espasmódica. Poco a poco, cesa de reír. Una pausa.

Lorenzo (respirando con agitación): ¡Me escapé! Puedo... correr mejor solo... que... acompañado. *(Se palmea con cariño)* ¡Qué corrida! *(Inclinándose, tantea y palmea sus pantorrillas)* ¡Músculos de corredor! Sí, son músculos de corredor, fuertes, resistentes. ¿Por qué no me habré dedicado al deporte? Mi nombre en los periódicos. El gran... gran... gran... *(Se va deslizando, pegado a la puerta, hasta quedar sentado en el suelo, exhausto)* Podría... haber seguido... corriendo... hasta... hasta... (*Bruscamente recuerda algo que le causa gracia y rompe a reír)* ¡Ignacio, el pobre Ignacio con sus piernas de goma! *(Sin poder detenerse, ríe con estertores de fatiga. Se interrumpe solamente cuando mueven el picaporte y golpean a la puerta. Se oye la voz entrecortada y angustiada de Ignacio)*

Voz de Ignacio: ¡Abrime, Lorenzo! ¿Por qué cerraste con llave? ¡Abrí! *(Lorenzo escucha con cierto aire de atención cortés y no contesta)* ¡Abrí, que se acerca! ¡No seas loco! ¡Abrí!

Lorenzo (sin moverse): ¡Ya va! *(Bajo, casi pesaroso)* Está frito.

Voz de Ignacio (cada vez con mayor urgencia): ¡Abrí de una vez! ¿Por qué cerraste?, ¡maldito seas! *(Desesperado)* ¡Se me viene encima! ¡Abrí!

Lorenzo (con acento tranquilizador, pero sin moverse): ¡Te abro! ¿Estás solo?

Voz de Ignacio: ¡Abrime!

Lorenzo: ¡En seguida! ¡Lo que pasa es que se me enganchó una uña!

Voz de Ignacio: ¿Por qué cerraste?

Lorenzo: ¿No me creés? Se me... enganchó en el pantalón. Inverosímil.

Voz de Ignacio: ¡Abrí!

Lorenzo: ¿Estás solo?

Voz de Ignacio: ¡Dobló la esquina! *(Casi llorando de desesperación)* ¡Por favor, abrime, por favor, abrime! *(Golpea, agita el picaporte)*

Lorenzo (fastidiado): ¡No rompas la puerta! ¿Estás solo? Es lo que te pregunté. *(Alza la voz. Con buena voluntad)* ¿Escuchás? ¿Te paso un papelito debajo de la puerta? *(Se levanta, toma un papel del cajón de la mesa y escribe algo, primero de pie, luego toma una silla y se sienta. Escribe lentamente, con dificultad y parsimonia. Ignacio sigue golpeando en la puerta)*

Voz de Ignacio: ¿Por qué no me abrís? *(Desesperado)* Te... te... te conseguiré una chica. ¡Me alcanza! ¡No seas cretino! ¡Lorenzo, Lorenzo!

Lorenzo (levanta la vista del papel, se incorpora y se apoya sobre la mesa. Pregunta, tranquilo): ¿Está cerca? ¿Escuchás? ¡Te pregunto si está cerca! A ver si abro y me salta encima. No quiero sorpresas. ¿Está cerca? ¿Escuchás? *(Atiende un momento, pero sólo se oyen los "¡abrí, abrí!" desesperados de Ignacio y sus golpes contra la puerta. Lorenzo, despectivo)* No, no escuchás nada. Tu miedo no te permite escuchar nada. *(Se sienta nuevamente)* Mejor que escriba también esto. *(Deletrea mientras escribe lentamente)* Querido Ignacio: te pregunto si está cerca... *(Levanta la cabeza y se rasca dubitativamente el mentón. De pronto, se escucha un alarido de Ignacio y las sacudidas de un cuerpo violentamente arrojado y golpeado contra la puerta. Lorenzo, ensimismado)* ¿Escribo lo del miedo o no? No, va a ofenderse. ¡Cuántas delicadezas! *(Alza la cabeza y escucha. Tranquilamente pesaroso)* Van a romper la puerta. *(Se levanta y pasa el papelito debajo de la puerta)* Esperá, te paso el lápiz. *(Lo hace)* ¡Contestame por escrito! ¡Quiero saber si estás solo! *(Escucha con el mismo aire de atención cortés los golpes y sacudidas. Los alaridos de Ignacio se han transformado en gemidos que disminuyen y cesan. Lorenzo pega el oído contra la puerta. Silencio. Golpea con los nudillos. Llama suavemente)* ¿Ignacio? *(Una pausa)* ¡Ignacio! *(Un ronquido como respuesta)* ¿No podés hablar? ¿Hay gente? *(Silencio)* ¿Recibiste mi esquela? *(Se aparta, fasti-*

diado) ¡Se calla, se calla! ¿Cómo vamos a entendernos? *(Se acerca otra vez a la puerta, bajo)* ¿Estás solo? ¿Se fue? *(Por contestación, un ronquido afirmativo. Lorenzo, casi tristemente)* ¿Por qué no fuiste a otro lado? Las puertas cerradas son puertas cerradas. *(Una risita)* Las puertas abiertas están abiertas, desde el principio. Se ve en los chicos. Yo, de chico, daba todos los juguetes, quería hacerme simpático. *(Descubriéndolo, feliz)* No se ve en los chicos, no tengo nada que ver con el chico que fui: no doy nada, cierro las puertas. *(Ríe)* Fui un niño parricida. ¿Y vos, Ignacio? Nacimos juntos y no me acuerdo de cómo eras antes. *(Un silencio)* ¿No podés contestarme algo, una línea? Me aburre hablar solo. *(Se agacha y espía por el ojo de la cerradura)* ¿Qué es lo que hay ahí? ¿Tu cabeza? Veo todo negro, ¿qué es? Apartate un poco. ¿Se lo escribo? *(Duda)* No, es inútil. Es casi analfabeto. *(Mira nuevamente y ríe)* ¡Te fuiste al suelo! *(Ve algo que lo impresiona y deja de reír. Se vuelve, recostándose contra la puerta y cierra los ojos. Con apesadumbrado asombro)* ¡Oh! ¡Cómo te dejó! ¡Qué lástima! ¡Ignacio, Ignacio!, ¿me oís? ¿Te desmayaste? *(Se sujeta el costado con ambas manos como si lo atacara súbitamente un dolor intenso)* ¡Ay! *(Cae de rodillas y se arrastra hasta la mesa, de un cajón saca unas pastillas y toma algunas con un vaso de agua. De rodillas vuelve hacia la puerta. Lastimero)* Ignacio, levantate, te necesito. *(Permanece recostado contra la puerta, meciéndose con gemidos de dolor)*

Voz de Ignacio (lejana y débil): Lorenzo...

Lorenzo (alerta): ¡Sí!

Voz de Ignacio: Abrí la puerta.

Lorenzo (duda, se muerde los labios): ¿Se fue?

Voz de Ignacio: Sí. Se fue.

Lorenzo (desconfiado): ¿Estás seguro? ¿Si vuelve?

Voz de Ignacio (desfallecido): No. *(Una pausa)* No. No va a volver.

Lorenzo: ¿Cómo lo sabés? Nos pegará a los dos. Si me ve,

recordará que estábamos juntos y empezará a repartir golpes de nuevo.

Voz de Ignacio: No.

Lorenzo: Y no me pegará a mí solo. Un golpe a mí, otro a vos. Recibirás otra ración, ¿para qué? No la aguantarás. Tené paciencia, ¿eh? Dormí, ¿por qué no dormís un poco? Los golpes se te curarán durante el sueño. Descansá.

Voz de Ignacio: Dame agua.

Lorenzo (voluntarioso): Sí, sí, agua te doy. ¡Cómo no! Toda la que quieras. *(Se levanta ágilmente, sin manifestar ahora ningún dolor, y llena un vaso con agua. Se encamina con decisión hacia la puerta, la ve cerrada y, sin inmutarse, se inclina y hace deslizar el agua por debajo. La empuja con una escoba. Cariñoso)* ¿Podés? *(Mira por el ojo de la cerradura)* Despacio... Despacito... No te atores. ¿Qué escupís? *(Agraviado)* ¿Mi agua? *(Mira. Ríe divertido)* ¡Un diente! ¡Justo el del medio! Tu belleza... *(Ríe)* ¿Dónde ha ido a parar? ¡Ahora podés trabajar en un circo! *(Se interrumpe. Sincero)* Lo siento. No quería herirte.

Voz de Ignacio (exánime): Lorenzo. Lo... ren... zo.

Lorenzo (con pesar): No me llamés. ¿Qué te pasa? No puedo abrir. Si vuelve, nos pegará a los dos. Es un tipo fuerte, muy bruto. No hará distingos. No dirá: a éste le pegué y ahora lo dejo tranquilo, pobre tipo. Me dedico a éste, *(señalándose)* a mí. No dirá eso. Te pegará otra vez, pobre Ignacio. En cambio, si te ve en el suelo, todo sangrante, sin diente... Tiene aspecto de animal, pero nadie le pega a un caído. Supongo... Y si fueras un cadáver, todavía estarías más seguro.

Voz de Ignacio: Lorenzo...

Lorenzo (muy irritado): ¡Lorenzo, Lorenzo! ¡No abro! ¡Dejame en paz!

Voz de Ignacio: Me duele todo... el cuerpo...

Lorenzo (compasivo): ¿Querés más agua? ¿Sabés lo que voy a hacer? Me acostaré aquí, en el suelo. ¿Estás conforme?

No quiero que te sientas solo, Ignacio. ¿Te sirve de algo, te consuela? *(Se tiende largo a largo junto a la puerta. Bosteza)* ¡Qué sueño! *(Ignacio rasca la puerta. Fastidiado)* ¿Qué rascás? Si hacés ruido, imposible cerrar los ojos. *(Cesa el ruido. Bosteza)* Estoy cansado, después de la corrida... ¿Vos, no? *(Una pausa)* ¡Podrías contestar! *(Se levanta y espía por el ojo de la cerradura. Despechado)* Se durmió. Es un caballo para dormir. *(Se acuesta y pone los brazos cruzados debajo de la cabeza)* ¡Qué incómodo! *(Se incorpora sobre un codo y mira con ansiedad las camas. Se levanta y recoge una almohada)* Dormiré en el suelo, lo prometí. Pero la cabeza no tiene nada que ver con mis promesas. Además, lo más delicado está en la cabeza. No es cuestión de arriesgar el material. *(Golpea con los nudillos)* Ignacio, ¿estás de acuerdo? *(Un silencio)* Gracias, sabía que comprenderías. *(Se acuesta)* Sí, estoy más cómodo. *(Cruza las piernas y agita una en el aire. Se pregunta, volublemente)* ¿Fue mi culpa, fue su culpa, quién tiró la piedra? *(Canturrea)* ¿Quién le pone el cascabel al gato? *(Sincero)* Sospecho que... la piedra la tiré yo. ¿Pero quién es capaz de distinguir algo entre los dos? Yo no puedo. Somos iguales. Esa es nuestra desgracia. Somos tan iguales que nuestras acciones se confunden. *(Divertido)* En una palabra: no se distingue la mano que arrojó la piedra. ¡Pobre Ignacio! ¡Qué paliza! *(Se levanta y mira por el ojo de la cerradura. Despechado)* ¡Cómo duerme! Ronca. Está todo sucio de sangre. ¿Cómo puede dormir así? ¡Qué sucio! ¿No estará muerto, no? *(Espía un momento en silencio. Chista)* ¡Ignacio, Ignacio! *(Una pausa)* No. Respira. *(Ríe tembloroso)* No se hubiera perdido mucho. Pero aún no estoy curado, lo necesito. Como enfermero deja bastante que desear. ¡Es tan negligente con mis pastillas! *(Lanza otra ojeada por la cerradura)* ¡Pobrecito! Le cambió la cara. Ahora no van a confundirnos. *(Se acuesta)* ¡Qué incómodo es esto! No estoy acostumbrado, me duelen los huesos. El ronca.

Y yo no puedo dormir. Es injusto. *(Una pausa)* Como me duelen los huesos, el arrepentimiento no me importa nada. Y sin embargo, tengo que estar arrepentido. *(Mira la cama. Se levanta y tira hacia afuera el colchón. Lo arrastra hasta la puerta. Va a acostarse, mira el colchón de la cama de Ignacio, lo saca también y lo coloca encima del otro con evidente satisfacción. Se acuesta)* Ahora sí. *(Salta)* ¡Qué cómodo! Puedo pensar. De nuevo, estoy arrepentido. Debo hacer algo para compensar lo de la paliza. ¿Bastará dormir en el suelo? Sí, sí, basta y sobra. *(Se sujeta las rodillas con las manos y agita las piernas en el aire, como si corriera. Divertido)* ¡Corriendo con sus piernas de goma! *(Bosteza. Agarra una de las frazadas por la punta y la arrastra hacia él. Se cubre. Canturrea)* ¡Pa-pa-pa-pa! *(Sin convicción)* ¡Pobre Ignacio...! Si tuviera a mi chica en el colchón... *(Sorbe golosamente)*

Voz de Ignacio (lejana y débil): Lorenzo... Lo... ren... zo... *(Araña la puerta. Lorenzo se da vuelta y se acurruca más bajo la manta. Ríe entre sueños. Se escucha sólo el arañar de la puerta hasta que cesa completamente)*

Escena 2

La misma habitación, a la mañana siguiente. Los colchones han desaparecido. Lorenzo aparece con el oído pegado contra la puerta. Está recién peinado y se ha puesto un saco. Escucha. Un silencio.

Lorenzo: ¡Ignacio! Ignacio, ¿cómo estás? ¿Cómo? ¡No te escucho! Hablá más alto. Ignacio, quiero salir. *(Un silencio)* Dejá libre la puerta, por favor.

Voz de Ignacio: Abrime.

Lorenzo: ¿Otra vez? ¿Por qué no te vas? Tengo que salir.
Voz de Ignacio: ¡Abrime!
Lorenzo (fastidiado): ¡Te dije que no! Andate. Yo no te conozco.
Voz de Ignacio: Está bien: no me conocés. Yo tampoco. ¡Pero abrime!
Lorenzo: ¿Cómo puedo abrirte si no te conozco? *(Ríe)* Mucho riesgo, querido. ¿Vendés algo? *(Murmullo furioso e ininteligible de Ignacio. Lorenzo entiende porque exclama, ofendido)* ¿Qué? ¡No necesito! ¡Dejame salir!
Voz de Ignacio: ¡Y vos entrar! ¡Abrí!
Lorenzo (cambiando de tono): ¿Te hizo bien la lluvia anoche? Te habrá refrescado la cara. *(Espía por el ojo de la cerradura)* No veo nada. *(Ríe)* Ahora sí. Tenés la camisa abierta y veo tu ombligo. Te hicieron mal el nudo. *(Golpes violentísimos en la puerta. Retrocede)* ¡Eh! ¡Calma! Yo debiera ser el impaciente. Hace tres horas que quiero salir. ¡Tres horas! ¿Por qué no te vas? Caminá hasta la esquina y tomá un colectivo. Así no nos veremos. Hay que descansar de la gente. Por unos días, dormí en la calle. No te pasará nada. Te harás más hombre. *(Una risita)* ¡Te hace falta! *(Espía otra vez)* ¿Ignacio? *(Silencio)* ¡Ignacio! *(Con suma cautela, entreabre la puerta. pero Ignacio, que ha estado aguardando oculto, traba la puerta con el pie y la empuja tan violentamente que Lorenzo va a parar al suelo. Ofendido)* ¡Qué delicado! *(Entra Ignacio. No se parece en nada a Lorenzo. Le falta el diente del medio y tiene la cara amoratada. Se seca la boca con un pañuelo manchado de sangre y lo deja sobre la mesa. Lorenzo se incorpora rápidamente. Con asco)* ¡No seas sucio! *(Arroja el pañuelo al suelo; con el mismo gesto de asco, lo corre con el pie hasta un rincón. Ignacio se desploma sobre una silla, mira hacia las camas con intención de acostarse)*
Ignacio: ¿Dónde están los colchones?
Lorenzo: Afuera, en el patio.
Ignacio (muy cansado): Traelos.

Lorenzo: No. Los llevé ahora.
Ignacio: Quiero acostarme.
Lorenzo: Dormí de noche. Necesitan ventilarse. Si no, son criaderos de chinches. No quiero mugre en la pieza.
Ignacio: ¿Por qué no abriste la puerta?
Lorenzo (para ganar tiempo): ¿Por qué no te abrí la puerta? *(Breve silencio)* Te lo expliqué por escrito. No me contestaste. *(Se dirige hacia la puerta, la abre, busca algo en el suelo; vuelve con un trozo de papel arrugado y roto)* Lo manchaste todo con el agua. No se lee una palabra. ¿Para qué me gasto?
Ignacio (exhausto): Traé los colchones.
Lorenzo (negando con la cabeza): Se ventilan. *(Ignacio se pone de pie)* Tampoco vayas a buscarlos. Los até con un alambre. No quiero chinches. *(Ignacio se dirige a una de las camas y se acuesta sobre el elástico. Lorenzo lo mira, se quita el saco, lo cuelga de la silla y se acuesta al lado de Ignacio)*
Ignacio (con fastidio): ¿Qué hacés? ¿No tenés tu cama?
Lorenzo: Me gusta sentirme acompañado. Es horrible dormir en el suelo, solo como un perro. Dormir no, padecer insomnio.
Ignacio: ¡Me hubieras abierto la puerta, cretino! ¡Rajá a tu cama! *(Lorenzo ronca suavemente)* Lorenzo, ¿estás dormido? *(Con cuidado, empieza a empujarlo hacia el borde. Pero Lorenzo no está dormido. Cuando está a punto de caer fuera de la cama, sujeta la mano de Ignacio y con un envión lo arroja al suelo)*
Lorenzo: ¿Querías tirarme?
Ignacio: No.
Lorenzo: ¿Qué decís? ¿Tenés una papa en la boca? No se entiende nada.
Ignacio: ¿No ves que me dio una trompada en los dientes?
Lorenzo: No, no vi. Si yo estaba de este lado. *(Se sienta en la cama)* Pasé mala noche. Dormí en el suelo. Lo sabías, ¿no?

Ignacio: Sí.
Lorenzo: No estoy acostumbrado. Te oí roncar.
Ignacio (disculpándose): Tengo el sueño fácil.
Lorenzo: Yo no. Ayudame a hacer ejercicio.
Ignacio: ¿Ahora? No tengo ganas, Lorenzo.
Lorenzo: Yo sí. Te pegaron, pero roncaste. Sonreí. *(Ignacio lo mira, serio. Lorenzo, con un sincero, conmovedor deseo de verlo sonreír)* Sonreí. *(Ignacio sonríe. Su sonrisa es bondadosa e ingenua, un poco ridícula por la ausencia del diente. Lorenzo no puede dejar de aprovechar su ventaja)* Sonreíste: estás de acuerdo. *(Los dos empiezan a caminar por la pieza. Se pegan, costado contra costado, y ejecutan el mismo paso)*
Ignacio: Lorenzo...
Lorenzo: ¿Qué?
Ignacio: Quisiera... quisiera... cortar el nudo.
Lorenzo: ¿Qué nudo?
Ignacio: ¿Por qué no te vas?
Lorenzo (lo mira sin dejar de caminar y ríe): ¡Esta sí que es buena! ¿A qué se debe?
Ignacio: Buscate otro amigo. Un desgraciado.
Lorenzo (solícito): ¿Sos desgraciado?
Ignacio: Te aprovechás.
Lorenzo: ¿Yo? ¿De quién? Ignacio, Ignacio, no seas injusto. Me mortificás. ¿Adónde voy a irme? No adónde sino, ¿cómo?
Ignacio: ¿Cómo? Podés irte a un hotel.
Lorenzo (riendo): ¡No soy millonario!
Ignacio: A una pensión. Podés vivir... en una pensión, ¿no?
Lorenzo: Sí, sí, puedo, ¿pero no entendés? ¿Cómo? ¿Qué hago con vos? ¿Venís conmigo?
Ignacio: No. Me quedo aquí. Es mi casa. La de mis padres.
Lorenzo: Tus padres fueron mis padres.
Ignacio: No. Mis padres fueron *míos* y no tuyos.
Lorenzo: Se avergüenzan de mí. Todo el mundo se avergüenza de mí. Hasta mis padres.

Ignacio: ¿Qué decís?

Lorenzo: Por otra parte, no podemos separarnos. Estamos pegados, comemos juntos, respiramos juntos. ¿Ves? Caminamos, caminamos y estamos pegados.

Ignacio: Yo pienso que sí. Podemos separarnos. *(Se para)*

Lorenzo (agresivo): ¡Seguí dando vueltas! Necesito cien vueltas diarias para empezar bien mi día. Si no, tiempo perdido.

Ignacio (vacila): No doy más.

Lorenzo (le pega un golpe en las costillas. Duramente) ¡Arriba! ¡Derecho! *(Caminan en silencio unos segundos. Luego Lorenzo rompe a reír)* ¡Cómo corrías ayer! ¡Qué piernas! Mostrámelas.

Ignacio: ¿Para qué?

Lorenzo: Bajate el pantalón. *(Ignacio se baja el pantalón. Lorenzo le mira las piernas y estalla de risa)* ¿No dije? *(Lo pellizca fuertemente. Ignacio grita)* Goma, espuma de goma. ¿Cómo vas a correr con estas piernas? Todas torcidas. *(Mortificado, Ignacio se sube los pantalones. Lorenzo se sienta y ordena como un señor)* Alcanzame el diario.

Ignacio: ¡Qué cómodo sos!

Lorenzo: Fui educado así. Te lo expliqué mil veces. No es por gusto que soy cómodo.

Ignacio (se dirige al montón de diarios viejos y recoge uno al azar): Tomá. *(Le da el diario y se acuesta en la cama)*

Lorenzo (se dispone a leer, acomodándose en la silla. Lanza una consternada exclamación): ¡Diablos! ¡Mataron a Kennedy! *(Ignacio no escucha. Lorenzo se levanta y lo sacude frenéticamente, demudado)* ¿Oíste? ¡Mataron a Kennedy!

Ignacio (tranquilo): Hace tiempo.

Lorenzo: ¡Ayer! ¡Aquí dice ayer!

Ignacio: Es un diario viejo.

Lorenzo: ¡Maldito seas! Aquí dice ayer. ¿Por qué me diste

este diario? ¡Lo hiciste a propósito! *(Se sienta y apoya el rostro contra la mesa)*

Ignacio (lo mira, se levanta lentamente. Se inclina sobre Lorenzo e intenta consolarlo): ¿Qué te importa? Sucedió hace mucho.

Lorenzo (levanta la cabeza, demudado): Pero... pero, hermanito, si eso pueden hacerle a Kennedy, ¿qué no nos harán a nosotros? El tenía escolta. ¡Yo no tengo nada, yo no tengo nada!

Ignacio: ¿Qué escolta vas a tener? ¿Para qué?

Lorenzo: ¡Para cuidarme a mí! Esto creció mucho y yo sigo igual, solo, sin amparo. Mirá mi piel, Ignacio. No me protege, me rasguñás y sale sangre.

Ignacio: No tengas miedo. *(Casi a su pesar)* Estoy... estoy yo.

Lorenzo (con la vista baja): Dame mis pastillas. *(Ignacio se dirige hacia el cajón de la mesa, toma las pastillas y le sirve a Lorenzo como se sirven las pastillas comunes. Lorenzo, furioso)* ¡Así no! ¡Se toman con agua!

Ignacio: ¡Si son pastillas de menta!

Lorenzo: ¡No te importa! Me hacen bien, por eso las tomo. *(Ignacio le saca suavemente el diario que tiene sobre las rodillas sin que Lorenzo parezca advertirlo y lo sustituye por otro. Trae el agua y Lorenzo toma sus pastillas)* Quedate aquí.

Ignacio: Voy a buscar una silla.

Lorenzo (sujetándolo por la ropa): ¡No! Quedate aquí. *(Ignacio se coloca en cuclillas junto a la silla de Lorenzo. Lorenzo toma nuevamente el diario y lo despliega. Lee y sonríe)* ¡Ignacio! Aquí no dice nada de Kennedy. Ni lo menciona.

Ignacio: Bueno.

Lorenzo: ¿Pasó hace mucho?

Ignacio (que se adormila): ¿Qué?

Lorenzo: Lo de Kennedy.

Ignacio: Sí, eras chiquito. *(Una pausa)* De meses.

Lorenzo: ¿Estábamos pegados entonces? *(Antes de que Igna-*

cio pueda contestar) Claro. Estábamos más cerca de nuestro nacimiento. Y esto, el estar pegados, es de nuestro nacimiento. *(Ignacio, que poco a poco se ha ido cayendo y está a punto de sentarse en el suelo, bufa con fastidio. Lorenzo advierte las dos cosas y le pega un puntapié en las canillas)* Te vas para abajo y me tirás. ¿Creés que soy de fierro? *(Pensativo)* La operación fue un fracaso.

Ignacio (para que se calle): Sí, sí. *(Bruscamente)* Yo nunca pisé un hospital.

Lorenzo (agresivo): ¡Yo sí!

Ignacio (hipócrita): Muy bien. Las operaciones de ese tipo son siempre un fracaso.

Lorenzo (feliz): ¡Si lo sabrás! *(Una pausa)* Pero estamos sueltos, separados. Lo que ocurre, en esas operaciones, es que no pueden salvar a los dos, uno queda arruinado. Para dejar a un tipo en perfectas condiciones, al otro tienen que arruinarlo. Forzosamente. ¿Qué teníamos nosotros en común? ¿Qué te falta? *(Intenta tocarlo)*

Ignacio (apartándole las manos): ¡Nada!

Lorenzo: Algo debe faltarte. Yo estoy entero. Uno de los dos morirá joven. ¡Y yo sé quién es! *(Mira significativamente a Ignacio y ríe con satisfacción. Golpean a la puerta. Lorenzo cesa de reír. Con sospecha)* ¿Esperás a alguien?

Ignacio: No.

Lorenzo (ídem): ¿No invitaste a ninguna chica? No es la primera vez que lo hacés.

Ignacio (asombrado): ¿Yo?

Lorenzo: Sí.

Ignacio: ¿Cuándo? Siempre trato de que no te des cuenta, que estés lejos.

Lorenzo (ríe): ¿Creés que soy tonto? Me escondo detrás de la cortina. Muchas veces lo hice. Veo todo. Escucho. Es peor escuchar que ver. Algo repugnante.

Ignacio (furioso): ¡Me alegro! *(Se levanta, agitado)* Estabas aquí, veías todo. ¡Degenerado!

Lorenzo (casi humildemente): No, degenerado no soy. Tenía necesidad de saber. No es posible que yo falle siempre.

Ignacio: ¿Por qué te escondiste? Ver a los otros no cura.

Lorenzo (pacíficamente): ¡Quién sabe! No me oculté por capricho: podías haberte inhibido. Además, no aprendí nada.

Ignacio: ¡Me gusta! ¡Asqueroso!

Lorenzo: ¿Por qué? ¿Hablás por resentimiento? *(Pensativo)* Sí, sí, todo lo que hacés es bien rudimentario. En cambio, si hubieras sabido que te espiaba, te hubieras esmerado más, ¿no? *(Ríe)* Te avisaré. ¡Ah, ah! ¡No sabía que tenías esas predilecciones!

Ignacio: ¡No te permito! *(Se atora de indignación)* ¡Que... que yo tengo...! *(Nuevamente golpean en la puerta, pero como si alguien se entretuviera en tamborilear una canción)*

Lorenzo: Tienen paciencia, ¿eh?

Una voz agria: ¿Quieren abrir?

Lorenzo (hacia la puerta): ¿Quién es? *(Fuertes sonidos gangosos)* Un perro. *(Bruscamente)* Vendrán a buscarte por la pedrada.

Ignacio (sorprendido): ¿A mí?

Lorenzo: ¡Dame una moneda!

Ignacio: ¿Para qué?

Lorenzo: ¡Dame una moneda, te digo! ¡Rápido! ¡Tengo una idea! *(Ignacio busca en sus bolsillos y le da una moneda. Lorenzo la guarda en la mano mientras saca del interior del cajón de la mesa una almohadilla para sellos, unos sellos, un talonario de telegramas. Arranca un formulario y escribe algo rápidamente, ocultándolo de la vista de Ignacio. Busca entre los sellos, elige uno, sella el formulario y lo dobla. Sus gestos son rápidos y precisos)*

Ignacio: ¿De dónde sacaste ese sello de correos? ¿Lo robaste?

Lorenzo (agresivo): ¿Qué te importa? Mejor prevenir que curar. *(Guarda todo, menos el telegrama, en el interior del*

cajón) Si te buscan por la pedrada, no te conozco. Te aviso para que no te ofendas. Abrí.
(Ignacio se dirige hacia la puerta y abre. En el vano, aparecen dos policías: El Sonriente y El Gangoso. Visten trajes comunes. El Sonriente, no obstante sus arrebatos de cólera o fastidio, habla siempre con una sonrisa muy ancha y abierta, como llena de dientes. El Gangoso tiene el rostro muy blanco y expresión adormilada; abre muchísimo la boca para hablar, marcando exageradamente las sílabas, pero sólo ganguea, y esto ocasionalmente)

El Sonriente: Buenas tardes. ¿Podemos pasar?

Ignacio (volviéndose hacia Lorenzo): Te buscan.

Lorenzo: ¿A mí? ¿Está seguro?

Ignacio: ¿Por qué no me tuteás?
(Los dos policías entran en el cuarto. El Gangoso se dirige directamente hacia una silla y se desploma sobre ella, murmurando algo ininteligible)

El Gangoso (marcando mucho, pero sin emitir ningún sonido): ¡Podrían tener un sillón!

Lorenzo (aterrado): ¿Qué dice?

El Gangoso (idéntico juego)

Lorenzo (ídem): ¿Qué? ¿Qué dice?

El Sonriente (fastidiado): ¡Podrían tener un sillón! ¡Eso dice!

Lorenzo (sonriendo servil): No lo pensamos. No se nos ocurrió comprar un sillón. A veces, uno se abandona y no piensa comprar ni siquiera lo más esencial. Si hubiéramos sabido... que el señor... quería... un sillón... hubiéramos... un sillón... *(Sonríe interminablemente hasta que la sonrisa se le petrifica en la cara. Un silencio penoso)*

El Gangoso: ¿Quién es el dueño de casa?

Ignacio (mientras Lorenzo, inquieto, se va acercando a él): ¿Qué es lo que dice? ¿Por qué no escribe?

El Sonriente (fastidiado): ¿Qué va a escribir? ¿Es mudo acaso? *(Bruscamente)* ¿Ustedes... ustedes son sordos?

Lorenzo (se aparta de Ignacio creyendo interpretar la pregunta de El Gangoso. Señala a Ignacio, voluble): El señor tiró la piedra, si es lo que desea saber. Sí, por gusto. Había un chico en la calle y le tiró una piedra. Por pura diversión. *(Ignacio lo mira estupefacto. Lorenzo, cada vez con menos convicción, intentando hacer un chiste)* Pero a su vez recibió una pedrada en la cabeza. Así que... piedra por piedra... y... pedrada... por... pedra... da...

Ignacio: ¿Estás loco? ¿Por qué me echás la culpa?

Lorenzo: ¿Acaso no estás lleno de magullones? Por algún motivo te pegaron.

El Gangoso: ¿Quién es el dueño de casa?

Lorenzo (desesperado): ¿Cómo?

El Gangoso (exasperándose): El patrón, ¿quién es?

Lorenzo e Ignacio (con distintos grados de desesperación): ¿Qué dice?

El Gangoso (haciéndole señas a Lorenzo para que se acerque, ganguea algo rápidamente).

Lorenzo (restregándose las manos con desesperación): No entiendo. ¡No entiendo! *(Apasionadamente, señalando a Ignacio)* Yo no fui. El maldito... fue éste. ¡Qué resentido! ¡Pegarle a un chico con una piedra! ¡Le rajó el mate!

Ignacio: ¿Qué?

El Sonriente (con fastidio, mientras Lorenzo sonríe aliviado): ¡Cuernos! ¿Quién le pregunta algo? ¿Ninguno de los dos entiende lo que dice? ¿Qué habla? ¿Chino?

Lorenzo (comienza a rascarse como si tuviera pulgas. No entiende palabra. De pronto, se le ilumina el semblante. Se acerca a El Sonriente con gesto cómplice y afable, Escuche, el señor es sordo. *(Señala a Ignacio)* Completamente sordo. Tenía razón usted. Es sordo como una acequia.

Ignacio (corrige involuntariamente): Como una tapia.

Lorenzo: ¿Se da cuenta? El mismo lo reconoce. Es sordo como una tapia. Y encima, sólo escucha lo que quiere.

El Sonriente (ríe): Ya me parecía que uno de los dos andaba mal de los oídos. Sólo escucha lo que quiere, ¿eh? Odio la duplicidad. *(Alza la voz como se habla a los sordos y mira a Ignacio con sospecha)* El dueño de casa, ¿quién es?

Lorenzo (rápido): Yo no. El tiene los títulos de propiedad. Yo sólo vine a entregar este telegrama.

El Gangoso (que se ha adormilado sobre la silla, levanta la cabeza y murmura algo, la g de telegrama repetida, un "gggggg" rodando por la garganta)

Lorenzo (recoge el telegrama sobre la mesa): De acuerdo. ¡Muy cierto lo que dice! Aquí está el telegrama. El sello del correo está intacto. No lo abrió todavía. No se interesa demasiado por sus asuntos, hay que confesarlo. O disimula. ¿Quieren leerlo, señores?

Ignacio (ríe bondadosa y condescendientemente): Lorenzo, ¿cómo van a tragarse ese cuento?

(El Sonriente abre el telegrama, lo lee y excitado, trata de despertar a El Gangoso que ha vuelto a amodorrarse)

Lorenzo (se aparta de Ignacio y ríe con falsedad): No te hagás el inocente, Ignacio. *(Rectifica)* No se haga el inocente, señor. *(A los policías)* Señores, ¿leyeron el telegrama? ¿Acaso no dice?: Felicitaciones por el golpe, Ignacio. Firmado: el Jefe.

El Sonriente (admirado): Sí. ¡Exactamente! Adivinó. ¿Cómo hizo?

Lorenzo (modesto): Leo a través del papel.

El Sonriente (ídem): ¡Maravilloso!

Ignacio (a Lorenzo): Callate. ¿Qué decís? ¿Creés que son tontos para tragarse eso?

Lorenzo (seco): No me comprometa. El tonto es usted.

Ignacio (alterado, abre el cajón y coloca todo, almohadilla, sellos, formularios, encima de la mesa. Observa triunfante a los policías. Todos, incluso Lorenzo, miran sin prestar atención. Miran como si no hubieran visto nada)

El Sonriente (agitando el telegrama): ¿Quién es el Jefe?

Ignacio: ¿Quién? Está inventando. Miren esto. *(Empuja los útiles hacia los policías, pero ellos observan indiferentes. Un minuto de espera. Vuelve a empujar los útiles hacia los policías, mirándolos, hasta que caen al suelo)*

El Sonriente (patea los útiles debajo de la mesa. A Lorenzo):

¿Quién es el Jefe? *(Señalando a Ignacio)* Este no va a cantar por las buenas.

Lorenzo: No sé. Solamente traje el telegrama. Debe ser el patrón de él, el cerebro.

El Gangoso (bosteza, se despabila, y dirige una pregunta a Lorenzo. Este no entiende, se asusta, recula hacia Ignacio y, sin volverse, tiende la mano hacia atrás, buscando a tientas. El Gangoso repite la pregunta, gangueando histérica, frenéticamente)

Lorenzo (se acerca a Ignacio, bajo): Ignacio, querido, ¿qué dice? Me preguntó algo. No entiendo nada. ¿Por qué no habla más claro? ¿Qué dice?

Ignacio (lo aparta): No sé. Estás asustado. Debiera romperte la cara.

Lorenzo (asombrado): ¿A mí?

El Gangoso (ganguea alto e histérico. Lorenzo se aprieta más contra Ignacio, le tiemblan los labios)

El Sonriente (avanza hacia ellos, la cara congestionada, histérico): ¡Le ruego que escuche! *(Lorenzo se aprieta más contra Ignacio y hunde el rostro en el hueco del hombro. El Sonriente llega hasta ellos, los mira y da a Ignacio una violentísima bofetada)* ¡Sacuda la cabeza!

Lorenzo (se aparta y empieza a tentarse. Se desploma sobre una silla. Ríe convulsiva y francamente por el alivio): ¡Ah, ya entiendo! ¡Qué buena idea! ¡Como cuando entra agua en los oídos! Un sacudón y se destapan. ¡Sacudí la cabeza, Ignacio! *(Los policías lo acompañan en la risa, tranquilos, bonachones. Lorenzo, al Sonriente)* ¿El señor había preguntado...?

El Sonriente: ...¿Quién es usted?

Lorenzo (desenvuelto): Vamos, como decir qué vela llevo en este entierro. Pues ninguna, señor, ninguna. Soy mensajero de correos. El señor Ignacio me demoró con su charla. No podía sacármelo de encima. Confío librarme ahora, gracias a ustedes.

Ignacio (estallando, indignado): ¡Cortá el nudo! ¡Cortá el nudo, Ignacio!
El Sonriente (con suspicacia): ¿Qué nudo?
Lorenzo: Ya ven. Está lleno de misterios. Sospechen. Es lo que hacía yo mientras me daba charla. Sospechá, me decía. ¿Por qué un tipo va a hablarle a un mensajero de correos de su novia? ¿Para qué? ¿Para que se la robe? Hablando de robos, la novia roba en las tiendas. Me dio una propina. No se puede decir que sea magnánimo. *(Siempre con el puño cerrado, se acerca a los policías. Ellos juntan las cabezas y esperan hasta que abre la mano y muestra la moneda. Entonces asienten y observan con admiración)*
Ignacio (indignado): ¡Vos me pediste una moneda, Lorenzo!
Lorenzo: ¡Porque si no...! Podía esperarla sentado.
El Sonriente (saca un pañuelo y toma con infinitas precauciones la moneda. Señalando a Ignacio): Está listo. Debe tener sus huellas digitales. *(Guarda el pañuelo en el bolsillo)*
Lorenzo: ¿Puedo irme? Debo entregar otros telegramas. *(Con gestos muy rápidos, saca nuevos útiles del cajón, escribe dos telegramas, los cierra y los sella)*
Ignacio: ¡Ya ven! ¡Los escribe él mismo!
Lorenzo (dignamente): Por necesidad. Me voy.
Ignacio: ¿Qué lío hiciste? ¿Cómo te vas a ir? Estamos pegados.
Lorenzo (con acritud): ¡Qué descaro! ¿Dónde? *(Barre el aire a su costado con la mano abierta)* Cuando te conviene. Soy libre. Tome las cosas con calma. *(Comienza a marchar hacia la salida, pero Ignacio se pega a él. Furioso)* ¿Qué te agarró?
Ignacio: ¡No querías irte porque estábamos pegados!
Lorenzo (le pega un puñetazo en las costillas): ¡Dejame tranquilo, idiota! *(Observa a los policías que miran, interesados. Entre dientes)* ¡Quedate en tu lugar! ¡No me sigas!
El Sonriente: Espere. *(Una pausa)* ¿Hace mucho que lo conoce?

Lorenzo (empujando furiosamente a Ignacio por un lado, pero manteniendo las formas por el otro, mientras habla a los policías): ¿A éste? Lo conozco del barrio, de traerle telegramas. Todos del mismo estilo.

El Sonriente (muy amable): Siéntese unos minutos, entonces. *(Lorenzo vuelve al centro del cuarto y se sienta. Ignacio sigue pegado a él y se sienta a su lado, en cuclillas. El Sonriente, interesado)* ¿Qué tiene?

Lorenzo (sonriendo forzadamente): Nada. Manías.

El Sonriente (saca el pañuelo y se suena las narices. Con indiferencia, ve rodar la moneda. Luego saca un atado de cigarrillos y le ofrece uno a Lorenzo. Afable): Sírvase. Cuéntenos, querido, todo lo que charló. Cuando se les va la lengua se pierden solos. Los pierde la vanidad. Hablo por experiencia.

Lorenzo (fuma mal, piensa, no sabe qué inventar): Habló... por los codos. *(Se mira los codos y sonríe, distraído. Ve a Ignacio y le pega otro golpe)* ¡Cargoso!

El Sonriente: ¿Quién es el Jefe? ¿Lo averiguó?

Lorenzo (se le ilumina la cara): Sí, sí. Lo averigüé. Charló mucho. El Jefe es él. Asaltó un banco. Han dado muchos golpes. Déjeme ver. *(Se levanta, pateando a Ignacio que lo sigue, dócil, obstinadamente, y empieza a revolver en la pila de diarios viejos. Los desecha arrojándolos por el aire. Encuentra el diario que busca y lo despliega al lado de El Sonriente, apartando siempre a Ignacio a manotazos)* Lea. Es evidente que cometió este robo. Cuatro millones. *(Admirado, a Ignacio, como si lo creyera sinceramente)* ¿Robaste cuatro millones?

Ignacio (incrédulo, dolorido): ¡Lorenzo, no son tan imbéciles para creerte! ¡Te estás embrollando!

Lorenzo (ferozmente contento): ¡No! ¡Y apartate!

Ignacio: No puedo... Tengo ganas de sentir a alguien cerca...

Lorenzo: ¡Acostate con tu abuela!

Ignacio: No, no... Lorenzo, tengo miedo.

Lorenzo: ¡Hubieras actuado honestamente! ¿Leyó el diario, señor?

El Sonriente (ha desplegado el diario, lo hojea. Comenta riendo): ¡Qué curvas! *(Se aparta con pesar de la foto y despierta a El Gangoso)* ¡Caza gorda! *(El Gangoso echa una ojeada sin interés, sonríe apaciblemente y vuelve a adormilarse. El Sonriente, alzando cuatro dedos)* Aquí dice: cuatro asaltantes.

Lorenzo (sin inmutarse): Sí, coartadas. Cuádruple desdoblamiento de la personalidad. Para eso, éste se pinta solo. Es hábil. *(Intenta apartar a Ignacio pateándolo, pero Ignacio se aferra a él tenazmente. Lorenzo, furioso)* ¡Dejame tranquilo! *(Camina hacia la puerta, pero Ignacio lo sigue. Masculla)* ¡Qué falta de tacto! ¡Qué inoportuno! Quedate en tu lugar. ¿Qué manía es ésta de pegarte a mí? ¡Sanguijuela! *(Sonríe dientes para afuera hacia los policías, mientras empuja ferozmente a Ignacio)* ¡No seas infeliz! ¡Desgraciado!

Ignacio (en voz baja): Por favor, Lorenzo. Aclará que son todas mentiras. Pueden creerlas. Nunca se sabe. Aclaralo.

Lorenzo: ¡Yo no aclaro nada! ¡Quiero vivir tranquilo! ¡Y soltame!

Ignacio (aprisiona a Lorenzo y lo vuelve hacia los policías. Febril, mientras Lorenzo forcejea intentando librarse): Yo explicaré todo. A Lorenzo se le ocurrió tirar piedras a una lata. Y luego vio a un chico y le tiró las piedras en la cabeza. Por poco no se la rompe. No lo hizo por maldad. Fue sin... querer. El es... así... *(Lorenzo le pega un puntapié. Ignacio, furioso)* ¡Lo hizo a propósito! Y después me cerró la puerta... y un tipo que nos vio juntos... me rompió la cara. ¡A mí me la rompió! *(A Lorenzo)* ¡Ahí está! ¡Lo dije todo! ¿Por qué no te habrás guardado tus mentiras? ¡Maldito impotente! ¡Todo lo arruinás porque no pensás más que en eso!

Lorenzo (alterado): ¿Que yo no pienso más que en eso? ¡Tengo mujeres a montones! ¡Sarnoso! ¿A quién molieron a golpes? ¡A los inocentes los dejan tranquilos! ¡Mirate la cara! ¡Parece un tomate aplastado!

El Sonriente (se levanta y toca a Lorenzo en el hombro. Tranquilizador): No se preocupe. Siempre acusan. *(Señalando el diario y el telegrama)* Por suerte, tenemos las pruebas.

Lorenzo (sonríe): Gracias, señor. Me alegro de que sean testigos de esta escena: un hombre honrado nunca es tan violento. Peor que un perro. *(A Ignacio, gritando)* ¡Pero querés dejarme en paz!

Ignacio (asustado): No, no.

Lorenzo (siempre aprisionado, tuerce el cuello hacia El Sonriente. Mundano): ¿Sería usted tan amable de... de ayudarme?

El Sonriente (ídem): ¡Cómo no!

Lorenzo (mundano): Empújelo hacia atrás. Yo tiraré hacia adelante.

(El Sonriente asiente repetidamente con la cabeza, se quita el saco y lo deposita con cuidado en el respaldo de la silla. Toma a Ignacio por la cintura y forcejea hacia atrás. El Gangoso despierta; lanzando como un sonido de gárgaras, se levanta y se une al grupo. Ignacio cae al suelo, pero sin soltar a Lorenzo que cae con él. El Sonriente se arroja sobre ellos y trata de separarlos, mientras El Gangoso toma a Ignacio por las piernas y empuja hacia cualquier lado. Ignacio pega un alarido)

Lorenzo (gritando): ¡Maldito idiota! ¡Dejame solo! ¡Dejame solo! *(Logra separarse mientras Ignacio rueda por el piso debajo de los policías que golpean. El Sonriente con la sonrisa más exasperada a medida que aumenta su entusiasmo. El Gangoso ganguea cada vez más frenéticamente. Al mismo tiempo, se escuchan los gritos de Ignacio. Lorenzo se abalanza hacia la puerta, la abre y extiende los brazos con una exclamación de delicia)* ¡Ah, qué aire fresco, qué aire fresco!

Segundo acto

Escena 3

La misma habitación, uno o varios días después. Una escalera apoyada contra la pared, junto a un cepillo de mango largo. Entra la luz del día por la ventana. Lorenzo está en la pieza, martillando la pata de una silla. Silba, muy contento. Termina de martillar, apoya la silla sobre el suelo. La silla se bambolea y se cae.

Lorenzo (contento): ¡Excelente! ¡Qué mano! *(Como la silla se cae, la apoya contra la pared. Toma en seguida, unos diarios y un gran tarro de cola y pega los diarios sobre los vidrios. La luz se va cubriendo poco a poco. Lorenzo, desconcertado)* No se ve nada... *(Baja a tropezones de la escalera, consigue encender la luz eléctrica)* De cualquier forma, odio la luz. Estoy bien solo... Me siento... ¡bien! Quizás soy un hombre sano y él me enferma. Pero si vuelve... *(Ríe)* Tengo una idea, ¡una magnífica idea! No es una luz como inteligencia, pero comprenderá. Más claro: agua. *(Saca debajo de la cama una vieja y sucia valija de cartón. La abre sobre la cama. Con asco)* ¡Qué sucio! Como para prestarle algo. Huele a milanesas. *(Busca por la pieza, levanta un colchón y saca debajo un par de medias que coloca en la valija. Sacude un zapato hasta que caen otras medias, muy polvorientas, atadas con un nudo, que también guarda en la valija. Hace lo mismo con una camiseta agujereada que saca de un cajón)* ¿Qué más tiene? Un pantalón. Tiene dos pantalones, uno puesto. *(Busca en los cajones)* ¿Dónde estará? *(Con una exclamación de alegría lo descubre en el suelo, debajo del cepillo de limpieza. Lo sacude.* Está mojado. *(Lo dobla, lo coloca dentro de la valija)* Pondré la valija en el pasillo; si regresa, se dará cuenta de la intención. No quiero compromisos. Un tipo que tiene líos con la policía, no es bueno tenerlo cerca. O pondré la valija en la puerta de calle. Si alguno se la lleva mala suerte. *(Cierra la valija, la levanta con mucha fuerza, pero la valija no tiene peso y la fuerza le sobra. Desconcertado)* ¡No pesa nada...! Pondré los diarios. Verá que no tengo mala voluntad. Lo mío y lo tuyo. Aquí empieza la buena voluntad. Si lo tuyo no existe, mala suerte. Los diarios los compró Ignacio. Que se los lleve. *(Llena la valija con los diarios viejos, los prensa con esfuerzo y la cierra. Alza la valija y la coloca en el suelo)* Ahora sí, pesa. *(Un silencio)* ¡Me siento bien! *(Aspira y espira profundamente)* Dos colchones. Juntaré los dos colchones y... *(Decidido)* Empezaré a mirar mujeres. *(Sube en el banquito y abre la ventana. Se asoma con medio cuerpo afuera, saca un peine del bolsillo y se peina)* Probaré con lo primero que venga. Gorda o flaca, vieja o joven. Para probar, no debo tener pretensiones. *(Con una risita)* ¡Basta que no carezca de lo esencial! *(Mira. Con asco)* ¿Y ésta? ¿De dónde salió? ¡Qué seca! Está bien conformarse, ¡pero no tiene nada! *(Se vuelve hacia el interior de la pieza, comentando)* ¿Viste, Ignacio, qué? *(Se para en seco, furioso)* Con dos colchones es más fácil, me arruinaba los programas. *(Vuelve a mirar)* ¿Y eso? ¡Es una vaca! Si la traigo, me asfixia. ¡Y toda pintarrajeada! ¡Qué asco! ¡La cara que tendrá al levantarse! ¡Mejor acostarse con un cuco! *(Saca medio cuerpo afuera, ahora en dirección opuesta y grita)* ¡Eh! ¿Cree que con las tetas se hace todo? ¡Gorda! *(Ríe, pero se interrumpe bruscamente y cierra la ventana, asustado)* ¿Me habrá escuchado? *(Baja del banco, va hacia la puerta de entrada y la cierra con llave)* ¡Qué mala suerte! Estaba en la esquina, besar esa cara... Era un buey... *(Ríe sin ganas)* ¡Claro, la vaca con el buey! ¡Je,je! Tengo tiempo. Hoy va a caer alguna en mis brazos. Paciencia. Ahora estoy solo. La casa es mía, los colchones son míos. Alquilaré esta pieza y viviré de rentas. Las mujeres son interesadas. *(Abre una hendija de la ventana y espía. Se tranquiliza y abre del todo, acodándose sobre el marco)* ¡Qué escasez de mujeres! ¿Dónde se habrán metido? Pero tengo todo el tiem... *(Ve algo y enmudece)* ¿Cómo es posible? *(Trastornado)* ¡No hay seguridad para nada, no se puede confiar en nadie! *(Cierra apresuradamente la ventana. Da unos pasos por la pieza, refregándose las manos en una forma extraña, como si aplaudiera, muy nervioso. Ve la valija, la recoge)* Pondré la valija en la calle, así comprenderá... Más claro: agua. *(Abre con decisión. En el umbral está Ignacio, el mismo aspecto, sólo el aire un poco más apaleado. Lorenzo muda de color, balbuceando)* Hola...

Ignacio (con voz ronca): ¿Te vas?

Lorenzo (balbucea): No... Te llevaba... la... la valija...

Ignacio: ¿Adónde?

Lorenzo: ¿Adónde?... Creí que todavía estabas... en la... *(Una arcada)* Me siento... mal... *(Ante su sorpresa, Ignacio le pasa delante sin mirarlo, cruza la habitación y se acuesta en la cama. Lorenzo pasa también al interior, se sienta en una silla junto a la mesa. Un silencio. Mundano)* ¿De qué querés que te hable? *(Un silencio. Pierde seguridad)* Me siento... descom... puesto... *(Comienza a temblar violentamente, es sincero, pero exagera. Un silencio. De repente)* ¿Por qué tenés esa voz?

Ignacio: Estuve resfriado. Me quedé ronco.

Lorenzo: ¿Cómo estás?

Ignacio: Mal.

Lorenzo (asombrado): ¿Mal? ¿Por qué? *(Con sospecha)* No reconozco tu voz. ¿Sos Ignacio o mandaste a otro? Sos muy capaz. *(Se alza sobre la silla y lo mira. Sociable)* ¿Cómo te trataron?

Ignacio: Me pusieron el diente.

Lorenzo: ¿Sí? ¡Qué amables! Eran simpáticos. A mí me resultaron simpáticos, ¿y a vos? Claro, tirarle piedras a un chico no produce buen efecto a nadie, menos a ellos que deben cuidar...

Ignacio: No fue por la piedra.

Lorenzo (más animado por la charla): ¿No? ¿Ah, por el robo de los cuatro millones? *(Sonríe)* ¿Lo creyeron? ¡Fue un chiste! Si estaban los formularios, el sello de correos, todo estaba encima de la mesa.

Ignacio: Tampoco fue por eso. Les caí... sospechoso. *(Triste y herido)* Lorenzo, ¿por qué me hiciste eso?

Lorenzo (excusándose como un niño): ¿Qué te hice? No te hice nada. Les caíste sospechoso. Es decir... no les caíste simpático. Igual te hubieran... *(no quiere reír, pero se tienta)* ¡Por eso! ¡Qué me contás! ¡El simpático resulté yo! ¡Qué alegría me da... resultar simpático! ¡Yo, el simpático! *(Ríe desbordado mientras Ignacio lo mira. Se detiene poco a poco, desvía la vista conciente de la mirada de Ignacio, coloca los codos sobre la mesa y empieza a rascarse la cabeza. Un penoso silencio)*

Ignacio: Lorenzo...

Lorenzo (solícito): Sí, sí, querido, a tus órdenes.

Ignacio: Algún día... te... te reviento.

Lorenzo (palidece, se lleva las manos hacia el costado): Ignacio... me siento mal. Te... te necesito.

Ignacio: ¡Ojalá revientes!

Lorenzo (apoya el rostro contra la mesa y comienza a llorar): No quise... hacerte mal... Sólo pensé... en la casa. Me gusta... esta casa. Me gusta... *(levanta la cabeza)* la forma en que reís. Por eso te hago perradas, para que te rías lo menos posible.

Ignacio: ¿Qué ganás?

Lorenzo: No pierdo. Cada vez... que reís me quitás algo, lo que no es mío. ¿Y por qué? ¿Por qué yo me río así? *(Sonríe con una mueca, ríe estertoroso)* ¡No me gusta! *(Con desaliento)* Deseo tu forma de reír... y... y no hay caso. No lo consigo, Ignacio... *(Silencio de Ignacio)* No quería que te lastimaran. Somos hermanos, nacimos juntos. Si te morís, puedo quedarme con todo, con las camas... y... y las sillas... y... pero no quiero que te mueras. ¡No quiero, no quería hacerte mal, Ignacio! *(Llora)* ¡Soy un cretino, un cretino! *(Ignacio se incorpora y lo mira. Lorenzo llora, pero menos sinceramente ahora, espía por el rabillo del ojo el efecto de su llanto, exagera levemente)*

Ignacio (aplacado): Lorenzo, Lorenzo...

(Lorenzo muestra una payasesca y triunfante sonrisa hacia un lado, luego se vuelve hacia Ignacio y le muestra el rostro apenado, arrepentido)

Escena 4

La misma habitación. Lorenzo está delante de la mesa poniéndose unos guantes de goma con gestos de cirujano. Tiene aire contento y atareado. Sobre la mesa, papel, tinta, un libro. Desde la puerta que da al patio, Ignacio arroja un avión de plástico que pega a Lorenzo en la cabeza.

Lorenzo (se vuelve furioso): ¿Qué hacés? Así vas a adelantar mucho. Si cada vez que armás un juguete, te entretenés jugando, vas a adelantar mucho. Después te quejás de que no tenemos plata.

Ignacio (recoge el avión): ¿Por qué no me ayudás un poco?

Lorenzo: ¿Yo? Sólo trabajo por placer. Y también por placer, me aburro.

Ignacio: ¿Para qué te pusiste esos guantes?

Lorenzo (muy digno): No hablábamos de mí. Pero te contestaré. No quiero ensuciarme las manos. ¿Terminaste el trabajo?

Ignacio: No.
Lorenzo: Apurate. Sabés bien que soy inútil para ganarme la vida.
Ignacio (mientras se dirige al patio): Hoy lo termino. *(Vuelve en seguida con una bolsa de arpillera llena de juguetes de plástico, la vacía en el suelo, se sienta y comienza a armarlos)*
Lorenzo (comienza a escribir cuidadosamente. Luego ensobra): Por favor, no pasés otra vez por la panadería. El pan parecía de piedra.
Ignacio (disculpándose): Yo les pedí pan viejo, para que no se clavaran.
Lorenzo: ¡Qué idiota! *(Una pausa)* Igual tienen todas porquerías.
Ignacio (con calor): ¡No, no!
Lorenzo: ¡Te digo que sí! El patio desborda de pan viejo. Van a venir las ratas.
Ignacio (feliz): Más pan compro, más puedo hablarle.
Lorenzo: ¡Tenés un gusto! Pero sobre gustos, no hay nada escrito. Esa chica es un esperpento.
Ignacio: Es linda. *(Tímidamente)* Me gustaría casarme, vivir aquí.
Lorenzo (indiferente): ¿Quién te lo impide?
Ignacio: Pero tres en una pieza...
Lorenzo: Yo sobro, ¿no?
Ignacio: No.
Lorenzo: A veces, sos de una vileza increíble. Me doy cuenta de que sobro. Está bien. Casate. Caín.
Ignacio: No, no. Seguiremos viéndonos, serás amigo de Inés también.
Lorenzo: Ah, ¿se llama Inés?
Ignacio: Sí.
Lorenzo: ¿Qué harás con el padre?
Ignacio: ¿Con quién?
Lorenzo: Con el padre. No la deja ni a sol ni a sombra.
Lorenzo: Le hablaré.

Lorenzo: Te romperá los dientes. Es un gallego muy nervioso. ¡La cuida al esperpento ese!
Ignacio: Hay muchos vivos. En la panadería, entran muchos vivos. Cuando agarran el pan, estiran demasiado el brazo y la tocan.
Lorenzo: Debe gustarle. Y el padre, ¿qué hace?
Ignacio: Los saca a empujones. A mí también me mira con malos ojos. Ayer me empujó.
Lorenzo: ¡También! ¿Por qué no esperaste a que la chica desarrollara?
Ignacio: Tiene quince años.
Lorenzo: Pero igual es un esperpento.
Ignacio: ¿No te gusta? ¿Lo decís seriamente?
Lorenzo: ¡Hum! Podría pasar, salvo la cara. Tiene las piernas torcidas, las manos ordinarias y, de arriba abajo, es toda de una pieza: sin cintura. Podría pasar, pero no es mi tipo.
Ignacio (se levanta y se acerca a la mesa. Lorenzo oculta todo con las manos): ¿Qué escribís?
Lorenzo: Cartas. Me escribo cartas.
Ignacio: ¿Por qué tenés las Memorias de una princesa rusa?
Lorenzo: Busco inspiración. Nadie me manda cartas. Es triste.
Ignacio: Yo te escribiré.
Lorenzo: ¡A buena hora! Usé tu papel. ¿Por qué no le hiciste imprimir tu nombre?
Ignacio: ¿Para qué?
Lorenzo: ¡Qué lelo! ¡Para que se sepa que es tuyo! Está todo manoseado. Alguna vez podrías lavarte las manos.
Ignacio: Es cierto. Inés es muy limpia. Ni siquiera tiene mugre bajo las uñas. Lorenzo, ¿de verdad no te molesta irte a vivir solo? Podrías venir cuando quisieras. Esta sería tu casa, también. *(Sonríe)* Además, no estoy seguro.
Lorenzo (genuinamente sorprendido): ¿Con quién? ¿Conmigo?
Ignacio: Sí. Me hiciste muchas perradas.
Lorenzo: ¿Yo? Sí, sí, te hice perradas. ¿Pero sabés por qué? Soy desdichado. Las chisto, las chisto, y es como si lloviera.

Ignacio: Insistí.

Lorenzo: Y si alguna me diera corte, ¿qué pasaría? Podrían quedarse años sobre el colchón.

Ignacio: Insistí. Las mujeres son raras, a algunas hasta les gusta esperar. No te desanimés por eso. Insistí, pero sin chistarlas. No les gusta, no son perros.

Lorenzo (enojado): ¡Cada cual tiene su estilo!

Ignacio: ¡Pero el tuyo no conduce a nada!

Lorenzo: ¡Sarnoso! *(Se contiene, hipócrita)* Vas a estar cómodo aquí, cuando yo me vaya. *(Sonríe extrañamente)*

Ignacio: ¿Por qué sonreís así? ¿Qué estás tramando?

Lorenzo: ¡Nada! Me alegro por tu felicidad.

Ignacio (lo mira en silencio, luego, conmovido): ¿Cambiaste?

Lorenzo (sincero): Sí, sí. Cambié.

Ignacio (ríe): Lorenzo, quién sabe... ¡la mando al cuerno!

Lorenzo (ídem): ¡No, no! ¡Por mí, no!

Ignacio: Bueno, no. No podría. Pero la puedo ver afuera. Convencer al padre. Aquí está el hermano, el amigo.

Lorenzo (lo mira limpiamente): Yo. Podría ser... *(Contento, Ignacio saca medio pan del bolsillo y empieza a comerlo. Lorenzo queda abstraído un momento, lanza un suspiro divertido y se levanta. Recoge las cartas)* Voy a echar estas cartas al correo. *(Se saca los guantes de goma y se pone unos gruesos mitones de lana. Es evidente su cuidado de no tocar las cartas con las manos desnudas)*

Ignacio (al ver los mitones): ¿Qué hacés? Van a tomarte por loco.

Lorenzo: No. *(Se pone las cartas en el bolsillo)* ¿Por qué hablás con la boca llena? Se te ve la comida. Das asco.

Ignacio (traga): Hace calor.

Lorenzo: Por eso mismo. Hace calor y transpiro. La lana absorbe el sudor. En verano, voy a vestirme todo de lana. *(Ríe)* Si vas a entregar los juguetes, pasá por la panadería. Pasá todos los días de hoy en adelante. ¿Conquistaste a Inés? Conquistarás al padre.

Ignacio (se adelanta, lo golpea amistosamente con el puño): ¡Lorenzo!

Lorenzo (sonriente y amistoso): Voy a entregar esto, no sé si personalmente o por correo. Podríamos pasear un poco antes.

Ignacio: ¿Personalmente? ¿Pero a quién le escribiste?

Lorenzo: A mí mismo. No repitas las preguntas. ¿No querés pasear? Me siento bien, pero me agradaría tener un último recuerdo de estos paseos. En el fondo, soy un sentimental. *(Ríe. Pasean, los brazos recíprocamente colocados sobre los hombros. Marcan el mismo paso)*

Ignacio (ríe también): ¿Un último recuerdo?

Lorenzo (muy risueño): ¿Un último recuerdo, dije? Claro, ¡si te casás! *(Después de un momento, vuelve a reír. Sin saber el motivo, Ignacio lo acompaña en la risa, feliz. Pasean)*

Escena 5

La misma habitación, días después. Sólo hay una cama ahora. La mesa está llena de pan y de paquetes de panadería, envueltos en papel blanco, atados con una cintita. Lorenzo está subido en el banco, asomado a la ventana, con medio cuerpo afuera, chistando a las chicas.

Lorenzo (emocionado): ¡Dios mío, qué belleza! *(Angustiado)* ¿Qué le digo? ¡Pronto! ¿Ignacio, no se te ocurre nada? *(Se vuelve, lo busca con la mirada)* ¿Dónde se metió? *(Chista nuevamente hacia afuera)* Amorcito. A... mor... ci... to... ¡Qué ojazos! *(Debe recibir algún desaire, porque se queda inmóvil, perplejo; luego se asoma nuevamente y grita, furioso)* ¡Porquería! *(Un silencio)* ¿Qué pretenden? Yo les miento. Tienen ojos de pajarito, piernas con músculos de boxeador, torcidas. *(Se toma el costado, llama)* ¡Ignacio! *(Furioso)* ¡Ignacio! *(Entra Ignacio por la puerta que da al patio, ha perdido su aire de felicidad)* Me duele.

Ignacio (seco): Acostate, si te duele.

Lorenzo: Sabés que acostado no me pasa. *(Ignacio silba, indiferente. Lorenzo, alterado)* ¿Todavía te dura? ¿De qué me acusás ahora? No te hice nada.

Ignacio: No sé si no me hiciste nada.

Lorenzo: ¡Ah, bueno! ¡No sabés y me acusás! ¿Qué mosca te picó? Te vas a agarrar una pulmonía durmiendo en el patio. ¿Por qué no te marchás directamente?

Ignacio: Sí, me voy.

Lorenzo: Sí, me voy. Pero después volvés. Es tu casa.

Ignacio: ¡Guardátela! *(Con furioso pesar)* ¡No puedo verte más la cara! ¡A nadie le puedo ver más la cara!

Lorenzo (atento a lo que le interesa): Me das la casa, pero sin papeles. Cualquier día podés venir y decirme: raje.

Ignacio (encolerizado): ¿Qué querés que haga? ¿Escritura?

Lorenzo: No. Pero testamento sí podrías hacer.

Ignacio (cada vez más rabioso): ¡No tengo a nadie! Nadie te la va a reclamar.

Lorenzo: Nunca se sabe.

Ignacio: ¡Te regalo la casa! Pero primero te mato. *(Lo toma por la camiseta y empuja)*

Lorenzo (retrocede atemorizado, sinceramente entristecido): Ignacio, Ignacio, hermanito...

Ignacio (lo suelta. Apenado): ¿Por qué me pegó el gallego, Lorenzo? Tengo que desquitarme con alguno. ¿Por qué me pegó?

Lorenzo: ¡Qué sé yo!

Ignacio: ¡Sólo por mirarla!

Lorenzo: La gente es así: ¡loca!

Ignacio: Me golpeaba y me decía: ¡escríbale inmundicias a su madre! ¡A mi madre!

Lorenzo: ¡No tenés!

Ignacio: Escrib... *(sospecha algo, mira a Lorenzo que guarda una expresión inocente)* ¿Qué escribías el otro día? ¿A quién?

Lorenzo: A mí mismo. Mañana recibiré las cartas. Pero no te las dejaré leer.

Ignacio: Sabés imitar mi letra, sabés copiar...

Lorenzo: Nunca pude falsificar tu letra perfectamente. Sos casi analfabeto.

Ignacio: Pero una vez falsificaste billetes de banco.

Lorenzo: Todavía tengo. *(Una pausa, sincero)* Ignacio, ¿cómo iba a hacerte eso? ¿Escribirle inmundicias a una chica de quince años? ¡En tu nombre!

Ignacio: Sí. *(Lo mira. Una pausa)* Sos inocente. Inocente.

Lorenzo (emocionado): Sí, ¿te das cuenta? La inocencia es lo peor que hay en mí. *(Una pausa, sonriente)* ¿Te pasaste con la hija?

Ignacio: No. Me pegó por mirarla.

Lorenzo: ¿Y no avisó a la policía?

Ignacio: ¿Por qué iba a avisar?

Lorenzo (aparte, pensativo): Tantas precauciones, ¿para qué? Me asé con los guantes de lana. ¡Idiota! ¡Gallego idiota! Pero no es inventiva lo que me falta. *(Se acerca a la mesa y corta un pedazo de pan)*

Ignacio: ¿Por qué tanto pan? ¿Quién te lo dio?

Lorenzo: La plata.

Ignacio: Sos un tacaño. ¿Para qué ibas a comprar tanto pan? ¡Y masitas!...

Lorenzo (se acerca, desenvuelve un paquete de masitas. Las revuelve groseramente, no concluye de elegir, las que desecha las tira al suelo): ¡Qué porquería! *(Corta otro pedazo de pan. Masticando, muy ordinario, triunfante)* Pensá lo que quieras. Tengo mis rebusques.

Ignacio: ¿Dónde?

Lorenzo: En las panaderías. Las mujeres me buscan.

Ignacio: ¿Qué mujeres? *(Lorenzo contesta con un tch, tch, satisfecho. Ignacio)* Me voy. Ahora sí me voy.
Lorenzo (instantáneo, saca la valija debajo de la cama): Aquí está tu valija. *(Tira pan y masitas al suelo y abre la valija sobre la mesa)*
Ignacio (se acerca): ¿Por qué la forraste?
Lorenzo: Podés agradecerme el trabajo, ¿no? El fondo está lleno de grasa. ¿Qué hacías adentro? ¿La comida?
Ignacio: Te la presté para un picnic y se te rompió el paquete con milanesas.
Lorenzo: Ah, pero pasó tiempo, ¿no? La grasa se seca.
Ignacio (mansamente): Soy muy descuidado. *(Empieza a buscar)* ¿Dónde está mi ropa?
Lorenzo: Si no tenés. *(Ignacio pone una camiseta dentro de la valija, saca su pantalón debajo del cepillo de la limpieza, lo sacude y lo guarda. Lorenzo)* Podés llevarte mi cepillo de dientes.
Ignacio: No quiero.
Lorenzo: ¡Cuánto orgullo!
Ignacio (revisando el ropero, lleno de trajes): ¿De dónde sacaste tanta ropa?
Lorenzo: Querido, tengo mis rebusques. No necesito a las mujeres. ¿Qué creíste? No soy un inútil.
Ignacio: ¿Pasaste billetes falsos? *(Una pausa)* Entonces... el pan...
Lorenzo: ¡Lo compré! Y en otra panadería. *(Ríe por la nariz, con un soplido)*
Ignacio (sonríe, ríe luego, increíblemente aliviado. Se sientan los dos y acercan luego las sillas. Se palmean mutuamente las rodillas. Ignacio): Y toda esa ropa...
Lorenzo: Para ambos.
Ignacio (riendo): ¡No sos tan bestia!
Lorenzo: ¡No, no soy!
Ignacio: Te mantuve todos estos años...
Lorenzo: ¡Y yo como la hormiguita! *(Ríen los dos. Sin golpear en la puerta, entran los dos policías: El Sonriente y El*

Gangoso. Ignacio deja de reír, sorprendido. Lorenzo sigue riendo por la nariz, con un soplido, tranquilamente. El Gangoso se acerca a la valija y agita el contenido en el aire. Ganguea algo que no se entiende)

El Sonriente (traduce, risueño): ¡Pájaro que robó, voló!

Ignacio (como El Gangoso continúa sacudiendo la valija): ¡Está vacía! *(Los dos policías lo miran sonrientes. El Gangoso, muy divertido, mueve la boca sin que se escuche palabra. Ignacio, sonriendo desconcertado)* ¡No entiendo!

El Sonriente (mientras El Gangoso comienza a sacudir de nuevo la valija; muy risueño): ¡No, no está vacía!

(Con evidente placer, El Gangoso empieza a arrancar el papel. Cae una lluvia de billetes falsos)

Lorenzo (deja de soplar. Sorprendido, sin énfasis): ¡Billetes falsos! ¡Oh, qué puerco! *(Vuelve a soplar por la nariz hasta que se atora y debe lanzar la risa como un chorro, violentamente, a carcajadas)*

Escena 6

La vereda de la cárcel en primer plano. La cárcel, detrás, es un simple telón pintado. Un viejo está sentado en el cordón de la vereda, moviendo los pies en forma extraña. Nunca aparta los ojos de sus propios pies. Después de un momento, entra Lorenzo. Se ha disfrazado de judío, con un largo sobretodo negro hasta los tobillos, sombrero redondo del que escapan los tirabuzones de una peluca. Habla normalmente. Dirige una disimulada mirada a la cárcel y se acerca al Viejo que no deja de mover los pies y nunca lo mira, por lo tanto.

Lorenzo (cortés): ¿Usted hace mucho que está aquí, señor?
El Viejo: Me siento aquí todas las tardes, a tomar fresco. En mi casa no hay sillas, no hay aire: me ahogo.
Lorenzo: Busco a un muchacho bajito, muy oscuro, picado de viruelas, con los dientes salidos para fuera y anteojos. ¿Lo conoce?
El Viejo: No.
Lorenzo: Es mi hijo. Le pegó a un tipo con cara de infeliz. Le faltaba un diente, acá, en el medio... *(Se señala, deteniéndose)* ¿No puede mirar?
El Viejo: No.
Lorenzo: No importa. Ya se lo pusieron. ¿Lo conoce? ¿Lo vio por acá?
El Viejo: No.
Lorenzo: No importa. *(Una pausa)* Se llama... Horacio... o Ignacio. Le pregunto si lo vio porque quiero romperle la cara. Le pegó a mi hijo.
El Viejo: No veo a nadie. Trato de no mojarme los pies. La alcantarilla está tapada. No corre el agua y desborda. Si me mojo estoy listo. A mi edad, es grave. Un resfrío lleva a la tumba.
Voz de Ignacio (desde lejos): ¡Lorenzo! ¡Lo... ren... zo!
El Viejo: ¿Lo llaman a usted?
Lorenzo: ¿Está loco? ¿Dónde vio a un judío llamarse Lorenzo? *(Suspicaz)* ¿No se llama usted Lorenzo?
El Viejo: No. Hace mucho que vengo acá, no veo a nadie, no me llama nadie.
(Se vuelve a escuchar la voz de Ignacio, lejana, llamando. Por contestación, Lorenzo dobla el brazo en un gesto expresivo y se marcha, furioso)
El Viejo (pensativo): Si traigo un palito, podré destapar la alcantarilla. Entonces, el agua correrá y podré mirar a la gente de cuando en cuando. No pude contestarle al señor como debía. Tomar fresco es lindo, pero sin ver a nadie resulta aburrido a la larga. La vida debe ser amena, porque si no, uno piensa demasiado en la muerte, *(ríe)* con-

cluye por desearla. Con un palito, correré a un costado toda la inmundicia y el agua correrá. Seré feliz. *(Mientras habla, entra Lorenzo disfrazado de ciego. Usa el mismo sobretodo, pero se ha cambiado la peluca, lleva una de largos cabellos sobre los hombros. Usa anteojos negros y empuña un bastón con el que tantea el cordón de la vereda. Cuando llega al Viejo, lo golpea sañudamente, pero como si no hubiera advertido su presencia)*

Lorenzo (golpeando): ¿Qué hay aquí? ¿Qué hay aquí?

El Viejo (sin dejar de mover los pies, cubriéndose con los brazos): ¡Ay! ¡Ay, hermano, aquí estoy! Un viejo.

Lorenzo: ¿Un viejo? Perdone. ¿Lo lastimé?

El Viejo: No.

Lorenzo: ¿Podría darme una ayuda?

El Viejo: ¿Por qué?

Lorenzo: Soy ciego.

El Viejo: ¿Ciego? ¡Qué desgracia! No tengo.

Lorenzo: Los viejos son siempre miserables. ¿Para qué? Si en la tumba no le entrarán más que los huesos. ¿Cuánto mide? ¿Uno setenta? Deje todo afuera, tacaño. Se la harán más chica.

El Viejo (sinceramente asustado): ¿Más chica? ¿Cree? A mí siempre me gustó estar cómodo. No soy tacaño. *(Revuelve en sus bolsillos, a tientas tiende una moneda que Lorenzo recoge ávidamente)* Tome, no tengo más. Cuidado con el agua.

Lorenzo: ¿Hay agua?

El Viejo: Sí, desborda por la alcantarilla. El día que consiga un palo, la destapo. Pero es difícil conseguir un palo.

Lorenzo: ¡Ah, por eso me mojaba los pies!

El Viejo: ¿Usted viene seguido por aquí? Ya ve, nunca lo he visto. Me gustan los ciegos: no ven.

Lorenzo: Vengo todos los días. ¿Sabe por qué? Es un lugar óptimo para la limosna. *(Señala la cárcel)* Los de allí son buenos. El personal, claro. Había uno de los presos que me puteaba. ¿Nunca lo vio?

El Viejo: No.

Lorenzo: Hace rato que no lo escucho. Lo habrán dejado libre. ¿Usted no vio si lo dejaban libre?

El Viejo: Nunca veo a nadie. También puede ser que haya muerto.

Lorenzo (contento): ¿Usted cree?

El Viejo: Sí. Mejor para usted. Es feo que lo puteen a uno. *(Accidentalmente, toca el bastón de Lorenzo)* ¿Tiene un palo?

Lorenzo: Es un bastón.

El Viejo: Un bastón puede servir. ¿Me lo presta?

Lorenzo: ¿Quiere hacerme matar? Sin el bastón, me caigo.

El Viejo: Siéntese acá. Cuide de no mojarse los pies. Con el bastón, puedo destapar la alcantarilla. ¡Démelo! *(A tientas, tiende la mano)*

Lorenzo (le da un golpe con el bastón): ¡Quédese quieto! *(Se pone el bastón bajo el brazo)* Si está muerto, no vengo más. ¿Pero quién le puede hacer caso a este viejo? Desvaría. *(Rezonga furioso mientras sale)* ¡Pérdida de tiempo!

El Viejo: ¿Por qué me pegó? Usted también es un viejo. Y ciego, para colmo de males. *(Moviendo a tientas la mano, primero con precaución, y luego más libremente)* ¿Dónde está? Présteme el bastón. Nadie se lo va a llevar por delante. Yo lo cuidaré. Me gusta cuidar a los ciegos. Présteme el bastón. *(Espera)* ¿No contesta? ¿Se fue? *(Después de una pausa)* Contésteme, ¿se fue? *(Una pausa, suspira)* Sí, se fue. ¡Qué carácter! No me gustan los ciegos: no ven nada, no quieren que los otros vean. El bastón hubiera sido ideal. Hubiera podido empujar toda la inmundicia, con la mano me da asco. Así tomo fresco, pero no lo disfruto. ¡Qué egoísta! ¿Qué le hubiera costado? *(Entra Lorenzo arrastrando un carrito lleno de cachivaches. Al pasar delante del Viejo se le cae un mango con un resto de escoba. El Viejo se lo apropia ávidamente y sin levantarse, moviendo los pies, para evitar el agua, se va arrastrando hacia un costado, donde empieza a raspar la alcantarilla, muy contento, casi febril. Lorenzo se ha rapado la cabeza, tiene un traje a rayas y un pañuelo a pintitas en el cuello. Recuerda vagamente a un preso de un campo de concentración, aunque su aspecto es mucho más saludable. Se detiene y mira ansiosamente hacia la cárcel)*

Lorenzo (muy bajo): ¡Ignacio...! *(Se inclina, acomodándose una zapatilla y llama, con la vista clavada en el suelo, y un hilo de voz)* ¡Ignacio...! *(Breve pausa)* Pero no vayas a llamarme por mi nombre, idiota. No me comprometas. Sólo me intereso por tu salud. No me comprometas: mal de muchos, consuelo de tontos.

El Viejo (contento, sin dejar de mover los pies): ¡La destapé! ¡Corre el agua! Había mal olor. Pero no puedo dejar de mover los pies. ¡Estoy tan acostumbrado!

Lorenzo (agrio): ¿Tiene algo para vender?

El Viejo: ¡No!

Lorenzo: ¡Entonces no me dé charla! *(Grita)* ¡Compro botella, cama vieja, trapoviejoignacio, diario viejo!

(Sale El Sonriente. Mira a ambos lados de la calle y llama a Lorenzo, sin reconocerlo)

El Sonriente: ¡Venga!

Lorenzo (aterrado, se vuelve hacia el Viejo): ¡Lo llama!

El Viejo (incorporándose lentamente): No, no, a usted.

El Sonriente: ¡Venga!

Lorenzo (diligente, va hacia el Viejo y con un empujón lo hace avanzar hacia El Sonriente): ¡Vaya!

El Sonriente (a Lorenzo): Gracias.

(Lorenzo se apresura a empuñar el carrito y lo empuja hacia la salida. Pero allí tropieza con El Gangoso, a quien acompaña un muchacho. El Gangoso abre los brazos y empuja también a Lorenzo)

El Gangoso: ¿Por qué tanto apuro? *(A El Sonriente)* ¿Alcanzan?

Lorenzo (atónito): ¿Habla?

El Gangoso (que habla normalmente y que tampoco lo reconoce. Sorprendido): Sí. Siempre. ¿Por qué?

Lorenzo: No, no. Decía. Yo... yo estuve mucho tiempo mudo. Después me curé, con un susto. Ahora hablo de corrido. De chiquito tampoco hablaba. No sabía con quién.

El Sonriente: ¿Quién le pregunta algo?

Lorenzo (voluntarioso): ¡Nadie! Felizmente, nadie me pregunta nada. La tierra es libre. *(Se embrolla)* Nadie pregunta... nadie contesta. Cuando hablamos es... cuando...

El Gangoso (afable): Bueno, sí. Basta, querido. Su cara... me resulta conocida.

Lorenzo: ¿Mi cara? Por supuesto. ¡Hay miles como ésta! Da asco de vulgar. Mire, mire mi perfil. ¡No vale nada!

El Sonriente: ¡Se nos hace tarde!

El Gangoso: Este viejo y este idiota...

Lorenzo (ultrajado, en voz baja): Idiota, ¿idiota yo?

El Gangoso: ...¿Alcanzarán para el trabajo?

El Sonriente: Sí. Usted, vacíe el carrito.

Lorenzo (voluntarioso): Sí, sí. ¡Cómo no! A sus órdenes. *(Diligentemente, arroja la carga del carrito al suelo, botellas, restos de escoba, una palangana oxidada)*

El Gangoso (juzgando el carrito): ¿No será chico?

El Sonriente: No se preocupe. Si es chico, lo doblamos.

Joven: Doblamos, ¿qué?

Lorenzo: ¡Habló!

El Sonriente: ¡La carga! En fila, por favor. *(Todos se colocan en fila, Lorenzo se apresura a ocupar el primer lugar. Haciendo ademán de que esperen, los policías salen y vuelven al instante trayendo un cuerpo, el de Ignacio, envuelto en un género escaso. Lo suben al carrito. Tienen dificultad en acomodarlo. La cabeza queda oculta, pero se les escapa un brazo, una pierna, y esto se repite varias veces. Entre el cuerpo muerto que no quiere acomodarse y los policías que se empeñan en hacerlo, hay una lucha obstinada, de contenida violencia. Finalmente, los policías optan por doblarle la cabeza sobre las piernas. Desde el interior de la cárcel, alguien arroja una pala. Cae de lleno sobre Lorenzo que pega un grito de dolor)*

El Sonriente: Iremos al campo. Está fresco, brilla el sol. Caminaremos lentamente. No lo tomemos como un trabajo.

Lorenzo: Yo no lo tomo. ¡No lo es!

El Viejo: ¡Me llevan a pasear!

El Gangoso: Justamente, a pasear.

El Sonriente: ¿Todos contentos?

Lorenzo y El Viejo: ¡Sí, todos contentos!

El Sonriente: Entonces, ¡al campo! *(Lorenzo se apodera por fuerza de la empuñadura del carrito que El Viejo pretendía arrebatarle y empuja con fuerte jadeo, encabezando la fila. Salen)*

Escena 7

Un campo pelado. Los dos policías están sentados sobre el pasto con las piernas cruzadas. Respiran hondo y alternadamente, con placer. El Gangoso huele una flor con delectación. El Viejo y el Joven están detrás de ellos, de pie. Lorenzo empuña la pala y cava. En un extremo, el carrito. Un silencio.

El Viejo (tímidamente): Había una vaca en el camino. ¿La vieron? *(Nadie le presta atención. Otro silencio. Se acerca a Lorenzo, le toca el hombro con un dedo. Lorenzo se vuelve. El Viejo, señalando la pala. Con timidez)* ¿Me permite? Me gustaría... dar unas paladas. Hacer un poco de ejercicio. *(Ansioso)* Es una buena oportunidad, ¿sabe?

Lorenzo (lo mira hoscamente): La pala me la tiraron a mí. Soy el más capacitado, el más fuerte. Lo siento *(Le da la espalda y sigue cavando. El Viejo queda inmóvil, ansioso, sin creer por completo en su fracaso)*

Joven: Déjelo. Se arregla solo.

Lorenzo: ¡Sí! ¡Me arreglo solo!

El Viejo: En el camino, había una vaca. Nunca había visto una vaca, tan cerca. *(Llevándose el dorso de la mano a la mejilla)* Hubiera querido... tocarla. Tienen la piel sedosa, caliente. Y parecía buena... Una buena vaca parecía... *(Un silencio)*

Lorenzo: ¡Qué me importa! ¡Déjeme trabajar!

El Viejo (vuelve a llamar a Lorenzo, tímida y ansiosamente): Permítame... *(Tiende la mano y Lorenzo, de mal modo, abandona la pala. El Viejo, con una sonrisa, la toma y apenas si alcanza a dar torpemente dos paladas cuando ya Lorenzo se la arranca de las manos)*

Lorenzo: No sabe.

El Viejo (mortificado): ¡Démela! *(Por respuesta, Lorenzo, jadeante, sopla con lo que quiere ser un silbido)* Y para colmo, no me atreví a tocarla... La vaca. Me quedé con el deseo. *(Desesperanzado)* ¿Para qué destapé la alcantarilla? A mi edad... quedarse con un deseo. Con dos...

Lorenzo (deja de cavar): Ya está.

El Sonriente: ¿Ya está? ¡Muy bien!

(Los dos policías se acercan al carrito y tiran de las puntas del género. Ignacio cae al suelo. Lorenzo se acerca rápidamente. Mira y se demuda)

Lorenzo: ¡Dios mío!

Joven (más bajo): ¡Dios mío!

Lorenzo: ¡Ignacio, hermanito!

El Sonriente: ¿Qué pasa?

Lorenzo (tocando a Ignacio con el pie): ¿Quién es éste? Yo no lo conozco. *(Apresurado)* Ni me importa. Cada cual tiene el destino que merece. Este... éste habrá hecho sus buenas cretinadas.

Joven: Cállese.

Lorenzo: ¡Me hace callar!

El Gangoso (oscuro): No lo haga callar.

Lorenzo: ¡Me gusta! ¿Para qué se mete?

El Sonriente (afable): ¡Muchachos! ¡No discutan! Terminen pronto. Oscurece. Quiero ver a mis chicos antes de que se duerman.

Lorenzo (ríe temblorosamente): ¡Como yo! *(El Viejo se apura y empuja a Ignacio dentro del hoyo, arrebata la pala, aprovechando la distracción de Lorenzo y, muy feliz, consigue dar unas paladas, pero Lorenzo lo ve, le hace una zancadilla y lo arroja al suelo. Se apodera de la pala y la maneja con rapidez. Apisona la tierra con fuertes golpes dados de plano con la pala. El Viejo se aparta, vejado. Lorenzo, a los policías, con una sonrisa de servilismo)* ¡Listo! Trabajo cumplido. Fue un placer. *(Ve el género en el suelo, lo dobla en cuatro y lo entrega a los policías)*

El Gangoso y El Sonriente: ¡Gracias a todos!

Lorenzo (decepcionado): ¿Cómo gracias a todos? Yo trabajé más. Son testigos.

El Gangoso y El Sonriente (sin escucharlo): ¡Hasta pronto, muchachos! Se repetirá. ¡Gracias otra vez! ¡Hasta pronto! *(Se van, llevándose la pala y el carrito. Un silencio)*

Lorenzo: ¡Hijos de puta! ¡Me robaron el carro!

El Viejo (pesaroso y agraviado): Sólo quería hacer un poco de ejercicio. ¿Por qué no me dejó?

Lorenzo: ¡Váyase! Usted no sirve para nada.

El Viejo: Y para colmo, me quedé con el deseo de tocar a la vaca. No tendré otra oportunidad.

Joven: La encontrará a la vuelta.

El Viejo: No... Se habrá ido a dormir. Y buena... una buena vaca parecía... Y usted...

Lorenzo (ladra): ¿Yo, qué?

El Viejo: ¡Su padre! ¡Cuéntele a su padre lo que me ha hecho! Verá. Ofender a un viejo... *(Va hacia la salida y se para)* Por dos paladas... *(Sale)*

Lorenzo (furioso): ¡Termínela, inútil! No tengo padre. Ya debiera estar enterrado. ¡Muérase! *(Se vuelve hacia el Joven, que ha permanecido de espaldas, de pie junto a la tumba. Alterado)* Y usted. ¿Qué hace? ¿Por qué no se va?

Joven: ¿Lo conocía?

Lorenzo: ¿A quién?

Joven (señalando la tumba): A éste.

Lorenzo (agresivo): No. A su abuela tampoco la conozco.

Joven: Pensé... que usted lo conocía. Tenía los ojos abiertos, grises.

Lorenzo: Los hubiera cerrado. *(Ríe angustiosamente)* Se le habrán llenado de tierra.

Joven (se vuelve otra vez de espaldas): Cállese...

Lorenzo: ¡Cállese usted! ¡Metido! ¡Porquería! ¿Por qué no se va? *(Entrelaza los dedos de las manos, salta sobre el otro y, martillando con las manos unidas, lo golpea violentamente entre los hombros)* ¡Váyase, váyase, le digo! *(El muchacho se aleja inclinado, con la cabeza oculta entre los hombros para protegerse de los golpes, y sale, trastabillando. Lorenzo)* ¡Va a tirarme de la lengua a mí! ¿Quién lo conoce? ¿Qué sé yo si tenía ojos grises? Vaya a comprometer a... a... a... *(a falta de otra palabra, estalla)* ¡a su abuela! *(Vuelve y se sienta al lado de la tumba. Todavía furioso)* ¿Escuchaste, Ignacio? ¡Quería comprometerme! *(Un silencio. Llama, desconfiado, probando)* Ignacio... ¡Ignacio! *(Espera)* No tengas miedo, no te llamo más. Probaba. Quería estar seguro. Peores sorpresas me has dado en vida. Y ahora, de muerto, ¡me jorobás! ¿Qué ganas tenés de estar muerto? ¿Eh? ¿Para qué? ¡Para jorobarme! *(Sin moverse)* Me voy. Son veinte cuadras hasta casa, hasta "mi" casa. Quedó todo para mí, las paredes, las puertas. Quedó todo para mí, incluso lo que más me molestaba, tu risa. *(Humildemente)* Yo quería tu risa, Ignacio. Y quería... tu paciencia... ¡Qué aguante! De verdad, ¿nacimos juntos, eras mi hermano? *(Ríe, pero cesa en seguida)* Me molestaba también... lo que pensabas. *(Enojado)* ¿Por qué pensabas que yo era tu hermano? No dejaste un minuto de pensarlo, me daba cuenta. No podíamos vivir en el mismo cuarto, compartir nada. Yo no quería compartir nada, ¡idiota! *(Un silencio. Sin moverse)* Me voy. A ver si tengo tu sonrisa. *(Sonríe con una sonrisa horrible, forzada, sólo de dientes)* Sí, sí. Es la tuya, lo siento. Me voy. *(Un silencio. Sigue sentado, inmóvil, poco a poco desaparece la sonrisa. Se arrebuja)* Qué frío. Me voy, ahora sí, me voy. *(Se queda inmóvil, un silencio. Tímida, desoladamente)* Ignacio, Ignacio... *(Se dobla en una pose semejante a la de Ignacio en el carrito, la cabeza sobre las rodillas. Un gran silencio)*

Telón

El campo

El campo

1967

Fue estrenada el 11 de octubre de 1968 en el teatro SHA de Buenos Aires, con el siguiente reparto:

Personajes

Martín	:	Ulises Dumont
Franco	:	Lautaro Murúa
Emma	:	Inda Ledesma
El afinador	:	Víctor Manso
Un funcionario	:	Isidro Fernán Valdéz
Grupo de SS	:	Néstor Davio, Jorge García Alonso, Fernando Rozas, Oscar Maurente
Grupo de presos:	:	Daniel Barbieri, Kado Kotzer Sebastián Lafi, Omar Montesi, Mario Otero, Lorenzo Quinteros, Atilio Régolo Horacio Romeu, Eduardo Tegli, Sergio Yolis
Enfermeros	:	Lorenzo Quinteros, Horacio Romeu, Eduardo Tegli, Sergio Yolis

Escenografía y vestuario	:	Leal Rey
Puesta en escena y dirección	:	Carlos Augusto Fernandes

Reestrenada en agosto de 1984 en el teatro Cervantes de Buenos Aires con el siguiente reparto:

Personajes

Martín	:	Franklin Caicedo
Franco	:	Alberto Segado
Emma	:	Mirta Busnelli
El afinador	:	Pablo Ortiz
Un funcionario	:	Maximiliano Paz
Grupo de SS	:	Mercedes Alonso, Ricardo Cardoso, Angeles González, Héctor Nogués
Grupo de presos:	:	Oscar Arrese, Emilio Bardi, Gianfranco Contalbrigo, Jorge Cutrono, Marisa Charny, José Manuel Espeche, Gracia de María, Lidia Fernández, Noemí Frenkel, Liliana Manovelli, Rubén Pinta, Edelma Rosso, Susana Tanco
Escenografía y vestuario	:	Alberto Bellatti
Director asistente	:	Ernesto Korovsky
Puesta en escena y dirección	:	Alberto Ure

Primer acto

Escena 1

Interior de paredes blancas, deslumbrantes. Hacia el costado izquierdo de la escena, como únicos muebles, un escritorio, un sillón y una silla. Un cesto para papeles. Dos puertas, una a derecha, interior, y otra a izquierda, exterior. Una ventana a foro.
Después de un momento, se abre la puerta de la izquierda y se escucha una voz cortés que dice:

Criado: Pase, deje las valijas acá. El señor lo atenderá en seguida.
(Entra Martín. Viste sobretodo, guantes, bufanda. Se quita los guantes y la bufanda y los deposita sobre el escritorio. Se sienta en la silla. Sus gestos son pausados, tranquilos. Saca un chicle del bolsillo y se lo pone en la boca. Se escucha de pronto una algarabía de chicos, mezclada extrañamente con órdenes secas, autoritarias,

donde lo más que se puede entender es un confuso "¡un! ¡dos!". Debajo de todo esto, subsiste una especie de gemido, arrastrándose tan subterráneamente que por momentos parece una ilusión auditiva. Martín se levanta y atiende, sin dejar de mascar. Observa la superficie limpia del escritorio, donde solamente hay un aparato de intercomunicación, aprieta uno de los botones y se oye un tema anodino y lavado, como de música funcional. Sonríe y vuelve a apretar el botón. Cesa también el ruido exterior. Se sienta. Alguien corre por el pasillo exterior y una voz entre furiosa y divertida grita: "¡Corra! ¡Por ahí, no! ¡Por ahí, no!". Se oyen muy cerca, ladridos feroces, como de perros que se ensañaran contra alguien. La puerta se abre por un segundo y vuelve a cerrarse, fuertemente. Cesa todo ruido. Martín se encamina hacia la puerta y la abre. Mira. No ve nada, porque vuelve a cerrarla con un encogimiento de hombros. Recoge la bufanda y los guantes del escritorio y los guarda en el bolsillo del sobretodo. Inicia un gesto para sacarse esta prenda, cuando la puerta de la derecha se abre y entra Franco. Viste uniforme reluciente de la SS y lleva un látigo sujeto a la muñeca. A pesar de esto, su aspecto no es para nada amenazador, es un hombre joven, de rostro casi bondadoso. Entra con aire atareado, lleva tantos papeles y carpetas viejas en las manos y bajo el brazo, que no da abasto y los va perdiendo por el camino)

Franco (se queja bonachonamente, mientras recoge los papeles): ¡Estos chicos! ¡Estos chicos! ¡Parecen potros! *(Deposita los papeles y carpetas sobre el escritorio. Con naturalidad, se saca el látigo de la muñeca y lo empuja con el pie debajo del mueble. Tiende la mano a Martín)* Acá estoy por fin. ¿Cómo le va? ¿Esperó mucho?

Martín (lo mira sorprendido): No.

Franco (inclinándose para recoger otros papeles del suelo): Sáquese el sobretodo. *(Martín se inclina para ayudarlo)* No, deje. Yo estoy acostumbrado a que se me caiga todo,

¡soy un torpe! *(Se desabotona un poco la chaqueta)* ¡Uf, qué calor!

Martín (inclinándose debajo del escritorio para recoger un papel): Acá hay otro.

Franco (lo aparta con el pie para que no toque el látigo. Seco): No, deje.

Martín (irritado): Perdón, ¿qué significa?

Franco (señalando los papeles, indignado): Así está todo, ¡un desorden de puta! *(Se sienta en el sillón. Indicándole la silla, al otro lado del escritorio. Amable)* ¡Siéntese! ¿Cómo le va? Sáquese el sobretodo.

Martín (se sienta): Estoy bien.

Franco (sin escucharlo): Tenemos buena calefacción. Un poco de frío, un poco de calor, el resto es el clima ideal. *(Vuelve a escucharse la misma algarabía de chicos, de órdenes, de gemidos ahogados. Franco aprieta un botón del intercomunicador. Con voz pausada, pero autoritaria y amenazadora)* Que se callen los chicos. *(Cesa el barullo. Sonríe, pone las manos sobre la montaña de papeles desordenada sobre el escritorio)* Acá está todo. Bueno, solamente una parte, los libros están en la oficina. *(A Martín, que lo ha estado observando entre divertido y fastidiado. Amable)* ¿Qué le sorprende?

Martín: Nada.

Franco: No, ¡dígalo!

Martín: El uniforme.

Franco (admirado): ¡A todos les pasa lo mismo! ¡Qué época de mierda!

Martín: ¿Pero por qué ese uniforme?

Franco: ¿Y cuál me iba a poner?

Martín: ¿Para qué?

Franco: Me gusta. Los gustos hay que dárselos en vida. No hago mal a nadie. Estoy desarmado. *(Bruscamente)* ¿Judío?

Martín (sonríe): No.

Franco: ¿Comunista?

Martín: No. *(Mastica. Una pausa. Se inclina hacia Franco)* Dígame, ¿qué importa?

Franco (alelado): ¿Qué hace? ¿Masca chicle? *(Para sí, con una sorpresa desagradable)* ¡Qué costumbre más repugnante!

Martín (sin inmutarse): Fumo menos.

Franco: Yo mascaba un palito de regaliz. *(Abre el cajón del escritorio)* ¿Quiere uno?

Martín: No, no. No lo aguanto.

Franco: Yo no aguanto el chicle.

Martín (sin inmutarse): ¿Sí? ¿Para tanto? *(Señala los papeles)* ¿Vemos un poco?

Franco (cortés): ¡Llegó ahora! No soy un negrero. *(Se sacude la chaqueta)* Esto puede darle una impresión equivocada, pero... ¡no soy un negrero!

Martín (sonríe): Lo sé. Usted trajo los papeles, me interesa dar un vistazo.

Franco (tímidamente): ¿No lo dice por compromiso?

Martín: No. No estoy cansado del viaje.

Franco: ¡Qué bien! *(Seco)* Pero no creo que podamos trabajar si usted masca chicle. Realmente, no lo creo. *(Casi con grosería, Martín escupe el chicle sobre el canasto. Franco, exageradamente agradecido)* ¡Gracias, gracias! *(Se oyen voces y risas de chicos, sin órdenes interpuestas ni gemidos, esta vez. Franco atiende, sonríe)* Escuche a los chicos. No obedecen. Juegan en el patio. *(Con una extraña sonrisa)* Uno se quería meter aquí *(Ríe. Bruscamente)* ¿Qué piensa del Vietnam? Perdone que le pregunte. ¿A mí qué me importa?

Martín: Nada. *(Harto)* ¿Vemos los papeles?

Franco: Ahora. Para mí el asunto es bastante escabroso. *(Se recuesta en el sillón)* ¿Está bien, está mal? Los norteamericanos son fuertes, una gran nación. Los otros yo no los conozco. ¿Usted los conoce?

Martín (seco): No. *(Saca otro chicle y se lo pone en la boca)*

Franco (mientras lo mira cada vez con mayor repugnancia):

Nadie los conoce, es difícil tener una idea justa, entonces. A los judíos los conoce todo el mundo. A los comunistas, menos, pero por ahí, hay algún emboscado. No es tan difícil. Rusos, hemos leído a comunistas rusos, a Gorki, yo lo he leído. La Madre. ¡Qué libro! A... *(no recuerda, no sabe o está obsesionado mirando a Martín que masca)* ...a muchos. *(Suplica, casi desfalleciente)* Déjelo. *(Martín deja de mascar por un momento. Franco, con nuevos bríos)* Pienso en los escritores vietnamitas, mire, no hago distinción, survietnamitas, norvietnamitas, es igual para mí, ¿quién los conoce, quién los ha leído? ¿ En qué idioma hablan? Un asunto insoluble. *(Con suavidad)* ¿No puede dejar el chicle?

Martín: Me entretiene.

Franco (humilde): ¿Mi conversación no lo entretiene?

Martín: Sí, mucho.

Franco: ¿Y entonces?

Martín: Me gusta ir al grano. *(Una pausa)* Perdón, no quise ser descortés.

Franco: No, no es descortés. *(Pega con el puño sobre el escritorio)* ¡Gente derecha!

Martín (señala los papeles): ¿Qué es eso? ¿Cómo no está foliado?

Franco (divertido): ¡Qué va a estar foliado! ¡Está p'al cuerno!

Martín: Bueno, por algún lado vamos a empezar. *(Se levanta con la intención de inclinarse sobre las hojas)*

Franco (lo detiene con un gesto): ¡Quédese quieto! Yo le alcanzo las hojas. ¡Por orden! Siéntese. *(Martín se sienta, mascando. Franco revuelve sin concierto)* ¡Qué calor! Reviento. *(Se desabotona casi completamente la chaqueta)* Acá están las planillas. Personal en la empresa desde... *(Inicia el gesto de tenderle una hoja a Martín, pero se detiene. Seco)* Bueno, largue el chicle.

Martín (tiende la mano): Permítame.

Franco: La contabilidad está muy embrollada. Va a tener un buen trabajo.

Martín: Para eso me contrataron.

Franco (con envidia, los ojos para afuera): ¡Y con qué sueldo! *(Se apantalla con la hoja)* Usted debe creer que soy estúpido.

Martín (harto): No. Generoso.

Franco (dulce): ¡Muy lindo! *(Vuelve a depositar la hoja sobre el montón. Lento y seco)* Vamos, lárguelo.

Martín: ¿Qué?

Franco (le señala la boca. Irritado y autoritario): ¡Lárguelo! *(Furioso, Martín escupe el chicle. Franco, bruscamente)* ¿Usted dice yankis?

Martín: No.

Franco: Los norteamericanos son buenos escritores. Yo conozco a muchos. Los beatniks, Ferlinguetti, gente con garra, sin miedo. ¿Pero cuántos podemos ser así? ¿Usted es miedoso, no?

Martín (harto): No.

Franco: ¡Muy bien! ¿Pero no tiene sangre? Sáquese el sobretodo.

Martín: Estoy bien así.

Franco (contento): ¡No es cagón!

Martín (como desafío, se levanta, se saca el sobretodo, lo dobla en dos y lo coloca sobre un extremo libre del escritorio)

Franco (sin levantarse, extiende el cuerpo y con un gesto del brazo, suavemente, lo arroja al suelo)

Martín ¿Qué hace? *(Lo recoge, pero apenas se descuida, Franco lo vuelve a arrojar al suelo. Se oye un canto campesino, pero un canto campesino no tradicional, algo que quiere serlo burdamente, y que podría ser, por ejemplo, el canto de "La rosa del azafrán": "¡Ay, ay, ay!, qué trabajo nos manda el Señor", etc.)*

Franco: ¿Escucha? Todavía tenemos campesinos al viejo estilo.

Martín: ¿Puedo mirar?

Franco (con sospecha, seco): ¿Para qué?

Martín: Por curiosidad.

Franco (aflojado): ¡Mire, nomás! Si es así, ¡ninguna objeción! *(Martín se acerca a la ventana y mira hacia afuera. Franco, como si supiera la respuesta)* ¿Qué ve?

Martín: No se ve nada.

Franco: ¿Cómo? Por el canto deben estar abajo de la ventana. Hay un camino debajo de la ventana, cuando cantan *(canta el estribillo)* están siempre debajo de la ventana.

Martín (abre la ventana. Se escucha el mismo estribillo que cantó Franco. Se asoma): No están. *(Ahoga un fastidio, como un recuerdo penoso que no puede precisar y vuelve a aproximarse al escritorio. Señala los papeles)* ¿Damos una ojeada?

Franco: ¡Cómo no! *(Aprieta un botón del intercomunicador, el canto cesa bruscamente. Se levanta y empuja a Martín detrás del escritorio. Frío)* Su puesto es ése. Quédese sentado ahí. *(Muy cortés)* Fui rudo.

Martín (seco): No.

Franco (le alcanza un pliego, comienza con voz comercial): Estos son los impuestos pagados hace... *(no recuerda o no sabe)* ¡Qué calor! El aire quema. *(Acusador)* ¡Dejó la ventana abierta!

Martín (se incorpora a medias): La cierro.

Franco: ¡No, no! Atienda a su trabajo. Los campesinos vuelven. *(Mira su reloj pulsera)* De acá a cinco minutos vuelven.

Martín: ¡Ya!

Franco: ¿Qué quiere? Hoy, con las máquinas, el trabajo es una escupida. *(Hace el gesto)* ¡Puf!, y listo. Van al campo por tradición, para cantar. ¡No aguanto más! *(Se saca la chaqueta y la deposita sobre el escritorio. Sólo después pregunta dulcemente)* ¿Me permite?

Martín: Sí. ¿Qué me ha dado? Un montón de cuentas de chicos.

Franco (muy extrañado): ¿Cuentas de chicos? *(Se lleva la mano a la boca)* ¡Se me traspapelaron! *(Se inclina sobre el escritorio y casi ferozmente le arrebata el papel)* ¡Deme! *(Revuelve las hojas sobre el escritorio. Ríe)* Dios mío, ¡qué lío han hecho! ¿Cómo ha ido a parar esto aquí? Deberes de chicos, dibujos. *(Para sí, con una vaga sonrisa)* ¿Los traen con los deberes? *(a Martín)* Mire éste. *(Le muestra un dibujo)* Precioso. *(Extrañado)* ¿No le gusta?

Martín: Sí. ¿Pero qué hace eso ahí?

Franco: ¿Y a mí me pregunta?

Martín (lentamente): Yo vi fotos una vez... Chicos que iban a...

Franco: ¿Usted no estuvo?

Martín (atónito): ¿Yo? Vi fotos. Chicos que marchaban... como si cambiaran de casa, con sus valijas escolares en la mano...

Franco (lo interrumpe, furioso. Arroja la chaqueta al suelo): ¡Esta porquería le trae esos recuerdos! ¡Porquería! *(La patea. Compungido)* No puedo darme un pequeño gusto, todos empiezan a hacer alusiones. *(Se arregla la camisa. Seco)* Ahora tengo otro aspecto. Sigamos. Tratemos de encontrar una pista en este embrollo. *(Ante un gesto de Martín)* Usted, ahí. *(Revuelve las hojas, protesta)* ¡Y no! ¡Y no! ¡Deberes, dibujos! *(A Martín, amablemente)* Un poco de paciencia. *(Mira una hoja)* Este debía ser un burro. ¡Qué calor! ¡Ah! Acá hay cifras, nombres. Las botas, ¿puedo sacarme las botas?

Martín: Haga lo que quiera.

Franco (ofendido): Un poco grosero, ¿no?

Martín: Es mi tono. Haga lo que quiera.

Franco: ¡Ah, no! ¡Eso sí que no! Me someto. Si a usted le molesta, listo, olvidado. Dejaré que los pies me hiervan dentro de estas malditas botas.

Martín: ¡Pero no! No me molesta. Sáqueselas.

Franco: ¡Muy bien! ¡A la obra! *(Forcejea con las botas)* La disciplina es interna, en lo exterior es bastante relajada. Los cabellos largos, el entendimiento corto: todavía en vigencia.

Martín: De acuerdo. ¿El establecimiento es suyo? ¿O hay otros dueños?

Franco: ¿Le encantaría que hubiera otros dueños, eh?
Martín (se encoge de hombros): No. ¿Por qué?
Franco: ¿Y...? ¿Qué sé...? ¿Si no le caí en gracia?
Martín: No. Preguntaba para saber.

Franco: Curiosidad profesional. Muy bien, contesto: sociedad anónima. *(Forcejea con las botas)* No puedo sacármelas. Voy a llamar. *(Alza la mano sobre el intercomunicador. La deja inmóvil)* No. ¡Malditas botas! Ah, no crea que me dejan hacer todo lo que quiero. Siempre tuve la manía del uniforme. No hago mal a nadie, desarmado. Hasta ahí. Basta. *(Consigue descalzarse)* ¡Ah, los pies libres! Ventílense, queridos. *(Pone los pies sobre el escritorio y los agita, casi frente a las narices de Martín, que corre un poco su silla)* ¡No se aparte! *(Se toca las medias, que son de lana, blancas)* ¡Qué medias calientes! *(Tiende a Martín un manojo de hojas)* Tome. Entérese. No crea que no me doy cuenta.

Martín (toma las hojas): ¿De qué?

Franco: Del uniforme. No gusto. Y es una manía inofensiva.

Martín (revisa las hojas): ¿Por qué no eligió otro?

Franco: ¿Otro? ¿Por qué? Son todos iguales. Pero éste tiene un pasado.

Martín (tranquilo, sin levantar la vista): De hijos de puta.

Franco (ofendido): ¡Ah, no! ¿Usted también va a usar ese lenguaje?

Martín (lo mira): Sólo cuando es necesario.

Franco (lo mira también, una pausa. De repente, contento): Respuesta pronta: así me gusta. Me saco las medias. *(Se las saca)* No le molesta, ¿no?

Martín (extrañado e impaciente): ¿Qué hace? ¿Se va a desnudar?

Franco: No. Solamente las medias. Tengo los pies limpios. No se los voy a agitar delante de la trompa, si de eso tiene miedo.

Martín: Vine a trabajar, no a discutir de sus pies.

Franco (contento): ¡Contestador, polemista! ¡Bien! *(Se oye el canto)* ¡El canto! ¡Vuelven! ¡Vaya! Mire.

Martín (irritado): No tengo ganas. *(Revisa las hojas)*

Franco (se acerca a la ventana): ¡Qué espectáculo! Llevan hoces y palas. La tradición. La tradición nunca muere. ¡Venga!

Martín (deposita las hojas sobre la silla y se acerca a la ventana)

Franco: Se fueron. *(El canto, no obstante, se escucha claramente)*

Martín (huele)

Franco: ¿Qué huele? ¿La comida?

Martín: Un olor extraño. ¿Qué es?

Franco: ¡Oh! Un vaciadero de basuras. A veces se producen incendios. Los chicos arman fogatas con la basura. Yo no me explico. ¡Qué dejadez!

Martín: Es un olor asqueroso. ¿Por qué no lo impiden? Parece carne quemada.

Franco: Debe ser. Un perro muerto entre la basura. Un gato. Los chicos son crueles, a veces no están del todo muertos. *(Cierra la ventana. Cesa el canto. Impaciente)* Trabajemos.

Martín (se acerca al escritorio, señala las hojas): Esto no indica nada. Es un embrollo.

Franco (muy feliz): ¡Sí, sí, se lo dije! Dígame, ¿cómo viajó?

Martín: En tren.

Franco: ¿Por qué no vino en auto? Hubiera podido dar largos paseos. Los alrededores son maravillosos. Usted da un paso y ya encuentra otro mundo, se sepulta en lo bucólico, lo agreste, lo... *(Ladran ferozmente los perros. Franco deja de hablar y escucha, muy interesado. En seguida, se oye muy intenso y aumentado, un ruido de mecha o cable que toma contacto y se quema, como en un cortocircuito de gran voltaje. Franco se abalanza hacia la puerta de la izquierda. Abre, mira y cierra nuevamente, impidiendo ver a Martín, que lo ha seguido, lo que sucede en el*

exterior. Ríe) ¡Los niños! ¡Qué gritos! Se cuelgan de los alambrados y quedan cabeza abajo. ¡Qué gritos!
Martín (extiende el brazo, grave): Déjeme ver.
Franco: Después. *(Una pausa. Apoyado contra la puerta, sonriente)* Después...

Escena 2

El escritorio con el sillón y la silla. Han desaparecido los papeles y carpetas. En el otro extremo de la escena, una mesa redonda, con mantel blanco, en donde han concluido de comer Franco y Martín, sentados frente a frente. Franco sigue descalzo y sin chaqueta. Su ropa está donde la dejó en la escena anterior, en el suelo, lo mismo que el sobretodo de Martín.

Franco: Y como le decía, si no comemos, nos morimos. ¿Usted qué va a hacer ahora?
Martín: Voy a dar una vuelta.
Franco: ¡Por acá! ¿Qué va a ver? Al pueblo no llega caminando.
Martín (se levanta): No importa. Voy a estirar las piernas.
Franco: Se va a meter de cabeza en la basura. *(Confidencial, se inclina)* Siéntese. Yo tengo otro programa.
Martín (reticente): ¿Cuál?
Franco: No le caigo bien, ¡qué joda!
Martín: No lo entiendo.
Franco: ¡Y bueno! Dése tiempo. Hoy trabajó mucho. ¡Qué desorden! Nos dejamos estar, ganábamos plata, ¿qué nos interesaban los papeles? *(Ríe)*
Martín: Los empleados no saben nada. Absolutamente. Uno

no sabía escribir. Temblaba y hacía cruces, ¡no sabía hacer más que cruces!

Franco (admirado): ¡Dígame! ¿Vio qué incompetentes? Turros. ¡No hablemos del trabajo ahora! Una pregunta *(Vacila)* ¿Usted es casado?

Martín: No.

Franco: Por acá hay chicos muy lindos. *(Ríe)* No, no digo para eso... Hay mujeres muy lindas. *(Una pausa)* A mí no se me acercan.

Martín: ¿Por qué?

Franco: El uniforme, supongo. Pero usted... usted es un tipo bien plantado. *(Martín ríe. Franco, inquieto)* ¡No soy una puta!, ¿eh?

Martín: Ya lo sé.

Franco: La gente es mal pensada. Yo me deslomo por ser agradable y no obtengo resultados. Tenemos visita.

Martín: ¿Hoy? ¿Esta noche?

Franco: Sí, ¿de qué se asombra? Me voy a cambiar. *(Recoge las botas, las medias y la chaqueta del suelo. Luego, con la mano libre, levanta el sobretodo de Martín)* Me llevo su sobretodo. *(Lo arrastra por el suelo)*

Martín: ¡No lo arrastre por el suelo!

Franco: ¡Ah, qué cuidadoso! ¡Encantador! *(Se detiene, luego, como jugando, lo arrastra otro poco, incluso lo pisa, como sacando lustre al piso)*

Martín (avanza hacia él): ¡Levántelo!

Franco (de inmediato, se detiene y levanta el sobretodo) ¡No se enoje! Lo sacudo. *(Lo sacude e intenta doblarlo con la mano libre, pero lo único que hace es arrugar la prenda y transformarla en un bollo)* ¡Qué torpe!

Martín (se lo arranca): ¡Déjelo! Voy a dar una vuelta.

Franco: ¡No, no, nada de vueltas! No quiero que se pierda. Después no me va a quedar otro remedio que salir a buscarlo con los perros. Reciba a la señora. La invité por usted. No podemos dejarla plantada.

Martín: ¿Quién es? ¿Por qué no me deja hacer lo que quiero?

Franco: ¡Pero quise serle agradable! Pensé en usted: un día de trabajo, gente desconocida, alejado de su hogar, una mujer, Venus, el elemento frívolo...

Martín (dobla el sobretodo, lo coloca sobre una silla, cansado): Acábela.

Franco (muy cortés): ¡Cómo no! En seguida. *(Suplicante)* Atiéndala bien. Yo me cambio en dos minutos.

Martín: ¿Quién es?

Franco: Mi única amiga. Amiga de la infancia, no piense en otra cosa. Sean amigos. *(Cómplice)* ¡Buena suerte! *(Sale por la puerta de la derecha y al hacerlo, como al descuido, vuelve a arrojar el sobretodo al suelo. Martín, furioso, lo recoge y lo coloca nuevamente sobre la silla. Casi inmediatamente, se abre la puerta de la izquierda y empujada con violencia, virtualmente arrojada sobre la escena, entra Emma. Se queda inmóvil, con un aspecto entre asustado y defensivo, al lado de la puerta. Es una mujer joven, con la cabeza rapada. Viste un camisón de burda tela gris. Tiene una herida violácea en la palma de la mano derecha. Está descalza. Martín se vuelve y la mira. Ella se endereza y sonríe. Hace un visible esfuerzo, como si empezara a actuar, y avanza con un ademán de bienvenida. Sus gestos no concuerdan para nada con su aspecto. Son los gestos, actitudes, de una mujer que luciera un vestido de fiesta. La voz es mundana hasta el amaneramiento, salvo oportunidades en las que la voz se desnuda y corresponde angustiosa, desoladamente, a su aspecto)*

Emma: ¡Siéntese! ¿Estaban cenando? No se moleste por mí. Franco me dijo que estaba el nuevo administrador. Quise conocerlo. ¿Cómo está? *(Le tiende la mano. Martín no la recoge, atónito. Emma, siempre con la mano tendida)* ¿Por qué no me saluda? *(Crispada)* ¡Salúdeme! *(El le tiende la mano, atónito. Emma, con humildad)* No me apriete. *(Recoge la mano de Martín y no la suelta. La mira)* ¡Hermosos dedos! Soy pianista, por eso siempre me fijo en los dedos. *(Con una mueca de frustrada coquetería)* ¿No le gusto? *(Ríe. Le suelta la mano)* Siéntese. *(Se sienta, cruzando las piernas en una actitud de convencional elegancia. Un silencio penoso. Martín la observa. Ella se queda inmóvil, tensa de pronto, como si algo comenzara a atormentarla. Se frota las manos, disimuladamente al principio y luego, con una necesidad creciente, se rasca las manos, los brazos, todo el cuerpo. Al mismo tiempo, sonríe y continúa hablando con una fingida alegría social, amanerada)* No tengo piojos. De ningún modo. Están erradicados de la zona. *(Una pausa)* Tengo… un escozor… en todo el cuerpo. Estuve descansando sobre el pasto, puede ser eso, el pasto está lleno de bichos… de todas clases, bichitos, luciérnagas. Las luciérnagas no pican. Tienen una luz en el cuerpo, ¿las conoce? *(Con voz triste y desarmada)* La luz se enciende, se apaga, como si pidieran auxilio. ¿Qué auxilio? Nadie entiende. La noche se queda oscura, silenciosa, y nosotros miramos.

Martín (se inclina hacia ella, premioso y confidencial): ¿Qué auxilio?

Emma (retoma su tono social, sin dejar de rascarse): Es fastidioso. ¿Ve? *(Le tiende el brazo)* No tengo piojos. Es fastidioso. Imagínese. Empiezo a tocar el piano, en un concierto, y no puedo rascarme. *(Con una trémula sonrisa)* Parece que toco mejor así. Aumenta la tensión, consigo cosas mejores. ¿Quiere que le haga escuchar algo? *(Se rasca cada vez más frenéticamente)* ¿Por qué no me habla? No soy desagradable.

Martín: Usted… usted es la amiga de…

Emma (presurosa): ¡De Franco! ¿Le habló de mí? *(Sonríe)* ¡Qué amor! ¿Qué le dijo?

Martín (como si masticara las palabras): Amiga de la infancia. Eso me dijo.

Emma: ¡Exacto!

Martín: ¿Quién es usted?

Emma (hace un gran esfuerzo para contestar, trata de recordar, inútilmente, luego, voluble y rápida): ¿No tiene un espejito? Olvidé la cartera, el peine, todo. No puedo retocarme el maquillaje, ¿lo necesito?

Martín: No.

Emma: Un pañuelo, ¿tiene un pañuelo? *(Se mira la mano herida)*

Martín (saca uno y se lo tiende): Sí, tome.

Emma: Gracias. *(Deja la mano en el aire)* ¿Está limpio? *(Martín asiente. Recién entonces, ella lo recoge y lo acerca a la mano, pero abandona el gesto, no sabe qué hacer con el pañuelo, se frota la cara, luego lo olvida sobre la mesa y continúa rascándose)*

Martín (se inclina y recupera el pañuelo): ¿Qué le pasa?

Emma (no escucha. Se levanta un poco la falda y se observa la pierna. Inclina tanto la cabeza que parece estar ocultando el rostro, está así un instante. Martín se acerca, va a tocarla con un gesto de piedad, pero imprevistamente ella levanta la cabeza y sonríe con satisfecha coquetería): ¿Qué pretendía?

Martín (alejándose): Nada.

Emma (sonríe): Todos dicen lo mismo. Pero apenas una se descuida, se abalanzan. *(Vuelve a mirarse la pierna)* Me perseguían por la calle. Acá sí, tengo una costrita. *(La arranca)* Por lo menos hay algún signo. Pero cuando uno mira la piel y nada, tersa, blanca, ¿de dónde viene la picazón? ¿De adentro? *(Ríe. Un silencio. Continúa rascándose, la sonrisa social, fija, angustiosa a fuerza de estereotipada. Martín la observa, tenso. Emma se incorpora, yergue la cabeza, camina como una estrella de cine)* ¿Por qué no charla un poco y me distrae? Me dijeron que quería verme, ¿para esto? O yo lo quería ver. Pensé que iba a pasar un buen rato, un ferviente admirador, me dijo mi secretario. El nuevo administrador la admira fervientemente, me dijo. ¿Me admira?

Martín: Sí.

Emma: Concedo pocas entrevistas, mi tiempo está atrozmente ocupado. *(Se detiene, abstraída)* Atrozmente. *(Silencio)*

Martín (se acerca a ella, bajo): ¿Qué le pasa? Yo no vi a ningún secretario, no hablé con nadie. *(Ella comienza a rascarse)* No se rasque.

Emma: No me rasco. *(Se rasca. Sonrisa social, estereotipada)* Pero es una observación grosera. ¿Quién lo hubiera pensado? *(Se acaricia la cabeza rapada, como si acariciara una gran cabellera)* ¡Usted tiene un aspecto tan gentil! *(Se alza la falda)* Lindas piernas.

Martín (le baja la falda): ¿Qué hace? Quédese tranquila. Me muestra las piernas y parece escapada de... *(se detiene, atónito, como si sólo en ese momento se diera cuenta de que ella parece escapada de un campo de concentración)*

Emma (con una sonrisa): ¿Escapada? *(Agria)* ¿De dónde? No diga idioteces. *(Ríe)* Escapada de un baile. Llevo puesto el vestido. *(Lo acaricia)* Volví ayer, a la madrugada. Bailamos en... *(piensa)* en el pasto. Y acá tiene la prueba, el escozor, los bichos. Perdí la cartera. *(Se rasca)* ¡Oh, me hice sangre!

Martín (le tiende el pañuelo): Tome. Deje de rascarse. Se lastima.

Emma: No. Tengo las uñas largas. Es lo que sucede. *(Se seca, está tentada de arrimar el pañuelo a la herida de la mano, pero no se decide o no se atreve, y se lo tiende nuevamente a Martín)* Se lo devuelvo.

Martín: Téngalo.

Emma: No, no. Los obsequios de los hombres nunca son desinteresados.

Martín (le toma el brazo y lo vuelve hacia la parte interior)

Emma (ríe): Ah, ¿vio qué curioso?

Martín: Está marcada.

Emma: Mi padre. Tenía miedo de que me perdiera. Me gustaba irme detrás de los paraguas. Veía pasar a alguien con un paraguas e iba detrás. Los días de lluvia eran terribles, me buscaban a gritos por la calle, sentían miedo por mí, una criatura, algo que debía crecer, una mano que crece, una comprensión que se agranda. Había que esperar todo esto, ¿cómo no iban a tener miedo?

Martín (le acaricia el brazo, con tristeza): Está marcada.

Emma: ¡Le digo que no! ¡Para la buena suerte!: cuatro sietes, un tres. Tóqueme, si quiere. *(Le ofrece el brazo, que Martín no recoge. Asombrada)* ¿No quiere?

Martín: No.

Emma: Fue mi padre. Un excéntrico. Realmente, no había tanta necesidad.

Martín: ¿Le dolió?

Emma (secamente): ¡Nada! Era muy pequeña. *(Casi con furia)* ¡Y no está grabado en la piel! Es tinta. ¡Tinta indeleble!

Martín: ¿Le pegan? ¿Le pega ese hijo de...? ¡Tiene la manía del uniforme!

Emma (tensa): ¡Cállese! *(Voluble)* Mi público me adora. El último concierto fue un éxito. La gente se enloquecía pidiéndome autógrafos, me destrozaron un chal, todos querían un pedacito de recuerdo. *(Grave y pensativa)* Por poco no me destrozan. *(Lo mira de frente)* Completamente.

Martín: Sí, está destrozada. ¿Pero por qué? ¿Quién la rapó? *(Como si no entendiera)* ¡Ahora!

Emma (áspera): Tengo el pelo corto. Por las pelucas. Necesito cambiar de peinado en cada concierto. Es más práctico. Una peluca y listo.

Martín: ¿Y esto? *(Le toca la ropa)* ¿Y los zapatos? ¿Y esos dientes?

Emma (se cubre la boca. Muy cursi): ¡Grosero!

Martín: No, me da pena. Me recuerda...

Emma (casi canturreando): De la pena al amor, hay un paso. ¿Le gusto? *(Se le arrima, insinuante, con una sonrisa coqueta)* Me encantaría gustarle. *(Se le pega al cuerpo)*

Martín (con un asco involuntario): ¡Apártese!

Emma (desconcertada): ¿Por qué? ¿No le gusto? ¿Mi pelo

corto, mi escozor? Se acostumbrará. Incluso, cuando está Franco, trato de no rascarme. Pero ahora me exaspera la picazón. Debe ser la sangre que corre más rápida. Quiero gustarle... Me dijeron su nombre. *(Intenta recordarlo)* Lo llamaré... *(busca un nombre cualquiera, pero no acierta)* Bueno, ¿qué importa?

Martín (dulcemente): Me llamo Martín.

Emma (se ilumina): ¡Sí, un nombre! *(Excusándose con una sonrisa tímida)* Recuerdo pocos nombres. Franco y... ¿cómo era el suyo?

Martín: Martín.

Emma: ¡Ah!

Martín (le toma el brazo, casi tiernamente): ¿Quién la marcó a fuego? ¿Hace mucho?

Emma (va a tocarle la cara, pero se detiene): No se preocupe. *(Súbitamente desconfiada)* ¿Qué me preguntó?

Martín: ¿Quién la marcó a fuego?

Emma: No. No usaban fuego.

Martín (casi gritando): ¿Quiénes?

Emma (asustada): No grite. Le digo cualquier nombre, ¿se conforma? Fue... *(busca inútilmente un nombre. Sonríe amanerada)* Cálmese, querido. Soy la dueña de casa. ¡Qué exaltado! Le voy a firmar una fotografía.

Martín (como probándola): ¿Cómo está en las fotografías?

Emma (ríe): ¡Muy bien! Un poco retocada.

Martín: Deme una.

Emma: Cuando venga Franco, las guarda él. Es mi guardián. No. Mi... *(se olvida. Reflexivamente)* Quizás el perro me contagió alguna eczema. O el pasto. *(A Martín)* No hay barro, no se ve la tierra, todo pasto verde, césped bien cortado. Usted seguramente pensó en el barro, pensó que iba a chapotear en el barro. Vivimos en el campo, pero son otros tiempos.

Martín (casi con sorpresa, se mira los zapatos relucientes): Ustedes... recogían los cubos de mierda *(ella tiene un gesto cursi y se lleva la mano a la boca)* y abonaban los campos. Todo el día hacían eso, sepultados en el lodo, en la nieve.

Emma: ¿Nieve? No tenemos.

Martín: No aguanto esto. Ese estúpido y... usted. No hay barro, no hay nieve, ¡puedo irme! Hago las valijas y me marcho. Ahora mismo.

Emma: ¿Qué le pasa? ¿Qué está diciendo? Usted es el nuevo administrador, pagamos bien. Nunca soñó ser tan bien pagado.

Martín (con desconcierto): Sí.

Emma: ¿Y bueno? ¿Qué lo desalienta, querido...? *(No recuerda el nombre)* Todavía no empezó.

(Entra Franco, viste nuevamente el uniforme impecable de los SS. Se acerca a Emma y le besa la mano. La escena adquiere un tono de sociabilidad amanerada)

Franco: ¡Señora!

Emma: ¡Querido Franco! ¿Cómo está?

Franco: Muy bien. ¿Y usted? Siempre impecable.

Emma: ¿Conoce al amigo...? *(Busca vanamente el nombre)*

Franco: Sí, trabajamos juntos. *(Estrecha la mano de Martín. Confidencial, refiriéndose a Emma)* ¿Qué le parece?

Martín: ¿Cómo me pregunta?

Franco: ¿Por qué no?

Emma (se acerca a Franco y habla con apresuramiento servil y como si Martín no estuviera presente): Quiere irse. Yo no lo ofendí. Se lo juro. Es muy atrabiliario. Conversábamos amablemente y... y de pronto, ¡me salió con eso! Yo... yo traté de ser simpática, pero es muy raro... *(Procura convencerlo, ingenua)* Franco, es muy raro...

Franco (sonríe): ¡No puede ser! ¡Qué se va a ir!

Emma (ídem): Sí, sí, me dijo eso.

Franco (frío): Convénzalo de lo contrario.

Martín: Permítame... *(Franco le impone silencio con un gesto, señalándole a Emma)*

Emma (se rasca. Un silencio. Es evidente que las palabras de

Franco le llegan un segundo después de pronunciadas. Sonríe artificialmente. A Martín): Mañana doy un concierto. Asistirá un grupo de amigos, muy selecto. Tiene que quedarse. *(Procura llamarle la atención sujetándole la manga del saco y sacudiéndola hacia ella de una manera extraña. Al mismo tiempo, ruega con una sociabilidad amanerada)* Quédese, querido amigo... *(No recuerda el nombre. Con sonrisa vacilante y como si lo hubiera aprendido de memoria)* El lenguaje de la música es... el lenguaje... ¡del alma!

Franco: Exacto. *(A Martín)* ¿No está a gusto?

Martín: No.

Franco (lamentándolo): ¡Qué joda! Le pagué adelantado. *(Se agarra la cabeza)* ¡Soy un estúpido! *(Se pasea, agarrándose la cabeza)*

Martín (sorprendido): ¡No, no, fue un arranque!

Franco (se detiene instantáneamente, sonríe): ¿Lo de irse?

Martín: Sí.

Franco (pega un salto por el aire): ¡Hurra! *(Se detiene, a Martín)* Igual la plata me la hubiera devuelto, no soy tan estúpido.

Martín: Lo sé. *(Muy nervioso, mientras Franco mueve la cabeza a cada frase, asintiendo como un muñeco)* Pero le advierto: hay que poner todo en orden, necesito datos, si no, no se puede hacer nada, no se sabe dónde empezar. ¿Para qué vine? *(Casi gritando)* ¡Y el trabajo es lo único que me importa!

Franco (sin convicción): Mañana empezamos, mañana.

Emma (como una alumna aplicada): Y el trabajo no está reñido con la distracción.

Franco: Lo mismo dije.

Emma (ídem): El trabajo engendra libertad...

Franco: Basta...

Emma: Franco, ¿le deja la tarde libre? *(A Martín)* Tocaré para usted. Y para el grupo selecto. Gente encantadora. *(Se rasca, la mano bajo el escote)*

Franco (sin escucharla): ¿Qué le pasa que se mueve tanto?
Emma (a la pregunta, se inmoviliza): ¿Yo?
Franco: Usted, sí, ¿qué le pasa?
Emma: ¿A mí? *(Mira a Franco con aprensión cada vez más creciente. Con voz blanca, inmóvil)* No me pasa nada. Estoy bien de salud.
Franco: ¿Qué tiene en la mano, una herida?
Emma (esconde la mano): No.
Franco: Vi sangre. Muéstreme.
Emma (rígida, mirando al frente, le tiende la mano izquierda): Ninguna herida, sana.
Franco (frío): La otra.
Emma (después de un momento, tiende la otra mano. Franco se inclina, a distancia, y la observa en silencio, sin tomarla. Emma, como en posición de firme, y asustada): Ninguna herida, sana. Estoy bien de salud. *(La voz empieza a temblarle)* El... señor puede decirlo. Soy apta para todo trabajo. Acarrear piedras, baldes, limpiar... retretes, cavar...
Franco (sigue mirando por un momento, se endereza y quiebra la tensión): ¿Qué dice, querida... *(una pausa, divertido)* marquesa? ¿Qué trabajo podrían hacer sus manos, sus queridas manos, sino el que hacen? *(Le toma las manos y se las besa. Pero el gesto pierde poco a poco el aire amable y adquiere un carácter de sujeción. La mira fijamente)* ¿Qué le pica?
Emma: Nada. *(Bruscamente, libera sus manos, se las cruza sobre el pecho, desesperada)* ¡Esta maldita picazón! ¿Qué me han echado?
Franco: ¿Quiénes?
Emma: El... *(Se detiene, lanza una carcajada)* ¡El perro! *(Le grita a Franco, con intención)* ¡Perro sarnoso! *(A Martín)* Y usted, pobre querido, ¿por qué está tan callado? *(Con una risa histérica)* ¿Por qué no me rasca? Sentémonos. *(Lo empuja sobre una de las sillas, se le sienta en las rodillas, abrazándolo)*

Martín: Déjeme. *(La aparta, se incorpora. A Franco):* ¿Qué es esto? Vine a trabajar. ¿Qué se cree? ¡Está loco de remate! ¿De dónde la sacó? *(A Emma)* ¡Déjeme tranquilo! ¡Quiero trabajar y nada más!

Franco (como si no entendiera): ¡Pero no ahora! ¡Qué impaciencia!

Emma (a Franco, en un paroxismo de miedo): ¡No lo escuche! ¡No lo escuche! *(A Martín. Después de una breve vacilación con las manos, le cubre la boca con la mano sana. Martín la aparta)* No diga nada. Mañana lo pensará mejor, se hallará a gusto. Yo estoy muy a gusto.

Franco (dulcemente): ¿Qué mal le hizo esta señora? ¿Dónde se crió? Ofende.

Emma (triste): Es cierto.

Martín: Discúlpeme.

Emma (retoma su sonrisa artificial): Está disculpado. *(Se le cuelga del brazo)* ¿Le gusto?

Martín (la aparta suavemente): No.

Emma (confusa): ¿Cómo no? Usted dijo que yo era muy... seductora. ¿Por qué me aparta? No hay por qué guardar secretos con Franco.

Martín: ¡No tengo secretos con nadie! Voy a dar una vuelta.

Franco: Quieto.

Emma: Franco, avísele.

Franco: ¿De qué?

Emma: ¿No le dijo nada? *(Lo interroga ansiosamente con los ojos, luego, a Martín)* No debe apartarme. Venga, siéntese aquí. No lo voy a molestar. *(Suplica dulcemente, señalando la silla)* Acá. Por favor, acá. *(Martín se sienta. Emma se coloca detrás de la silla, vacila en la elección de las manos, luego tiende la mano sana y comienza a acariciarlo)* Querido, usted es un encanto...

Franco (interrumpe fastidiado, como un director de escena): ¡Pero no así! ¡Es muy burdo!

Emma (humilde): Lo haré mejor. *(Recomienza)* Cuando la música suena...

Franco: Vomito.

(Martín se incorpora y se aleja en dirección a la puerta)

Franco (se interpone, autoritario): Quédese. *(Se miran y Martín opta por alejarse hacia la mesa, aparta platos y copas de un manotón. Se sienta, apoyando los codos sobre la mesa y descansando la cara en las manos)*

Emma (lo mira, luego, a Franco): Franco, avísele. Es muy difícil.

Franco: ¡Ah, qué viva! Todo servido. Insista. *(Emma no se mueve. Franco)* ¿Su mano?

Emma (al escuchar la pregunta, vuelve a acercarse a Martín, intenta tocarlo, vacila, acaricia el respaldo de la silla)

Franco (grita): ¡La silla no! *(Con intención)* ¡Más abajo! *(Martín alza la cabeza, alelado. Un silencio)*

Emma (angustiada, a Martín): No me aparte. ¡Por lo que más quiera, no me aparte!

Franco: Déjese de rogar. La mujer más deseable. ¿Por qué apela a esos métodos?

Emma (se endereza y, con esfuerzo, levanta la cabeza. A Martín, con falsedad de cine mudo): Béseme.

Franco (bajo): Repugnante. *(Cambia de tono)* Sus nervios están excedidos. *(Como si no lo supiera)* ¿Su concierto?

Emma: Mañana. Ensayé toda la tarde. Gente selecta.

Franco (tierno): Esa mano... ¿estará en condiciones? Déjeme verla otra vez.

Emma (cierra el puño): ¡No tengo nada en la mano! *(Franco intenta descubrirle la mano, pero ella la oculta, apretándose contra la espalda de Martín)*

Franco (tiene éxito finalmente, le abre el puño. Mira, casi feliz): Tiene bichitos.

Martín: Déjela.

Franco (complaciente): ¡Sí! No quiero molestarlos. Querida, ¿quiere que me vaya?

Emma: No. *(Se aprieta más contra Martín. Se arrastra y se le sienta en las rodillas)*

Martín (tenso): Por favor, déjeme.

Emma: No, no. No me aparte. Debo hacerlo feliz. ¿Quiere... quiere conmigo?

Franco (que se ha apartado): Que sea bastante antes del concierto, querida.

Emma: ¿Quiere?

Martín: No.

Franco (busca en cuatro patas bajo el escritorio): ¿Dónde está?

Emma: Tengo buenos dientes. *(Se cubre la boca)* No, no. Tengo... *(piensa)* buenos... *(hace un desvaído ademán de apartarse el escote)*

Franco (siempre buscando): Diviértalo, querida. La felicidad ajena me hace feliz, qué raro. *(Lanza un grito de alegría)* ¡Te encontré! *(Se alza con el látigo en la mano, pero sus gestos están exentos de amenaza)*

Emma (muy bajo, rogando humildemente): Diga que sí... Es un momentito. Estoy sana... La mano la... *(busca dónde ocultarla)* Miran y... se... *(sonríe)* se...

Martín (le sujeta fuertemente la cara, estalla): ¿Quiénes?

Emma: Eso es, apriete fuerte, no tenga miedo..., eso es...

Franco (contento): ¿Puedo avisar? *(Grita)* ¡Ya empezó!

Emma: No, querido Franco, espere... Falta, espere... *(A Martín)* Apriéteme, me lastima.

(Martín le suelta la cara. Franco, que ha estado jugueteando con el látigo, lo levanta y golpea fuertemente contra el piso, siempre en el otro extremo de la escena. Emma lanza un alarido, como si hubiera recibido el golpe. Al escucharla, Martín se levanta impulsivamente, arrojándola al suelo)

Martín (se inclina sobre ella, con voz conmovida): ¿La lastimé? Perdón, ¿la lastimé? *(Intenta incorporarla, Emma se aferra a él y oculta el rostro contra su cuerpo)*

Franco: Querida, ¿qué ha sido? ¿La asusté?

Emma (después de un momento, descubre el rostro, tiene de nuevo, trabajosamente, la sonrisa mundana, convencional): No, querido Franco, sé sus manías.

Franco: Me gusta el ruido. ¿Puedo...? Para lo otro hay tiempo. ¿Puedo?
Emma: Sí.
Martín: ¿Qué?
Franco: Le pregunté a ella. Usted no se va a asustar por el ruido. ¿Pasó la picazón?
Emma: Sí.
Franco (se acerca, le toca la cara con el dedo, el contorno del rostro): Un hipo en cada pedacito de piel. Se asustó y pasó. ¿No la molesto? Me gusta el ruido, pero no quisiera sobresaltarla.
Emma: No.
Franco: Nunca he pegado a nadie. Ni por defensa. Usted lo sabe bien, querida. *(Se aleja y recoge el látigo. Lo empuña y espera)* ¿Y?
Emma (como si recitara una lección mientras Franco golpea rítmica y fuertemente con el látigo en el suelo): Nunca ha pegado a nadie. Lo sé bien. Somos amigos de la infancia. *(Enmudece)*
Franco (ruega): ¡Un poquito más!
Emma (ídem): Nunca ha pegado a nadie. Los chicos me corrían, él me defendía. Uno contra cuatro, uno contra cinco, uno... *(Franco golpea con el látigo. Emma, con un estremecimiento, desfalleciendo)* ¡No puedo aguantarlo!
Martín: Entonces, ¿es cierto?
Franco (golpeando, voluble): ¿Qué dudas tiene?
Martín (a Emma, grita): ¿Es cierto?
Emma: ¿Qué? *(No lo atiende, suspensa del ruido de cada latigazo contra el piso)*
Martín: ¿Qué está encerrada, que la han golpeado? *(Emma intenta reír, pero la risa no logra cuajar sobre la cara. Se tapa los oídos)*
Franco (deja de restallar el látigo, los mira, lanza una carcajada): ¡Conteste, querida! ¡Conteste, querida! *(Ríe, mientras Emma aparta lentamente las manos de los oídos y las desliza por la cara, con los ojos cerrados. Vuelve a*

abrir los ojos y mira fijamente hacia adelante, mientras Martín la observa inmóvil y Franco deja poco a poco de reír. Escena fija. Breve silencio)

Escena 3

Unos bancos largos, como de iglesia o de salón de actos de un colegio. Delante de ellos, un piano sobre una tarima. Martín está sentado en uno de los bancos, erguido, las manos sobre los muslos. A su lado, de pie, se encuentra Franco con un ramo de flores en la mano. Un afinador afina abúlicamente el piano. De pronto, Franco se pega un golpe en la frente.

Franco (apenado): ¡Los programas! ¡Sabía que iba a olvidarme de algo! *(A Martín)* ¿Suspendemos?

Martín: ¿Qué importa?

Franco: ¿Le parece? *(Sonríe)* Bueno, no sé lo que va a tocar. *(Guasón)* La gran rascada.

Martín: ¿Por qué no la atiende un médico?

Franco (amenazando con un gesto pueril): ¡Ah, no, no! Ocúpese de sus asuntos. *(Serio)* ¿Usted cree que no la cuido? ¿Que no la ven los médicos? ¡Vacunada! ¡Vacunada contra todas las pestes!

Martín: Tiene una mano…

Franco (lo interrumpe, ingenuo): ¡Sana! Lo dice ella. *(Al afinador)* ¿Termina?

El afinador (sin moverse): Ahora. *(Abúlico, hace sonar una tecla)*

(Entra Emma. Tiene una ridícula peluca sobre la cabeza rapada y arrastra una cola de raso cosida burdamente sobre el camisón gris. Se refriega las manos, exagera un poco la excitación de una ejecutante antes del concierto)

Emma (sonríe): ¡Qué nerviosa estoy! ¡El trac! ¡No pegué los ojos!

Franco (se acerca y le entrega el ramo de flores. Sincero): Buen éxito.

Emma: Gracias, querido Franco. ¡Qué amable! ¿Por qué se molestó? *(Recoge las flores, pero las mantiene a distancia, dura)*

Franco: Huélalas.

Emma (como si lo hubiera olvidado): ¡Ah, sí! *(Las huele)* ¡Delicioso olor!

Franco: No tienen perfume. Son artificiales.

Emma: Oh, no me di cuenta. ¡Perfectas!

Franco: ¿Está bien colocado el piano? ¿Todo bien?

Emma (mira): Sí, gracias por sus cuidados. *(Mira el suelo, maravillada)* ¡Cómo han barrido!

Franco (muy cortés): Ni una basura. Es lo menos que puedo hacer. Me siento muy feliz de contribuir a su éxito. *(Entra una fila de SS, uniformes impecables, botas relucientes. Detrás, un grupo de presos, astrosos, salidos realmente de un campo de concentración. Visten el uniforme característico. Llevan rotos zapatones negros. Los SS se ubican en las dos primeras filas de bancos, los presos en la última)*

Franco (mundano): Está llegando gente. No se ponga nerviosa. Piense que yo estoy en la sala, que sólo deseo escucharla. *(Señala a Martín)* También el administrador desea escucharla. *(A Martín)* ¿No la saludó?

Martín (tenso): Me dijo que no me moviera.

Franco: ¡Pero no a ese extremo! Salúdela. *(Martín se incorpora, se acerca a Emma, que lo aguarda con su sonrisa estereotipada. Se miran en silencio. La sonrisa se borra poco a poco del rostro de Emma y es reemplazada por una tristeza enorme. Martín se acerca a Emma finalmente y la besa en la mejilla. Franco, aprobando)* ¡Muy bien, muy cortés, muy delicado, muy fino! *(Seco, a Martín)* Cumplió. Siéntese. *(Martín obedece. Franco, a*

Emma, amable) Está llegando gente. No se ponga nerviosa. ¿No está... demasiado aplastada?

Emma (instantáneamente, se yergue): No, no, ¡vuelo de los nervios! *(Camina de un lado a otro, con una sonrisa de ficticia excitación)* La... la inminencia de... ofrecer mi arte, de... de ser juzgada, de... de entregar mi corazón...

Franco (con naturalidad y sin que ella lo advierta, le pisa la cola agregada al camisón. Emma camina y la cola se desprende) Sí, la perturba. *(Con una sombra de ironía)* ¿Su... escozor?

Emma (descubre la cola en el suelo, la recoge, no sabe qué hacer con ella. Franco se la saca de las manos, hace un bollo y la arroja en un rincón, todo esto mientras ella habla): ¡Oh, pasó completamente! Debieron ser los bichos del pasto. ¡Tengo la piel tan sensible! Pasó... completamente. Aunque... *(vacila)* cuando debo tocar, me vuelven siempre las ganas de... Es un hormigueo y después... *(Se mira las manos, hace un ademán de rascarse, lo reprime)* me... *(Se aprieta salvajemente la cara, en un impulso irrefrenable. Ríe brevemente)* Perdóneme.

Franco: El exceso de tensión. La sala está llena. La flor y nata de nuestra sociedad. ¿Feliz?

Emma: Aplauda mucho.

Franco: Con placer. *(Se inclina cortésmente y le besa las manos. Le observa la palma de la mano herida. Casi tiernamente)* ¡Cómo está esto!

Emma: Mejor. Seco. Cicatrizado. *(Se escuchan las notas que hace sonar el afinador, muy a las cansadas, apáticamente)* ¿Cómo no terminó? ¡Es intolerable! ¿No tuvo tiempo antes? *(Casi gritando)* ¿Pero cómo? ¿Cómo sucedió esto?

Franco: Detalles de la organización. Soy el culpable. Mandé las invitaciones, me ocupé de las flores, hice limpiar la sala y olvidé lo esencial.

Emma (muy nerviosa): ¡Lo sé, lo sé! No quisiera hacerlos esperar. ¡Hay tanta gente importante!

Franco: No, no. Hoy usted es la importante. Recuérdelo. *(Al afinador, brutalmente)* ¡Vamos, acábela con el ruidito! Me tiene seco. *(A Emma, sociable)* Otra vez, le deseo mucho éxito.

(Se aleja para sentarse en uno de los bancos de una hilera vacía, intermedia. El afinador, siempre impasible, recoge sus útiles y se marcha. Emma hace una entrada ficticia, saluda con el ramo de flores en la mano. Los SS se ponen de pie y saludan con una inclinación y un golpe seco y conjunto de los talones. Vuelven a sentarse. Los presos permanecen inmóviles. Uno de los SS, cabeza de fila, se vuelve hacia los presos y les dirige una dura mirada de advertencia. De inmediato, los presos parecen despertar y uno de ellos comienza a hacer pan francés. Un silencio. Emma deja las flores sobre el piano y se ubica en el taburete. El preso vuelve a insistir, los otros presos se le unen poco a poco, con intervalos cada vez más breves, a medida que aumenta la intensidad)

Martín *(se incorpora, grita)*: ¡Cállense!

(Dos SS se levantan silenciosamente, se le colocan al lado, le ponen los brazos sobre los hombros, como en un gesto amigable. Martín intenta sacárselos de encima, pero no lo consigue, le tapan la boca con la mano y lo sientan. Aumenta la intensidad del golpeteo de pies. Cuando llega al paroxismo, cesa bruscamente. Sólo entonces, se levanta el SS, cabeza de fila, y se vuelve hacia los presos)

SS *(grita)*: ¡Silencio maleducados!

(Al mismo tiempo, los dos SS dejan de sujetar a Martín, le sonríen amigablemente. No abandonan el banco)

Martín *(se levanta, furioso)*: ¡Les voy a romper la crisma!

(Los SS ríen bonachonamente. Chistidos, pedidos de silencio. Martín saca un pañuelo y se seca la boca. Cuando Emma habla, pasa adelante y se sienta en otro banco de una de las hileras vacías. Poco a poco, los dos SS se irán corriendo, en forma disimulada y subrepticia, como gente que se mueve en una sala colmada durante un espectácu-

lo, y lo rodearán otra vez. A éstos se les agregan otros dos)

Emma (se retuerce las manos, muy nerviosa; reprime sus evidentes deseos de rascarse. Anuncia): Tocaré...

Franco (le advierte, sonriendo): ¡No, no se anuncia!

Emma (sonríe con disculpa, se sienta al piano, se acomoda, pero de pronto, no puede evitarlo y se rasca furiosamente)

Uno de los presos (guasón): ¿La termina?

(Gran carcajada de los presos. Los SS se vuelven y chistan débilmente. Franco se incorpora, saca de debajo de uno de los bancos una botella con un líquido oscuro y un pedazo de algodón, depositado directamente sobre el piso. Se dirige hacia Emma y protesta entre dientes, al pasar al lado de Martín)

Franco: ¡No la cuido! ¡Dice que no la cuido! ¡Desgraciado! *(Llega hasta Emma, empapa el algodón en el líquido y se lo pasa por la piel, aunque ella, sin levantarse del taburete, trata de hurtarse al contacto)*

Emma: ¡No me pase nada! Se lo agradezco.

Franco: ¡Quédese quieta! Esto la calma. La estoy siempre cuidando y ese desgraciado dice que no. ¿Le fue con cuentos?

Emma (asustada): ¡No! ¿Qué dijo? Es un mentiroso.

Franco: Mejor así. Compórtese dignamente. Le organicé el concierto. Hágame quedar bien.

Emma: Tocaré maravillosamente. Para usted, Franco. Soy una gran concertista. *(Está como más exasperada por la picazón. Los presos la imitan, agitándose en sus asientos, grotescamente. Se rascan entre ellos. Uno de los presos le saca los zapatos a otro y le rasca la planta de los pies. El preso no intenta apartarlo, se toma del asiento con las manos y aguanta, riendo histéricamente. Los SS se acercan a Martín, uno le rasca la mejilla con un dedo. Martín le aparta la mano de un manotón, pero entonces, los otros tres lo rodean y el cuarto SS se le acerca con las dos manos tendidas y le arrastra las uñas por el rostro.*

Cuando las aparta, Martín tiene el rostro ensangrentado. Todo esto se ha ejecutado casi tiernamente, sin violencia)

Franco (cierra la botella, aplasta el algodón): El algodón lo guardo, escasea. *(Deposita todo sobre el suelo, luego le aparta a Emma las manos del cuerpo y se las coloca sobre el teclado. Los presos dejan de rascarse al instante, ponen las manos sobre los muslos. Sólo se oye el hipo entrecortado del preso que reía. Franco)* Empiece de una vez. El público se impacienta. Pagó la entrada. ¿Se impacienta o no? *(Sólo entonces se oye un murmullo a boca cerrada de los presos. Franco vuelve a su asiento, haciendo señales de silencio. Cesa de inmediato el murmullo. Los SS que rodean a Martín, quien se está limpiando el rostro con el pañuelo, le colocan las manos sobre los hombros y lo sientan. Silencio expectante. Emma no concluye de acomodarse sobre el taburete, de rascarse, de acomodarse la ropa. Toses, carraspeos, luego se repite el silencio)*

Emma (pone las manos sobre el teclado y toca. Se oyen dos o tres notas, pero al oprimir las restantes teclas, no se percibe ningún sonido, salvo una o dos veces el sonido hueco de un piano de juguete roto)

Un preso (guasón): ¡Que se toque el culo!

Los otros presos (a coro): ¡Que se toque el...!

SS (se levanta, grita ferozmente): ¡Silencio! *(Silencio absoluto y fugaz. Luego, los presos golpean el piso con los pies. SS)* ¿Cómo no obedecen? *(Con una aviesa sonrisa que se transforma en una risita irreprimible)* ¿Cómo se atreven a desobedecer?

Franco (se acerca a Emma): Toque.

Emma (extiende las manos sobre el piano, aprieta las teclas, niega nerviosamente con la cabeza, levanta las manos e interroga con todo el rostro a Franco): ¡No... no suena!

Franco: ¡Qué no va a sonar! Lo afinamos. Toque con la boca. Disimule. ¡Que bochorno! ¡Me las va a pagar! ¡Y deje de rascarse!

Emma: No... no puedo... ¿qué me echó?

Franco: Agua, ¿le quema?

Emma: ¡No puedo aguantarlo!

Franco: A la fuerza, ahorcan. ¡Aguántelo! ¿Cómo va a dejar a nuestro administrador sin concierto? No la escuchó nunca. Martín, ¿usted escuchó alguna vez a la señorita? *(Lo busca con la mirada)* ¿Dónde está? *(Los SS que rodean a Martín lo obligan a incorporarse, uno de ellos le levanta el brazo. Franco)* ¡Ahí! ¿La escuchó alguna vez?

Martín (no contesta. Un SS le mueve la cabeza, negativamente. Martín, al SS): ¡Déjeme! *(Todos sonríen y mueven las cabezas, afirmativamente. Se apartan. Martín, a Franco)* ¿Qué es esto?

Franco (a Martín): Siéntese. *(Repite, muy autoritario).* ¡Siéntese! *(Martín se sienta. Franco, al resto, como amonestando a unos alumnos)* El que hace escándalo, se va de la sala. *(Señala al grupo de SS, alrededor de Martín)* ¡Ustedes! No incomoden al señor. Respeto. Martín, ¿quiere escuchar a la señorita?

Martín (avanza, estallando): ¡No la moleste! ¡Maldito sea! *(En seguida, los SS lo rodean y lo vuelven a su lugar brutalmente)*

Franco (como si no hubiera visto ni entendido): No, digo si quiere escucharla.

SS (a Martín, con suavidad): Cálmese.

Martín: ¡No me ponga otra vez las manos encima! *(Los SS alzan las manos y las apartan)*

SS (disculpándose): ¡Faltaría más! *(Pero, en seguida, los cuatro se abalanzan sobre Martín, lo sujetan y lo sientan nuevamente. Al mismo tiempo, los presos se ponen las manos en la boca a modo de bocina y gritan)*

Los presos: ¡Queremos escucharla! ¡Queremos escucharla!

Franco (a Emma): ¿Ve? Reacción lógica. Pagaron la entrada. No disguste al público. Después nada los va a satisfacer, se volverán exigentes. No los disguste.

Los presos (a coro): ¡Que toque, que toque, y no se rasque!

Franco: No se lo repito más. *(Le sonríe)* ¡Animo! ¡El arte es suyo!

(Emma se sienta nuevamente al piano. Oprime las teclas. Ningún sonido. Alarga el brazo y va tocando todas las teclas, hasta alcanzar la última, sólo ésta emite un sonido a hueco. Ruidos obscenos de los presos. Todo tiene un aire ficticio, como de broma estudiantil)

Franco (golpea las manos hasta obtener silencio): Ahora, la distinguida concertista, aquí presente, nos deleitará con una pieza de su repertorio. *(A Emma, en secreto)* ¿Cuál? Bueno, cualquier cosa. *(Emma se levanta, intenta caminar, Franco la obliga a sentarse, la golpea amigablemente en la cabeza y, al hacerlo, le desprende la peluca. La sostiene un momento, con aire divertido, y la deposita sobre el piano)*

Los presos (a coro, como chicos): ¡Pelada, pelada, pelada!

Martín (se libera de los SS, da unos pasos, grita): ¡Déjenla tranquila!

Emma: ¿Por qué hace escándalo ese señor? ¡Que se vaya! ¡Cuentero!

SS (junto con los otros, sujeta a Martín, lo arrastra hacia el asiento, esta vez con una brutalidad feroz. Reprocha con una cortesía ofendida): Será expulsado de la sala. ¿Dónde cree estar? *(Lo mantienen sujeto, tapándole la boca)*

Franco: ¡Silencio! *(A Emma)* Toque. Un caso así, imprevisto, no debe amedrentarla. Yo le enseñé. *(Baja de la tarima y vuelve a sentarse en uno de los bancos. Emma coloca las manos sobre el piano y comienza a imitar con la voz el sonido del piano, pero son como notas sueltas y las emite sin entonación alguna. Al mismo tiempo, le resulta inaguantable el escozor y se rasca subrepticiamente, con violencia)*

Los presos: ¡Bluff, bluff!

(El SS, cabeza de fila, se vuelve hacia los presos, los mira sin levantarse)

SS (grita): ¡Silencio! *(Bruscamente, se incorpora, feroz)* ¡Silencio, perros! *(Los presos se desconciertan. Se miran entre ellos, temerosos. SS, amable)* Así me gusta.

Franco (se levanta, encogiéndose de hombros): ¡Lamentable! *(Se acerca a Emma, le murmura unas palabras al oído. Ella lo mira espantada, él sonríe, y vuelve a su asiento. Emma simula tocar el piano con gestos ampulosos y tararea la gran polonesa de Chopin)*

Franco (se levanta, aplaudiendo): ¡Bravo!

Los presos: ¡Bis, bis, bis! ¡Bis, bis, bis!

Emma (hace una vacilante inclinación ante el público, mira a Franco, buscando una indicación)

Franco (ordinario): ¡Dele otra!

(Emma se sienta nuevamente al piano y comienza a tocar el piano en la misma forma. A un momento dado, el SS, cabeza de fila, hace una señal a los presos y éstos comienzan a cantar, a boca cerrada y suavemente al principio, pero van aumentando el volumen con la evidente intención de cubrir la voz de Emma. Ella alza la voz también, pero a pesar de sus esfuerzos, cada vez más desesperados, el coro de los presos termina por sepultar su voz. A una señal dada por el SS, los presos cesan de cantar bruscamente) Emma sigue simulando la ejecución, pero aunque abre la boca, sólo se escucha un hilo de su voz enronquecida. Franco comienza a aplaudir)

Los presos (mecánicamente): ¡Bis, bis, bis!

Franco: ¡No, suficiente! ¡ Qué aguante! *(Se acerca a Emma, cambia de tono)* ¡Encantador, querida! ¡Muy buena ejecución! Se ha superado. Mis felicitaciones. *(Le besa la mano. Confidencial)* Querida, salude al público.

Los presos: ¡Con las flores! ¡Que nos tire flores!

Franco: ¿Por qué no accede, querida? *(Le coloca el ramo en la mano)*

(Ella sujeta el ramo y arroja unas flores, pero los presos permanecen impasibles, como si hubieran concluido una parte asignada. A otra señal del SS, se levantan ordenadamente, y salen arrastrando los pies, en hilera. Los SS

los siguen, custodiándolos, incluso los cuatro que sujetaban a Martín)

Franco (a Martín): ¿No saluda a nuestra concertista? Le alegraría mucho. Acérquese. *(Martín se incorpora y se acerca a la tarima. Franco)* Felicítela. Dígale que ha estado soberbia. *(A Emma)* Y usted, tiéndale la mano. *(A Martín)* ¿O prefiere la mejilla? *(Sonríe)* Más íntimo. *(Seco)* Menos peligro de contaminación... quizás. *(Emma y Martín no se mueven)* ¡Vamos! ¿No le gustó la interpretación? Demasiado exigente. *(A Emma)* ¡Y usted, déjese de rascarse, querida! *(Ríe)* ¿Quiere que le pase otro poco de agua?

Emma (con terror): ¡No, no! No me rasco. Me pasó. Absolutamente. Los nervios. *(Con vacilación, le tiende la mano a Martín)*

Franco (brutalmente): ¡Esa mano podrida, no! *(Emma cierra la mano y la aparta. Tiende la mano sana. Franco, a Martín, autoritario)* Felicítela.

Martín: La... la... *(trata de hablar, no puede)*

Franco: ¿Qué pasa? ¿Perdió la lengua? *(Le sujeta el rostro y se lo tira hacia atrás, hasta que Martín lo aparta de un manotón. Suavemente)* Cuidado, ¿qué hace? ¿Por qué esa grosería? ¿Quiere perder el puesto? *(Huele. Como gozando)* ¡Qué olor! ¡Vuelve el olor! ¡Empiezan a quemar otra vez! *(Martín se lleva la mano a la boca ahogando un grito y cae al suelo. Franco)* ¿Qué le pasa? ¿Se siente mal? ¿El olor? ¡Levántese! *(Intenta alzarlo)* Los chicos vuelven a quemar perros, perros muertos. ¡En qué momento! *(Bajo, tiernamente)* Salvajes...

(Martín se aprieta la boca para ahogar el llanto, intenta abrazarse a las piernas de Emma)

Emma (con terror, apartándolo): ¿Por qué llora? *(A Franco)* ¡Sáquemelo de encima!

Franco (como a través de una distancia, alejado): Tenía que divertirse. *(Con una amenazadora tristeza)* Organizamos todo para divertirlo. ¿Por qué fracasamos?

Emma: ¡No fracasamos! Es un tonto. *(Se inclina hacia Martín, le busca el rostro. Ansiosamente)* ¡Diga que se divirtió! Fue una broma para usted. No me pica nada. Me rapé. Me gusta estar pelada. Por las pelucas. ¡Diga que se divirtió! Y yo también gocé mucho con la broma. Si no fuera por... ¡por esta maldita picazón!... *(Se rasca salvajemente)*

Franco (con una ingenua esperanza): ¿Sí? ¿Se divirtieron?

Emma (en un grito): ¡Sí! ¡Diga que sí! ¡Ay! ¡No puedo, no puedo... aguantarla! *(Se tuerce, rascándose, y finalmente, no puede aguantar más el escozor insoportable y se arroja al suelo, rodando y arañándose. Martín alza la cabeza y la mira. Emma se agobia en un rincón, llorando ahora como una niñita, con sonidos entrecortados)*

Franco (se inclina hacia Martín y le pone la mano sobre el hombro): ¿Se divirtió?

(Un silencio)

Martín (erguido de rodillas, mira a Emma, que solloza): Me divertí... mucho... mucho... mucho...

Segundo acto

Escena 4

En escena, como únicos muebles, un bastidor de bordar, de pie, y su taburete. Sólo que este taburete, demasiado alto, pintado de negro, no parece corresponder al bastidor y semeja, más bien, un banco de dibujante.

Martín y Emma. Martín está sentado en el suelo, rodeado de gran cantidad de papeles y carpetas, escribe sobre una pequeña tabla apoyada en las rodillas. Emma está bordando, erguida, con gestos que se inician con gran elegancia y que concluyen torpemente: maneja la aguja con la mano izquierda. La derecha está cubierta con un sucio vendaje. Se rasca, pero con menor frecuencia. Se escucha música funcional. Un silencio.

Emma: ¡Qué torpe soy con la mano izquierda!
Martín: ¿Cómo sigue?
Emma: Mejor. Franco me puso pomada. Verdadera pomada.
Martín: ¿Y eso le curó la mano?
Emma: ¡Sí, sí! Está un poco hinchada, pero... sin... ¡no tiene nada! ¿Quiere que le muestre?
Martín: No. ¿Quién la lastimó?
Emma (con sospecha): ¿Qué insinúa? ¿O piensa que voy a dejarme cortar la mano con un cuchillo?
Martín: Pensé que la habían lastimado.
Emma (agria): ¿Cree que soy tonta? *(Amanerada)* ¡Con lo que cuido mis manos! *(Se las acaricia)* Dedos de... oro. *(Bruscamente)* Franco me dijo que desconfiara.
Martín: ¿De quién?
Emma: Le fue con cuentos. Precisamente a él, que se desvela, me atiende como a la niña de sus ojos. *(Triste)* ¿Por qué hizo eso?
Martín (manso): No hice nada.
Emma: Sí, discúlpese. Justo en el concierto, delante del público. ¡Gente tan gentil! *(Como si soñara)* Una dulce bondad que atempera las crueldades...
Martín: Me arañaron.
Emma (desconcertada): ¿Dónde?
Martín: En la cara. Me taparon la boca.
Emma: Algo habrá hecho. Gritaba. Yo lo escuché.
Martín: El piano no sonaba.
Emma: ¿Y qué? Un accidente. No criticaré a nadie.
Martín (deja la tabla en el suelo): ¿Cómo vino a parar aquí?
Emma (asustada): ¡Siga trabajando!

Martín Quiero saber…

Emma ¡No contestaré a ninguna pregunta! *(Angustiada)* ¡Lo pusieron allí a trabajar! Siga o cierro la boca. Después me acusan de que distraigo a… *(no sabe qué decir)*, a todos.

Martín (recoge la tabla y la lapicera): Bueno, ¿y ahora?

Emma: Trabajando en el jardín. Me despellejé con la tijera de cortar rosas. Se me hizo una llaga. Pero Franco lo tomó muy bien. Ninguna cuestión. Es tan comprensivo, ¡un amor! Ya casi no me rasco. ¿Se dio cuenta, no?

Martín: Sí.

Emma: Tomé baños fríos, como… *(Se olvida. De pronto, aterrorizada)* No. ¡Baños, no! Van a bañarse y… *(Sonríe. Con desconcierto)* se olvidan de… *(termina con un gesto desvaído)*

(Se escuchan de pronto feroces ladridos, tableteos de ametralladora)

Martín: ¿Qué es eso?

Emma (con prisa): Una cacería de zorro, ¿no lo invitaron? Yo antes no me perdía una, pero ahora… con esta picazón… y esta mano inútil. Inútil no, puedo trabajar. Me apasiona la caza. ¿A usted, no?

Martín (deja de trabajar, atiende angustiado): No.

Emma (con urgencia): No, no. No deje de trabajar. Es preciso cumplir. ¡No deje que me acusen! Yo bordo. Una cabrita. Venga a ver. *(Recapacita)* No, quédese ahí.

Martín (deja caer la lapicera): ¿Qué sucede?

Emma (se aproxima a él, le acerca los papeles, le pone la lapicera en la mano): No tiemble. Tenga.

Martín: No tiemblo. ¿A quién persiguen?

Emma: ¡Pero trabaje! No sucede nada. Franco me contó una película. Los caballos, los caballeros, los jubones, las botas relucientes…

Martín: ¿A quién persiguen?

Emma: Los látigos…

Martín: Son ametralladoras. Dejaban las puertas abiertas…

Se creían libres. Parecía mentira, pero la realidad estaba: las puertas abiertas, las sonrisas invitando a salir...

Emma: Claro, gozan mucho cazando... Escriba, debo terminar mi bordado. ¡Sujete la lapicera!

Martín: Salían y los otros acechaban, encendían los focos, el blanco abundante y perfecto.

Emma: No, no. Así se caza la liebre. Esta es una cacería de zorro, le digo. Más distinguida.

Martín: ¿Zorro? *(Ríe con angustia)*

Emma: ¡Por fin entendió! Imagínese, en una cacería el zorro no puede estar ausente. Pierde el aliento, le estallan los pulmones, pobre bestia. *(Triste)* ¿Cómo se sentirá un zorro? No podemos saberlo. *(Se escuchan ladridos feroces, órdenes brutales)* La jauría, ¿escucha? ¡Cómo gritan! Se exacerban. Es un deporte apasionante. *(Nerviosa)* Y Franco es tan hábil deportista, practica de todo, natación, remo, caza mayor, jabalíes en el sur... *(Martín deja caer la tabla y la lapicera. Ella le coloca la tabla sobre las rodillas, intenta hacerle sujetar la lapicera. El está tenso hacia los ruidos. Tiembla y la lapicera se le escapa de entre los dedos. Emma insiste, trata de guiarle la mano. Al mismo tiempo continúa hablando en un tono de fingida superficialidad)* Es un muchacho con muchas condiciones. Un portento. ¿Nunca fue a ninguna?

Martín: No.

Emma (sigue el mismo juego): Los galgos con las orejas paradas, husmeadores, y el zorro corre, no hace más que correr. Apenas una se mueve en la fila, los perros atacan, y el zorro acarrea piedras y no puede más. Pero si cae, será el fin. Apasionante, ¡le digo que es apasionante!

Martín: Se los comen...

Emma: Sí, ¿para qué van a cazar, si no?

Martín: Los apartan a garrotazos porque comen la carne fétida y miserable de los cadáveres...

Emma: ¿Quiénes? ¿Los muchachos? Sí, acá también son traviesos, pero es deliciosa... la carne... *(Con una sonrisa exasperada)* ¡Ay, cómo gritan! Están en el bosque y... es demasiado... ¡Qué manera de entusiasmarse! Pierden el control.

Martín (se levanta, angustiado): ¡No aguanto más! Voy a ver.

Emma: No sea tonto. Trabaje. La noche está oscura. Cazan de noche, ¡qué locos! Después los queman.

Martín (la abraza): ¡Cállese...!

Emma: Ah, ¿me abraza? ¡Si nos viera Franco! No es mi novio, es mi amigo de la infancia..., pero se lo debemos decir. *(Ríe)* ¡Se pondrá muy contento!

Martín: ¡No desvaríe!

(Los tableteos de ametralladora se oyen más a la distancia, cesan)

Emma: ¡No me aparte! ¡Estábamos tan bien!

(Entra Franco, lleva el mismo uniforme, pero la chaqueta de SS ha sido sustituida por una chaqueta de cazador, trae una escopeta bajo el brazo)

Franco (ríe): ¡Ah! Los dejo solos, ¡y en qué se entretienen! *(Bromista, a Martín)* Usted, ¡ahí! *(Señala hacia el montón de papeles en el suelo).* ¿Cuándo va a ordenar todo? *(Busca a su alrededor)* ¿No hay una silla? ¡No puedo más! Agotado. ¡Qué manera de correr! *(Se sienta en el taburete, es evidente que no está cansado. Una pausa)* ¿Y? ¿No preguntan? ¿No escucharon nada?

Emma (intenta hablar, no puede, recupera la voz): ¿Ca... cazaron?

Franco: Sí. *(Una pausa. Brusco)* Salga y mire.

Emma (mira a Martín, lo señala indecisa): ¿El?

Franco (tajante): No. Usted.

Emma: No. Gracias, Franco. Las pobres bestias sangrando y... blancas, se ponen blancos en seguida... No lo soporto. *(Empieza a rascarse)*

Franco: ¡Ah, no! ¡Habíamos quedado en que estaba curada!

Emma (aparta las manos del cuerpo): Lo estoy. El amigo... *(grita)* ¿Cómo se llama?

Martín: Martín.

Emma: Puede decirlo. Charlamos y nunca... *(va a acercar la mano al cuerpo)*

Franco (sonríe): Se muere por rascarse. No es muy femenino, pero... Rásquese, querida, por mí no se violente.

Emma (anhelante): ¿De... de verdad?

Franco: Dése el gusto. Vamos. *(Emma se rasca ferozmente un segundo. Franco, frío)* Ahora, salga.

Emma: No. Más tarde. Tengo que terminar el... *(señala el bastidor)*

Franco (sin acritud): Estaba charlando, se hubiera acordado antes. *(Bromista)* Lo termino yo.

Emma (ríe): ¡Usted! Es un bordado casi invisible, hay que tener el pulso muy firm... *(Se dirige hacia el bastidor. Cuando pasa al lado de Franco, éste estira el brazo, sin dejarle concluir la frase, y la hace dar media vuelta hacia la puerta)*

Franco: ¿No entiende? Salga y mire.

Emma: ¿Para qué?

Franco: Hay una montaña de animales delante de la puerta. Si alguno le gusta, puede llevárselo. Nosotros aprovechamos todo. Pelos, uñas, piel, cuero, todo. ¡Vaya!

Emma: No, no. Deje, Franco... Sinceramente le digo que no necesito nada.

Franco (feroz): ¡Salga!

Martín (toma la mano de Emma): Venga... yo la acompaño.

Franco: Usted no.

Emma (desolada): No, deje... Yo sola... Me dijo a mí sola. Cada uno va solo.

Franco (ríe): No, querida, ¿qué piensa? Martín tiene mucho trabajo, no adelanta. Mañana a la mañana tendrá tiempo. Hemos cazado para todos. ¡Puf! ¡Qué abundancia! Mañana, Martín también elegirá su pieza, se la comerá, si quiere. Las dejamos toda la noche al rocío, faisandée. *(Ríe. Abre la puerta, amablemente)* Querida, si gusta...

Emma (sin moverse): Sí, voy.

Franco (como jugando, le apunta con la escopeta, bromista): Vaya.

Emma (a Martín): A... adiós.

Martín: ¿Adónde va?

Franco: Pero, querida, ¡no la condenamos a muerte! ¡Qué solemnidad! Pensé que le gustaría ver... No crea que nos favoreció la suerte. Caza menor, abundante, pero caza menor. Pelajes oscuros, opacos, cortos, medio atacados por la sarna... Pero buenos huesos, bien patentes... Algunos dientes recuperables... Querida, entra frío... *(Una pausa de espera. Emma sale. Franco se frota las manos, ríe, cómplice)* ¿Intimaron? ¿Me costó, eh? Es tieso, usted, orgulloso. Es una linda chica. ¿Perdió la lengua?

Martín: No.

Franco (señalando los papeles en el suelo): Vamos, muéstreme, ¿cómo anda eso?

Martín: ¿Cómo quiere que ande?

Franco: ¡Señor, qué desapego! ¡Parecía tan competente! Muéstreme sus progresos.

Martín: ¿Se está burlando?

Franco (sincero): ¡Que reviente si...! Algo habrá organizado.

Martín: ¿Qué? Son papeles viejos, hojas arrancadas, datos de distintas compañías, ¿qué quiere que haga? ¡Usted sabe bien que no se puede organizar nada con esto! *(Desesperado)* ¿Y para qué?

Franco: ¿Cómo para qué? Necesitamos orden. ¿O cree que le pago para tirar la plata? *(Hojea las hojas sin ningún interés, las arroja por el aire hacia cualquier lado. Indiferente).* Yo creo que está completamente perdido.

Martín: Sí. *(Grita)* ¿Qué sucedía afuera?

Franco: ¡Y bueno! Era de esperarse. Nadie aguanta. ¿Quiere que rescindamos el contrato? ¿Qué sucedía, me preguntó? La caza. Esporádicamente, cazamos.

Martín: ¿A quiénes?

Franco: Nos dejan. No me refiero a los empleados, soportan el caos. Pero el personal jerárquico, no. Demasiado desorden. *(Revuelve todo)* ¿Y los dibujos de los chicos?

Martín: Los guardé.

Franco: ¿Para qué?

Martín (triste): Para mí.

Franco: ¡Ah, qué sentimental! ¡Exquisito! Rescindo el contrato. Ya está, lo decidí.

Martín: ¿Qué significa?

Franco: ¿Cuándo se quiere ir?

Martín (estúpido): Hoy.

Franco: ¡Qué pena! Había simpatizado con usted. Dejó el chicle. Ese vicio repugnante. *(Lo palmea)* Sí, había simpatizado con usted. Usted conmigo, no, ¿verdad? ¡Este uniforme de mierda! Le liquidé el sueldo.

Martín (con desconfianza): No me debe nada.

Franco: Sí, sí. Se portó bien. Eficiente. No es culpa suya si fracasó. Nos dejamos estar, se armó un embrollo de puta. *(Le tiende un sobre)* Para usted. *(Después de una vacilación, Martín toma el sobre, pero no lo abre, lo estruja nerviosamente. Franco)* ¡Abralo!

Martín (abre el sobre, mira el contenido. Desconfiado): Es mucho. No quiero.

Franco: No se fije. Llenos de plata. *(Bruscamente)* ¡Pero se la lleva!

Martín: ¿A quién?

Franco (grosero): ¡A ella! Estaban bien acaramelados ¿eh? ¿Y entonces? *(Cambia de tono)* Yo no la aguanto más. Que la cargue otro. Vino por un día y... *(se rasca)*, se pegó. Tengo miedo de que contagie a los chicos. Usted la puede dejar por el camino, en un hotel. Instálela bien, no en cualquier lado. ¿Tiene plata?

Martín: Sí.

Franco: ¡No la aguanto! ¡Siempre rascándose! ¡Y esos aires de primadona! ¿Quién se cree que es? ¡Y pretende, cada vez que la veo, que le bese esas manos podridas! A mí me tiene prodrido, ¡a mí!

Martín (desconcertado): ¿A... a usted?

Franco: Sí, se llevó la gran sorpresa, lo apuesto. Parecía al revés. No, no. Yo soy la víctima.

Martín: Ella... ¿ella puede salir?

Franco: ¡Le digo que me la quiero sacar de encima! ¿No ve? *(Se rasca)* Hablo de ella y me persiguen las pulgas. ¡Roñosa! *(Recapacita)* No, no, roñosa son palabras mayores. Yo no sé qué tiene, siempre rascándose. Pero... por lo demás, es una buena chica, muy servicial... Se lo ruego, hágame ese favor.

Martín (con una sonrisa vacilante, levemente esperanzada): Sí, me la llevo... Usted dice que nos podemos ir... ¡y bueno!, me la llevo...

Franco (en un arranque): ¡Gracias! *(Le toma las manos y se las besa)*

Martín (lo aparta): ¿Qué hace?

Franco (contentísimo): ¡Libre de pulgas! Hay un jabón... *(trata de recordar, restallando los dedos)*, sar... sar... ¡sarnífugo! Cómpreselo. Después, una vez que entre en confianza, le puede hacer tocar el piano. Es una bestia para tocar el piano, pero divierte.

(Se abre la puerta y Emma es empujada al interior. Viste un tapado oscuro, largo y fuera de moda sobre el camisón. Sigue descalza. Tiene una pequeña valija negra en la mano)

Franco: ¡Querida! ¿Ya lista? ¡Qué prisa por dejarnos! *(Se acerca y le besa las manos. Cierra los ojos)* ¡Cómo extrañaré su música! Hemos pasado tantos buenos momentos. Dígame algo, consuéleme. *(Humilde)* Hágame una caricia...

Emma (tiende la mano, con temor, con una especie de repugnancia invencible, hacia la cabeza de Franco, que permanece inclinado. Acerca la mano, la aparta lentamente, sin tocarlo)

Franco (como si hubiera recibido la caricia): Gracias. *(Sonríe, natural).* ¿Vio nuestra caza? ¿Qué le pareció?

Emma: ¿Si... si los ví...? *(Va retrocediendo lentamente y, poco a poco, empieza a reír como si la pregunta la divirtiera de una manera imprevisible, hasta concluir en una risa interminable, histérica)*

Escena 5

Interior de la casa de Martín. Es un ambiente sencillo, con una mesa y varias sillas, una de ellas volcada. Sobre la carpeta de la mesa, unas tazas y, en el otro extremo, varios cuadernos y útiles escolares. Dos puertas, una exterior, otra interior, que conduce a la cocina y a otros cuartos. Una ventana.
Entran Martín y Emma de la calle. Martín, sin sobretodo, guantes ni bufanda, deposita sus dos valijas sobre el suelo. Emma sostiene su pequeña valija negra y calza unos holgados zapatos de Martín.

Martín: ¿No hay nadie? Espere, voy a ver. *(Desaparece por la puerta interior)*

Emma (se sienta, sin abandonar la valija, musita): ¡Groseros! Podían haberme dado zapatos. *(Se los saca. Abstraída)* Tienen montañas de zapatos, de pelo... *(se toca la cabeza, se levanta bruscamente)*

Martín (vuelve): No están. *(Toca una de las tazas sobre la mesa. Con lentitud)* La taza está caliente.

Emma (aterrorizada): ¿Desaparecieron?

Martín (ríe): ¡No! Habrán salido un momento. *(Endereza la silla. Tiende la mano hacia la pequeña valija negra de Emma)* Déme.

Emma (la aprieta): No, no. Cada uno lo suyo. Tome sus zapatos. *(Los empuja hacia Martín)* Yo cuido mi valija.

Martín: Como quiera. Siéntese. *(Le ofrece una silla. Emma se sienta)* ¿Está mejor?

Emma: Sí. Podré tocar el piano. Un poco de estudio, unos ensayos, y... ¡otra vez! *(Alza la mano sobre la mesa, como si fuera a tocar el piano, pero el gesto la entristece vagamente. Deja la mano inmóvil en el aire. Luego se rasca la mejilla, suave, lentamente)*

Martín (con súplica): No, no empiece.

Emma (se advierte que es verdad esta vez): Es raro, no me pica. *(Se rasca mecánicamente con una mano, mientras que con la otra, vendada, sujeta la valija contra el pecho)*

Martín: Voy a buscar una pomada.

Emma: No vaya. Estoy bien. *(Con esfuerzo, deja de rascarse. Se escucha la misma algarabía de chicos del comienzo, pero, naturalmente, sin órdenes ni gemidos)*

Martín (se acerca a la ventana, observa hacia afuera): No hay nadie. *(Una pausa)* ¡Ah, sí, chicos! No están mis hermanos. *(Se vuelve hacia Emma)* Tengo un montón de hermanos, todos más chicos que yo, así. *(Señala una escalera. Se acerca a la mesa)* Dejaron los deberes a medio hacer... *(Como sin querer, los empuja al suelo y no los recoge)* se escaparon a jugar. La taza está caliente. ¿Cómo se llama?

Emma: ¿Yo?

Martín: Sí.

Emma: ¿Usted Franco, no?

Martín: No. ¡Martín!

Emma: ¡Sí, sí! *(Cruza las piernas, mira a su alrededor con aire crítico)* Su residencia es más bien modesta.

Martín: Lo siento.

Emma (ajena): Eso dicen.

Martín: Después podrá irse.

Emma: Sí, ¡cuando empiece con las giras...! No me verá más el pelo. *(Se toca la cabeza)* ¿Me crecerá pronto el pelo?

Martín: Sí.

Emma (con desasosiego): ¡Cómo juegan los chicos! *(Una pausa)* ¿No puede hacerlos callar?
Martín: ¿Por qué?
Emma: Nada. Decía. Me cuesta... habituarme.
Martín: ¿Quiere comer algo y descansar?
Emma: ¡Bueno! Comer no. *(Como si pidiera algo imposible)* Me gustaría... una taza de té. *(Señala las tazas)* Me dio... antojo. *(Con desconfianza)* ¿Puede ser?
Martín: Se la preparo.
Emma: ¡Espere! Primero debo desempacar. Ayúdeme. *(Amanerada)* No, me arreglo sola. Usted no es mi doncella. Mi secretario se encargó de las valijas. Hace rato que no tenía una valija en la mano. *(La acaricia)* Quizás... mezcló todo, los tapados y... los frascos de perfume y... las partituras... y... *(Se escuchan ladridos desde la calle. Emma, asustada)* ¡Hay perros! ¡Franco, también aquí hay perros!
Martín: Los de la calle. Martín, dígame Martín.
Emma (sin escucharlo, angustiada): Creía que no iba a encontrar más perros, en ningún lado, en ninguna calle, ni siquiera en las tumbas...
Martín (con una especie de furia, exasperado): Son perros que no muerden, perros tontos, no saben obedecer. Estos no saben obedecer, juegan todo el día y, de cachorros, hacen destrozos, comen las medias, destripan los colchones, guardan un huesito miserable en las macetas y escarban como tontos que son y dejan las raíces al aire, ¡al aire! *(Grita)* ¡Son perros estúpidos!
Emma: ¡No, no!
Martín (se domina): Sí, mire. *(Se acerca a la ventana, mira)* Es un perro viejo, pelado.
Emma (tensa): Pelado, ¿qué quiere decir?
Martín: Nada. Es un perro cualquiera. *(De pronto, entre la algarabía de chicos y antes de que vaya cesando poco a poco, pasa como un grito de dolor. Martín)* ¿Escuchó?

Emma (firme): No. Su familia, ¿qué hace? ¿No avisó que llegaría?

Martín: Sí. No sé porqué dejaron la casa sola, pero los chicos suelen escaparse...

Emma (incrédula, bajo): ¿Es posible?

Martín (le advierte con tristeza): Escaparse a la calle, a una plaza... Corren detrás de una pelota. *(Sonríe)* Yo mismo he ido a buscarlos muchas veces, los traía de una oreja...

Emma (agria): ¿Y ahora? ¿Por qué no va ahora? ¡Qué recibimiento! No pienso vivir acá, a solas con usted. La maledicencia corre rápido. Esta casa es demasiado modesta, no estoy acostumbrada. Resérveme habitaciones en un hotel.

Martín: Descanse un poco primero.

Emma (nerviosa): Sí, sí, ¿qué he hecho todo este tiempo sino descansar?

Martín: Le conseguiré otras ropas.

Emma (golpea la valija): ¡Acá tengo!

Martín (va hacia la cocina): Voy a traerle té.

Emma: No se moleste. No quería ofenderlo. *(Con temor)* Franco, no quería ofenderlo.

Martín (aparece en la puerta de la cocina): No me llamo Franco. Me llamo Martín. *(Dulcemente)* Martín.

Emma (humilde): Sí. Olvido siempre los nombres. No tiene que molestarse por eso.

Martín (vuelve a la cocina): No.

Emma (nerviosa y como divertida): Una vez me corrieron tanto los perros que creí morirme. Bajé del tren, todo oscuro, había tanta gente, y había quien tenía hambre, o sed, o ganas de..., y chicos, chicos apretaditos como en latas de sardinas... y bajé. ¡Me comí los escalones! *(Ríe)* No los vi, a ciegas como una ciega de nacimiento que ve la luz. Y me saltó encima un perro enorme y me mordió, adivine dónde. Fue una suerte, pero... igual no tenía mucha carne y me dolió... ¡Una zona tan necesaria! *(Ríe histéricamente)*

Martín (entra con la taza): Beba el té. *(Lo coloca sobre la mesa y permanece al lado de Emma. Con un gesto de compasiva ternura, le coloca la mano sobre el hombro)*

Emma (termina de reír): Muy amable. *(Con sospecha, mira la mano apoyada en su hombro)* ¿Qué es eso?

Martín (aparta la mano): Beba el té.

Emma (bebe): Delicioso. Caliente, delicioso. No recordaba el sabor. *(Con disgusto)* Pero no es té inglés.

Martín: No.

Emma: Es el único que tolero. *(Desdichada)* ¿Por qué lo habré bebido?

Martín (vuelve a mirar por la ventana): Se fueron todos los chicos. Todos. *(Con una especie de alivio)* Pero apareció la gente. Por fin... Una pareja, y hombres que van a trabajar... *(Ve algo que lo hace reír)* Un gordo resbaló y todos ríen. Venga a ver qué risa. Es para guardarla en una caja fuerte. *(Se aprieta los ojos)* No ¿qué digo? *(Se aparta de la ventana. Breve pausa)* ¿Quiere más té?

Emma (conmovida, con una tímida espontaneidad que no ha tenido nunca): No. Gracias. *(Martín la mira, sonríe. Emma, en la misma forma)* Tiró los cuadernos al suelo. *(Se inclina y recoge uno. Martín se inclina también y los recoge. Los acomoda nuevamente sobre la mesa. Emma)* Manchó el forro con tinta. La maestra va a rezongar... *(Cambian una breve y triste sonrisa. Emma)* ¿Cómo se llama?

Martín: Martín.

Emma (le acaricia suavemente la mano que Martín apoya sobre la mesa. Con tristeza): No conozco a nadie, por eso no retengo ningún nombre, me cuesta...

Martín: Nómbreme.

Emma (hace un esfuerzo): Mar...

Martín (ayudándola): Martín.

Emma: Sí, ahora sí. *(No lo nombra)* ¿Me crecerá pronto el pelo?

Martín (sonríe): En un mes.

Emma: ¡Tanto tiempo!
Martín: Quince días, una semana.
Emma: ¡Es mucho tiempo!
Martín: Mañana.
Emma: ¿Mañana?
Martín: Ahora. Ahora crece.
Emma (se toca la cabeza, sonríe débilmente): Ahora no. No soy tan tonta. Ahora es un engaña bobos. No pasa nada bueno.
Martín: Sí, lo otro terminó.
Emma: ¿Para todos?
Martín: No sé.
Emma (tristemente): ¿Y si no sabe...?
Martín (le aprieta el hombro): Terminó, le digo.
Emma: Bueno. Voy a abrir la valija. Quiero cambiarme de ropa. ¿Tiene un cuarto libre? Es tranquila esta casa. Se puede creer que todo está... bien...
Martín (señala): Allá hay un dormitorio.
Emma: Quiero cambiarme... Sacarme esto. Siempre el mismo vestido... Necesito cambiar de color... Calzarme. Yo... yo tenía un vestido rojo. *(Coloca la valija sobre la mesa, la abre, va a poner la mano adentro y la retira. Su rostro cambia)*
Martín (se acerca): ¿Qué hay?
Emma (la cierra de golpe. Amanerada): ¿No le dije? ¿Quién preparó la valija? ¿Usted no sabe? ¿Mi secretario o mi doncella? No, mi secretario, no hay como los hombres para eso. *(Martín se acerca y abre la valija. Emma, lo aparta)* ¡Deje! Un solo vestido, ¡y de fiesta! ¿Pero qué creen? ¿Que no tengo vida privada? ¿Que no necesito camisones, deshabillés, vestidos, otros zapatos? ¡Es bonito! ¡Mire! *(Saca de la valija un camisón exactamente igual al que lleva puesto y se lo extiende por encima)*
Martín: Es una broma estúpida.
Emma: ¿Qué broma? La culpa la tengo yo, siempre dispuesta a dar conciertos, a ofrendar mi arte... ¡a recibir!, a...

(Mientras habla, se ha abierto la puerta de entrada, silenciosamente, y un personaje con cara de cerdo feliz, aparece en el umbral. Chista para llamar la atención y se frota las manos, con una sonrisa casi abyecta, de disculpa y satisfacción a la vez. Emma, continúa exasperada) Ensayos, viajes de un lado a otro, sin detenerse nunca, giras, entrevistas, ¡Ajetreo inmundo! ¡Yo tengo la culpa! *(Como si hubiera advertido la presencia al lado de la puerta y quisiera ignorarla)* Piensan que no tengo vida personal, que... que no puedo enamorarme... estar... oculta, escondida como todos... Afuera hay mucha gente. Usted lo dijo, Fran... *(trata de recordar el nombre de Martín, no lo consigue)* Chicos, y... ¡Un gordo se cayó! ¡Usted reía...!

Martín (que ha notado enseguida la entrada del intruso): Cállese... *(Tenso)* ¿Qué desea?

Funcionario: Perdón. La puerta estaba abierta...

Martín (más alto): ¿Qué desea?

Funcionario (disculpándose): Nada.

Martín: Si no quiere nada, váyase.

Funcionario: ¿Por qué dejó la puerta abierta? Cerrada no hubiera entrado. Digo, ¿quién sabe...?

Martín: ¿Quién es? ¿Qué quiere?

Funcionario (abyecto): Nada. No vengo a vender nada. Mire. *(Le muestra las palmas abiertas. Luego vuelve a frotarse las manos)* Se está bien aquí, calentito.

Emma (con una risa semihistérica): ¡Lo manda Franco! ¡Con esa cara, lo manda Franco!

Funcionario (terminante y sincero): No, no, no lo conozco. Ustedes llegaron ahora y... los vi pasar. *(A Martín)* Al señor lo conozco de vista, ¿usted me conoce, no?

Martín: No. ¡Y no quiero conocerlo!

Funcionario (excusándose, untuoso): Pero estoy... ¿qué remedio le queda?

Martín: ¡Váyase! ¡Está en mi casa!

Funcionario (disculpándose. Al mismo tiempo se oyen ruidos, como si arrastraran por el pasillo una mesa o camilla con ruedas de hierro): Y sí, estoy en su casa. Muy bonita. Si hubieran cerrado completamente...

Martín (avanza dos pasos, se detiene luego, como atado. Furioso): ¡Váyase y cierro!

Funcionario (sonríe, suavemente): Inútil. Quería conformarlo. *(Mira la habitación)* Muy bonita. Ya ven, no me voy, pero tampoco entro. *(Con deseo)* ¿Estaban tomando té?

Emma: ¡Ofrézcale una taza y que se vaya!

Funcionario (muy dócil): ¡Sí, nos vamos cuando quieran! Una taza... me gustaría...

Emma (ríe, enloquecida): ¡Quiere una taza de té!

Funcionario: Sí, pero después.

Martín: ¿Qué quiere?

Funcionario: Una formalidad. Créanme, yo soy una persona tan... tan buena, no quiero molestar a nadie, que todos sean como yo y... *(balancea la cabeza, siempre sin moverse del dintel de la puerta)* y... la verdad, todos felices. *(Los ruidos se acercan. Mira fugazmente hacia atrás)* Prontito. *(Como excusándose)* Acá están... mis muchachos... *(A Martín)* ¿Sus hermanos? ¡Qué crecidos! Ayer nomás eran así. *(Señala)* Y hoy... ¡les crece la barba! *(Ríe. Con un interés amable)* ¿Judío?

Martín: ¡No!

Funcionario (ídem): ¿Comunista?

Martín: ¡No! ¡Le dije a Franco que no!

Funcionario (como si lo consolara): Y bueno, será otra cosa... Todos somos algo, es difícil elegir... *(Ríe, mientras entran tres hombres con aspecto de vigorosos enfermeros. Arrastran una mesa portátil de hierro, con varios instrumentos que no se ven y un calentador encendido. Emma se alza de la silla, arrastrando la valija abierta y el camisón, y va retrocediendo lentamente hasta hacerse un ovillo en un rincón. Se rasca las mejillas y febrilmente comienza luego a doblar el camisón, torpemente intenta acomodarlo en la valija. Uno de los hombres, con ex-*

trema naturalidad, acerca un numerador de hierro a la mecha del calentador encendido. Los otros se acercan lentamente a Martín que esboza el gesto desatinado de juntar las tazas sobre la mesa. Una taza se le cae y rompe, y entonces se queda inmóvil, mirando estupidizado hacia el suelo. Los hombres se detienen. Emma comienza a reír suavemente y, poco a poco, la risa se le transforma en un gemido quebrado, bajo)

Funcionario (refiriéndose a la taza): ¡Qué pena! Yo podía esperar el té. *(Suavemente)* ¿Está inmunizado?

Martín (levanta la cabeza, con una seguridad aterrorizada): ¿Por eso? ¡Sí! ¡Vacunado! ¡Vacunado contra todas las pestes!

Funcionario (ídem): Falta una. *(Una pausa)* Un segundo y listo. No los molestamos más.

Martín (con la misma seguridad aterrorizada): ¡Se van!

Funcionario: Dicen..., pero... Nos cuesta irnos. Está calentito aquí...

(A una señal suya, los dos hombres continúan avanzando lentamente hacia Martín)

Emma (sin mirar la escena, absorta en su tarea de doblar y acomodar el camisón dentro de la valija): Me perdía... Me iba detrás de los paraguas... y entonces... Tenía que tener alguna marca... no podía pasar por el mundo, escaparme como una sonrisa que se borra de una boca... no podía estar sin marca... *(Ríe)* Saber quiénes somos, una pequeña marca... *(En un alarido desesperado)* ¡Martín!

(El Funcionario aprueba, sin abandonar su sonrisa, y mientras tanto, uno de los hombres ha preparado una inyección sobre la mesa portátil. Se le ha caído la aguja al suelo, la ha recogido, la ha calzado nuevamente en el inyector. Silba suavemente, balanceándose. Martín está inmóvil, sólo se escucha el ruido de su respiración, como el de un animal a punto de ser cazado. Los otros dos enfermeros llegan hasta él, con cuidado casi femenino le sacan el saco, le arremangan la camisa)

Enfermero (con naturalidad): También camiseta... Está muy abrigado usted...

(Le sonríe amigablemente. La sonrisa es común, completamente distanciada de lo que está sucediendo. Martín se debate de pronto, con una energía salvaje y deseperada que cesa cuando lo inyectan. Grita. Luego permanece como aletargado, vencido. Los otros dos lo sostienen con una especie de bondad, uno de ellos saca un pañuelo del bolsillo y le seca el sudor de la cara. Cuando el hierro está al rojo, el Funcionario abandona su lugar en la puerta, lo toma y se acerca a Martín. Se escucha sólo el gemido de Emma que aprieta su pequeña valija)

Telón

Nada que ver

Nada que ver

1970

Esta pieza fue estrenada en la Sala Casacuberta del Teatro General San Martín, en abril de 1972, con el siguiente reparto:

Personajes

Manolo	:	Carlos Moreno
Toni	:	Walter Vidarte
Brigita María	:	Noemí Manzano
La abuela	:	Nora Cullen
Una mujer	:	María Ester Corán

En una escena suprimida en este texto definitivo figuraban Fernando Iglesias (Tacholas) y Rubén Fraga.

Dirección	:	Jorge Petraglia
Escena y trajes	:	Leal Rey

Acto primero

Escena 1

Interior de una pieza amueblada con una cama, una mesa, dos sillas. Sobre la mesa, en gran desorden, hay libros, un trozo de pan, una botella con agua, unos vasos y una caja de herramientas. También un frasco de vidrio con dedeté, un sucio barbijo de cirujano y una gorra. Sobre el suelo, unas latas de pintura. Detrás de la mesa, un biombo. A un costado, un tablero eléctrico, desvencijado, construido burdamente con cables sueltos y pelados, lamparitas, una palanca. En un rincón, un teléfono sobre una mesita. Al lado, apoyadas contra la pared, una pala ancha y una escoba. Dos puertas, una que conduce a la calle y otra que lleva al baño. Una ventana.
Cuando se ilumina la escena, Manolo está leyendo, de pie, un libro voluminoso abierto sobre la mesa. Es un hombre joven, esmirriado. Lleva un largo guardapolvo gris y gruesos anteojos. Mientras lee, toma a tientas el pedazo de pan y se lo lleva a la boca. Come. De pronto,

se detiene, mira con atención el pan. Lo golpea con la uña y hace volar algo por el aire.

Manolo: ¡Puerca, asquerosa! *(Toma un martillo y aplasta una cucaracha sobre la mesa)* ¡Cucarachas de mierda! ¡Está lleno! ¿Dónde puse el dedeté? *(Toma el frasco, espolvoreando el aire, luego el libro, lee una línea, olvida lo que está haciendo y deja el frasco sobre la mesa. Mientras lee, con el rabillo del ojo descubre otra cucaracha, la aplasta con el martillo. Mata otra cucaracha, se entusiasma y, de rodillas, emprende una seguidilla de martillazos por el piso, velozmente continúa la persecución por la silla, sube hasta la mesa y, exaltado, pega en un vaso, lo rompe. Abstraído)* ¡Qué ruido hacen! ¡Ni que fueran de vidrio, las atorrantas! *(Rompe el frasco de dedeté. Se inmoviliza, sorprendido y absorto)* ¿Y ahora? ¿Cómo se rompió? *(Recoge el dedeté sosteniéndolo en el hueco de las manos, no sabe qué hacer, ve una cucaracha en el suelo, la persigue y deja caer la montaña de veneno sobre ella con una exclamación de alegría)* ¡Ah! ¡Has muerto, infeliz! ¡Te cayó encima un terremoto! *(Se limpia las manos en el guardapolvo)* ¿Dónde estaba? *(Lee otra línea en el libro, entra en el baño y vuelve con un balde que contiene algo flotando en un agua rojiza. Mira adentro del balde con un asco inenarrable, aparta la vista dominando una arcada. Sostiene el balde bien alejado del cuerpo. Lo deja en el suelo, vuelve a mirar dentro del balde y no soporta lo que ve: a tientas, lo cubre con un diario. Se pone el barbijo de cirujano y la gorra. Toma el balde y desaparece detrás del biombo. Grita. Vuelve y se sienta, las piernas temblorosas, mareado. Se saca el barbijo y respira ansiosamente. Se sirve agua, sin encontrar la abertura del vaso al principio, derramándola y provocando una inundación sobre la mesa. Seca torpemente con el barbijo y luego bebe)* Me revuelve las tripas. ¡Qué asco! ¡Qué inmundicia! *(Se apantalla)* Falta poco. Animo, Manolo. El gran momento... está... cerca. *(Se levanta, cierra los ojos, recapitula)* Metí todo adentro, cosí. *(Abre los ojos, tiembla de excitación)* Co...co, ¡conecto! *(Se dirige hacia el tablero y baja la palanca. Se produce una explosión y la habitación se llena de humo. Desconcertado)* ¿Qué pasó? ¡No emboco una! *(Ata los cables con un nudo, sube otra vez la palanca y trata de bajarla infructuosamente)* ¡Vamos! Todo estaba calculado científicamente. ¿Qué cuernos pasó? *(Furioso, toma el martillo y aplasta con saña otra cucaracha)* ¡Desgraciadas! Me distraen. *(Vuelve a leer en el libro. De pronto, detrás del biombo, se oye un sonido espeluznante, una especie de ronco y prolongado carraspeo. Manolo se alza en seco, incrédulo. Escucha. Se oye nuevamente el sonido. Ríe nerviosamente. Espía por encima del biombo, colgándose en puntas de pie. Se oye el sonido, cavernoso e inarticulado. Recula con pánico, pero lanza una carcajada de triunfo, muy histérica. Espía otra vez. Se aparta, busca algo con la mirada)* ¡Se mueve! ¡Se mueve! ¿Dónde dejé la pintura? *(Recoge las latas de pintura y desaparece detrás del biombo. Vuelve después de un instante, sucio de pintura, muy excitado)* ¿Dónde está mi Piero della Francesca? *(Revuelve entre los libros, toma uno y desaparece detrás del biombo)*

Una voz (clara y solemne detrás del biombo): Buen día, amo. ¿Cómo le va?

Manolo (emerge detrás del biombo. Baila enloquecido, riéndose): ¡Bueno, bueno! ¡Lo logré! ¡Se hizo la luz! *(La luz se apaga)* ¿Y ahora? *(Va hacia el tablero y le pega un martillazo. Vuelve la luz instantáneamente. Nervioso, arregla la mesa, pero lo único que hace es desordenarla más)* No asustarse. La gloria... coronará mi vida... Lo llevaré a la facultad... de Medicina o... o Ingeniería... Lo llevaré a un circo, mejor. ¡Seré rico! ¡Me llenaré de plata!

La voz (muy cavernosa): ¡Amo!

Manolo: Sí, angelito, voy. *(Se asoma por encima del biombo)*

La voz (ídem): De este lado. Saque el biombo. No veo nada.

Manolo: Sí, angelito, en seguida. *(Temblorosamente, abre los brazos para apartar el biombo)* Uno, dos... *(Agita los brazos en un movimiento enloquecido, finalmente)* ¡tres! *(Aparta el biombo. Sentado sobre una mesa, de frente al público, aparece Toni. Los pies le cuelgan en el aire. Es un personaje altísimo, tiene gruesos zapatos negros, con suela de madera, pantalón arrugado y un saco que le queda chico. Está muy pintarrajeado, mejillas rojas, el pelo duro, cerdas gruesas que se le levantan en abanico sobre el cráneo y, en la cima de la cabeza, un moño hecho con cable viejo. Los dientes son plateados. El aspecto es el convencional del monstruo de Frankenstein, pero más pintarrajeado e ingenuamente horrendo)*

Manolo (lo contempla, impresionado): ¡La pucha! *(Se acerca, le tiende la mano con desconfianza)* Mucho gusto. ¿Cómo estás?

Toni (permanece inmóvil, luego gira la cabeza hacia Manolo. Lanza un cañaspeo inarticulado. Intenta hablar. No lo consigue. Bruscamente, tiende el brazo hacia Manolo, tiene dos manos en ese brazo. Reprocha, con voz cavernosa): ¡Amo!

Manolo (perplejo, observa sus manos, lanza una risita de disculpa): Perdón. *(Con precaución, se acerca a Toni, y, como si intentara sacarle una bota, empieza a forcejear con el brazo, empujando la mano sobrante hacia sí. Por fin, consigue arrancarla y la arroja en el balde)*

Toni (con voz cavernosa): Gracias, amito. Muy agradecido.

Manolo: Me llamo Manolo. Pero podés llamarme amo. Me gusta.

Toni: ¿Y yo?

Manolo (piensa): ¿Hilario? *(Toni niega tristemente con la cabeza. Manolo piensa, luego, estúpido y regocijado)* ¡Frankie! *(Toni reprueba el nombre con un graznido espeluznante. Manolo asustado, con timidez)* ¡Y no sé, entonces! Nunca tuve hijos. Yo me llamo Manolo. Podés, digo, puedes llamarte como yo. Manolo, hijo. ¿No? *(Toni niega con precipitación)* ¿Toni...? ¿Te gusta Toni? *(Toni inclina la cabeza asintiendo, no muy convencido. Manolo alza el brazo)* Yo te bautizo en nombre de... *(Se desconcierta)* ¿De quién? Despué te lo digo. *(Feliz)* ¡Arriba, Toni! Te enseñaré a caminar. *(Lentamente, Toni se pone de pie. Manolo recula asustado. Los movimientos de Toni son pesados, vacilantes y mecánicos, como si estuviera hecho de una sola pieza. Manolo, a prudencial distancia)* Sube la rodilla, así. *(Le muestra. Toni obedece)* ¡Bájala! *(Intenta bajar su propia pierna, pero no lo consigue)* ¡Un calambre! ¡Mierda! *(Se la baja con las manos. Toni ya ha bajado la suya))* ¡Muy bien! ¡Perfecto! Te felicito. *(Recapacita y agrega)* Manolo. *(Una pausa)* ¡Ven para acá! *(Lo piensa)* No, para allá. *(Le señala un extremo alejado. Toni obedece hasta chocar con la pared)* ¡Magnífico! ¡Vuélvete! ¡Camina!

Toni (camina con imprevista soltura, se sienta en una silla, cruza las piernas, cómodo): Amo, ¿qué hacemos? Tengo ganas de farra.

Manolo (excitado): ¡Tantas cosas! Te presentaré en la Facultad de Medicina. O de Ingeniería. Te llevaré a un circo. Me llenaré de guita. Digo, de plata. Tendremos que empezar desde el principio. Completamente ignorante, ¿no?

Toni: Más o menos.

Manolo (toma un vaso de la mesa, se lo muestra): Vaso.

Toni (repite, para seguirle el tren): Vaso.

Manolo: Sirve para beber. Mira, te muestro. Se pone un líquido dentro y se bebe. *(Lo hace, tiende el vaso hacia Toni)* Ahora, prueba tú. Mueve los dedos. Apriétalos alrededor del vaso. Bebe. Despacio. Sin atragantarte.

Toni (toma el vaso y bebe con soltura. Al primer sorbo, escupe): ¡Es agua!

Manolo (asombrado): ¡Muy bien, sabes distinguir los líquidos!

Toni: ¿Y cómo no? ¡Tengo boca! *(El tablero comienza a fun-*

cionar por su cuenta, se enciende y se apaga una lamparita) ¿Qué ocurre?

Manolo: Lo arreglo. *(Se acerca al tablero y toca unos cables, recibe una descarga)*

Toni (se levanta y se acerca. Mira): ¿Para qué sirve?

Manolo (con una risita de orgullo): ¡Secreto profesional!

Toni: Me fastidia. ¡Quieta! *(La lamparita se enciende y se apaga con más rapidez)*

Manolo: ¿No recibes ninguna descarga? Déjame auscultarte el corazón. *(Pretende auscultarlo. Se le cuelga de los hombros)*

Toni (lo aparta): ¿Qué descarga? Me irrita la vista. *(Afloja la lamparita)*

Manolo (con asombro): ¡Muy bien! ¡Muy inteligente! *(Toni sonríe, muestra su dentadura. Manolo lo mira y tiene una arcada de terror. Con un gesto para que la esconda)* ¡Los dientes! ¡Los dientes!

Toni (se acerca y le abre la boca): ¿Qué te pasa? ¿Te duelen?

Manolo (manoteando): ¡Métclos para adentro! ¡Los tuyos!

Toni: ¿Qué tienen mis dientes? ¿No te gustan?

Manolo: ¡Sí! ¡Me encantan! Siéntate. Para sentarse, se hace así. *(Se desploma de una pieza, exhausto)*

Tony: No, así. *(Se sienta con elegancia. Hojea un libro)* ¿Qué estudias?

Manolo: Veterinaria. También preparo bombas.

Toni (admirado): ¿Atómicas?

Manolo (muy ofendido): ¿Quién crees que soy? ¿Una mierda?

Toni (se encoge de hombros): Y... nunca se sabe.

Manolo: ¡Estás muy atrasado! Te enseñaré a leer *(Busca entre los libros, abre uno, señala)* A.

Tony (mira): Be, dice ahí, amo.

Manolo (mira): ¡Ah! *(Señala, observando a Toni)* Mamá.

Toni (mira): Papá, dice ahí, amo. ¿Por qué me enseñas estas pavadas? No soy estúpido.

Manolo (muy admirado): ¿Qué cerebro te he puesto?

Toni (modesto): Creo que uno inteligente. *(Sonríe)*

Manolo (despavorido): ¡Mete los dientes para adentro!
Toni (ingenuo): ¿Por qué?
Manolo: Después te explico. *(Revuelve en la caja de herramientas, saca unos bisturíes oxidados, una cuchilla)*
Toni: ¿Qué vas a hacer, amo?
Manolo: Necesito saber.
Toni (asustado): ¡Hay otros métodos! ¡Estoy recién cosido!
Manolo (mueve velozmente la mano, como si cosiera el aire): ¡Después te coso otra vez, con más práctica!
Toni: ¿No lo anotaste?
Manolo: ¿Si lo anoté? *(Recuerda)* ¡Sí! ¿Dónde? *(Toni le señala el bolsillo del guardapolvo. Manolo)* ¡Acá! *(Saca una libreta negra del bolsillo y la hojea)* Pero no está.
Toni (con su voz cavernosa): ¡Qué desprolijo!
Manolo: No, éstas son las cuentas del almacén. *(Desconcertado)* ¿Quién arrancó estas hojas? ¡Qué misterio!
Toni: Fuiste al baño.
Manolo: ¿Cómo sabés? Digo, sabes.
Toni: Intuición.
Manolo (sigue revisando la libreta): También hay versos míos.
Toni (falso): ¡Qué bien!
Manolo (lee, absorto): Voy a leerte uno.
Toni (ídem): ¡Sí, con placer!
Manolo (lee): "Piba de mi barrio", *(explica)* es Brigita María, *(sigue leyendo)* "enhiesta y derecha..."
Toni (sujetándose el vientre): ¡Ay! ¡Dios mío!
Manolo: ¿Qué te pasa? ¿Te estás descomponiendo?
Toni (doloroso): No, amo. Sigue, son muy buenos. Magníficos.
Manolo (con sospecha): ¿Te parecen magníficos?
Toni (lanza unos sonidos cavernosos. Luego, estertorosamente): ¡Celes...tiales!
Manolo (cierra la libreta. A Toni, con una mirada escrutadora): No. Muy inteligente. ¡Observación muy inteligente! Es un segundo. Necesito saber qué cerebro te he puesto.

(Afila los bisturíes uno con otro, como si fueran cuchillos. Sonríe falsamente) No va a dolerte nada, sin anestesia. *(Le palpa la cabeza)*

Toni (rígido): Tranquilo, amo.

Manolo (se pone la gorra, busca el barbijo entre los trastos de la mesa. Toni lo descubre y se suena la nariz. Manolo, inquieto): ¿Estás resfriado?

Toni (feliz): Tuberculosis. *(Tira el barbijo)* No sirve más.

Manolo: Uso un pañuelo. *(Revuelve en sus bolsillos)* Es un segundo, Toni. Te abro y miro.

Toni: Amo, tenías un perro. Ya no está más.

Manolo (desconcertado): ¿Crees?

Toni: ¡Sí, creo! *(Con su voz cavernosa, lanza unos ladridos, le toma una mano a Manolo y se la lame)*

Manolo (dudando): Un perro tenía...

Toni: ¡Sí!

Manolo: Puede ser...

Toni: Sí, amo, sí. Los perros vienen muy bien ahora.

Manolo: Lo anoto aquí. *(Escribe en su libreta)* La ciencia es muy seca, ¿anoto un verso debajo?

Toni: Linda idea.

(Mientras Manolo escribe, murmurando: "Piba de mi barrio, enhiesta y derecha", Toni recoge silenciosamente los bisturíes y la cuchilla, se acerca a la ventana y arroja todo hacia afuera. Se oye un alarido)

Manolo (levanta la cabeza): ¿Qué fue eso?

Toni: Yo, amo. *(Emite unos ruidos extraños)* No domino la lengua.

Manolo (absorto): Tenemos que verlo... Algún cable mal conectado.

(Golpean furiosamente en la puerta. Manolo hace un gesto de silencio a Toni. Lo acomoda en la mesa y lo oculta con el biombo. Luego abre)

Voz de mujer (gritando salvajemente): ¡Han querido asesinarme! ¿Qué le hice yo? *(Se ve a la Mujer que empuja a*

Manolo hacia el interior de la pieza) ¡Asesino! ¡Juventud podrida!

Manolo (desatinado): No, señora... ¿Qué es? *(Ve la cuchilla y los bisturíes que la mujer trae en la mano)* ¡No son míos! Corto todo con la mano. Estuve internado, me sacaron todo, hasta las uñas. Intenté suicidarme.

La Mujer: Si es loco, intérnese. ¡Imbécil! *(Desde la puerta, afina la puntería y arroja la cuchilla como una tiradora de puñales hacia Manolo, que ha retrocedido hacia el interior de la pieza y que queda clavado contra el biombo, como en una prueba de circo. La Mujer, arrojando los bisturíes con gritos de karate cada vez)* ¡Agradezca que estoy bien entrenada! ¡Otra vez lo mato!

(Sale. Manolo corre a cerrar la puerta, se apoya contra ella, exhausto. Se oye el sonido cavernoso que precede la voz de Toni)

Toni (asomándose detrás del biombo, con voz clara y dulce): Amo, ¿pasó algo? ¡Qué escándalo!

Escena 2

La misma habitación. La escena a oscuras. Manolo camina, llevándose todo por delante. Se oye un rechinamiento de dientes, un aullido como de gato enamorado. Manolo se queda inmóvil.

Toni (encuentra su voz después de varios carraspeos cavernosos): ¡Amo! ¡Amito!

Manolo (con sigilo): ¿Toni? *(Da un paso y vuelca estrepitosamente una silla. Susurrando)* ¿Estás despierto?

Toni (rabioso): ¡No! ¡Sueño!

Manolo (admirado): ¿Ya sueñas?

Toni: Amo, enciende la luz.
Manolo (susurrando): No la encendía para no despertarte. *(Enciende, pero sigue caminando de puntillas)* ¿Cómo estás, Toni?
Toni (aparece acostado sobre la mesa, con las piernas colgando y atado con sogas): Como el culo.
Manolo (desconcertado): ¿Por qué?
Toni: No me gusta dormir atado. No me circula la sangre.
Manolo: No quiero que te caigas de la mesa. Podés perforar el piso.
Toni: Quiero un colchón.
Manolo: Ahora te desato. *(Toma una silla, se distrae, se sienta en la cama)* ¡Qué cara! ¿Estás malhumorado?
Toni (abre la boca en una sonrisa falsa): ¡No, amo, no! ¡Brinco de alegría!
Manolo (le ve los dientes, aterrorizado): ¡Mete los dientes para adentro!
Toni: Sí, amo. *(Esconde hasta los labios. Deliberadamente, lanza un largo aullido lastimero)*
Manolo: ¿Qué te ocurre?
Toni: Las sogas, amo. Me cortan la carne.
Manolo: Te suelto. *(No muy tranquilo)* A portarse bien, ¿eh? *(Lo suelta, enredándose con las sogas. Toni lo mira severamente, acostado. Se incorpora, alza a Manolo por los sobacos y lo libera del embrollo de sogas, depositándolo otra vez sobre el piso. Manolo, ofendido)* ¡No te metas! ¡Me arreglo solo!
Toni (se sienta, frotándose las manos, contento): ¿Qué programa tenemos? ¿Salimos?
Manolo (falso): No, Toni. Hace frío.
Toni: Amo, ¿cuándo salimos? Quiero conocer mundo.
Manolo: ¿Qué apuro hay? Puedes caerte.
Toni (se mira los zapatos): ¿Por qué me hiciste esta porquería de zapatos? Pesan diez kilos.
Manolo: No seas pretencioso. Me revolvías las tripas. Me la pasé vomitando.

Toni: ¿Quién te mandó?
Manolo: ¿Cómo quién me mandó? La ciencia.
Toni: Dame un espejo.
Manolo: ¿Para qué?
Toni: Quiero mirarme. *(Manolo busca sin ganas en un cajón de la mesa y saca un espejo cascado. Toni se mira, abre la boca. Cuando ve los dientes, Manolo desvía la cara con asco)* ¿Por qué me pintarrajeaste tanto? Hubieras ido al Bellas Artes. *(Se toca el moño)* ¿Y esto?
Manolo: Hilo de nylon. Se reabsorbe. *(Al ver que Toni tira del moño)* ¡No te lo arranques!
Toni: Parece de fierro. *(Agarra un trapo y se refriega la cara. Consigue despintarse una mejilla, pero su aspecto es más horrendo)* ¿Estoy mejor así?
Manolo (falso): Sí, sí, mucho mejor.
Toni (baja de la mesa): Amo, quiero conocer gente.
Manolo: Aquí se está bien.
Toni (cavernoso): Dijiste que ibas a llevarme a la Facultad, a un circo. ¿Por qué cambiaste de idea?
Manolo (sin convicción): La vida es larga. El otro día saliste y te corrieron los chicos.
Toni: Amo, me pintaste mucho, te lo dije. *(Manolo aparta la mirada, dibuja con un dedo sobre la mesa. Toni furioso)* ¡No vas a largarme duro, amo! ¡Te avergüenzas de mí! ¡Desgraciado!
Manolo (subrepticiamente, se acerca a las sogas): ¡No, Toni, no!
Toni (se las arrebata): ¡Se acabaron las sogas! *(Hace un nudo corredizo y se acerca a Manolo)*
Manolo (aterrorizado): ¡Cómo no! ¿Quién te enseñó a hacer nudos? Las tiramos ahora mismo. *(Con una sonrisa temblorosa, se las saca con suavidad de las manos y las mete dentro de un tacho de pinturas, ajustando bien la tapa)* Te traeré a mi novia. ¿Te gusta?
Toni: No sé si va a gustarme. ¿Es linda?
Manolo: Ya la verás. Le he hablado mucho de vos, digo, de ti.

Toni: ¿De quién? ¿De vos o de ti?

Manolo: De ti. *(Se frota las manos, contento)* Hoy es domingo, la gente no trabaja, se baña, va al cine, hace el amor.

Toni (entusiasmado): ¡Amo, hagamos todo eso!

Manolo (ríe): Sí, sí, después. Primero te pongo lindo. Imposible. *(Lo cepilla, le acomoda el moño en la cabeza. Luego lo sienta en la cama, toma distancia y lo contempla. Lo piensa mejor y lo hace sentar en el suelo)* ¿Cómo estarás mejor, sentado o acostado?

Toni: Acostado parezco un muerto.

Manolo: Mejor acostado que asustando a la gente.

Toni: ¿Se asustará? Un comino. No soy tan feo. *(Manolo ríe y le saca como unas basuras de la cara. Toni)* Siéntame en la cama. El suelo es duro.

Manolo: ¡Cuántas pretensiones! *(Lo sienta en la cama, lo empuja para que se acueste. Lo tapa con la sábana. Mira)* ¡Qué tétrico! *(Toni asoma la cabeza)* ¡Quieto! *(Lo cubre. Arroja cosas sobre Toni: pan, revistas, un vaso)*

Toni (se asoma): ¡Amo, me las das en la jeta!

Manolo: ¡Quédate quieto! Cara, se dice. No te muevas. Duérmete.

Toni: ¿Que me duerma?

Manolo: ¡Duérmete!

Toni: ¡Podrido! Quiero estar... *(bosteza)* despierto.

Manolo (desconcertado): ¿Está fallando? ¡Duérmete!

Toni (somnoliento, debajo de la sábana): Amito... no... amito... Quiero estar... *(Ronquidos)*

(En seguida, Manolo lo desaloja de la cama y lo arrastra hacia un rincón, en el suelo. Vuelve a cubrirlo con la sábana y con el resto de las cosas, pero esta vez dispone artísticamente cuatro vasos en los extremos. Arregla la cama, silba, contento. Se saca el guardapolvo y lo cuelga de un clavo. Golpean en la puerta)

Manolo dulcísimo): ¿Quién es?

Una voz: Brigita María.

Manolo (ídem): Una señal...

(Entreabre una hendija de la puerta, se ve asomar una mano. Manolo la toma y la besa. Abre la puerta y aparece Brigita María. Es joven, lindá, con cabellos largos y aspecto ingenuo. Lleva pollera corta y unas flores en la mano)

Brigita María (le tiende las flores): Tomá. Para vos.

(Manolo la abraza, aplastando las flores)

Oscuridad

Voz de Toni (decepcionado): ¡Amo! Está todo oscuro.

Voz de Manolo: Dormí, Toni. Digo, duerme.

Voz de Toni: ¡Se terminó el domingo! ¡Se fue al cuerno!

Voz de Brigita María: ¿Quién es? Manolo, ¿quién habla?

Voz de Toni (extasiada): ¡Qué voz! *(Se oye el corazón de Toni, pam-pan, pam-pan, pan-tan-tran, muy aumentado)*

(La escena se ilumina débilmente. Se ve a Brigita María, sentada en la cama, y a Manolo, acostado a su lado)

Manolo (preocupado): ¡Anda mal! *(Toni se arrastra por el piso y se acerca a la cama, de rodillas. Tanteando, alza la mano y toca a Brigita María, quien pega un grito de terror. Manolo)* ¡Ssssss! No te asustes. Es Toni.

Brigita María: ¡Pero tiene una mano!

Manolo: ¡Y sí! Tiene "dos" manos. ¿Dónde estás? ¿Qué te pasa, Toni?

Toni (asoma su cabeza por encima de la cama, observa todo, intrigado): Amo, ¿qué pasó aquí, sobre este mueble? Sale humo.

Manolo (inquieto): Brigita María, ¿fumaste en la cama? *(Salta de la cama, en calzoncillos, y cae sobre Toni, quien sonríe y jugando, lo sacude por los tobillos. Manolo cae encima de Toni. Demudado)* ¡Toni, quieto! ¿Qué te agarró? ¡Brigita María! ¡Salvame!

Brigita María: ¿Qué te hace, Manolo?

Toni (jugando, tantea a Manolo): ¡Qué chiquito! ¡Todo peludo!

Manolo: ¡Me toca! *(Angustiado)* ¿Qué engendro he hecho? ¡Brigita María, ayudame! ¡Me quiere violar!

Toni (intenta abrazarlo para tranquilizarlo): ¡No, amito, no! Te doy un beso, ¡no te asustés!

Brigita María (lanza un alarido. Aterrorizada): ¡Mi ropa! *(Baja de la cama, corre, recogiendo su ropa en un montón, recoge hasta los zapatos)*

Manolo: ¡Me viola!

Toni: No, amito. No te violo, si no te gusta. ¡Estoy jugando! ¿Tenés cosquillas? *(Le hace cosquillas. Manolo grita y ríe al mismo tiempo. Consigue liberarse de Toni, corre y enciende la luz central. Brigita María se inmoviliza en un rincón, cubriéndose con la ropa. Toni se incorpora lentamente, mira a Brigita María, desorbitado)* ¿Y eso?

Manolo (con un hilo de voz): Es... Brigita María.

Toni (estático): ¡Qué maravilla! ¿Se puede tocar?

Manolo: ¡No! ¡No se puede!

Toni (ídem, para sí): ¿Quién la hizo? ¿El amo? No es como yo. Es toda distinta ¡Qué confección! ¡Oh, criatura celestial! *(Comienza a caminar hacia Manolo, sin apartar los ojos de Brigita María)* ¡Te esmeraste!

Manolo: ¡Quieto, Toni! ¡No te acerques! *(Toni se detiene, gira y avanza hacia Brigita María, que grita. Manolo)* ¡No! ¡Para acá! *(Toni se detiene y avanza luego hacia Manolo. Manolo)* ¡Para acá tampoco!

Toni: Amo, no me des órdenes contradictorias. Me confundo.

Manolo: ¡A la cucha, a la cucha!

Toni (avanza hacia Manolo): ¿Qué cucha? *(Se arrodilla frente a Manolo y trata de tomarle las manos)* ¡Te agradezco, amo!

Manolo: ¿Qué decís? ¡Bajo la palanca y te reviento!

Toni: ¿Por qué, amo?

Manolo (se defiende a puntapiés): ¡Soltame! ¡Duerme, Toni, duerme!

Toni: ¿Por qué voy a dormir, amo? Me perdí lo mejor. Dame las manos.

Manolo: ¡No! ¡Salí!

Toni (consigue aprisionar las manos de Manolo, dirige una mirada a Brigita María, que sigue inmóvil en su rincón, ocultándose con su ropa): ¡Es una maravilla!

Manolo: ¡Quedate quieto! ¡Dejame!

Toni (besándole las manos): ¡Gracias, amito, gracias! ¡Te salió bárbara!

Escena 3

El mismo escenario. Toni está sentado, disminuyéndose la suela de los zapatos con un cepillo de carpintero. Tiene una mejilla completamente natural, despintada. Golpean en la puerta. Se dirige a abrir, pero la puesta está cerrada con llave. Da media vuelta, musita con furia un –Desconfiado– y se encamina hacia la cama. Levanta el colchón y saca un aro con un montón de llaves. Sus pasos son un poco más elásticos. Abre. El vano está vacío. Se asoma por el pasillo y retrocede nuevamente haciendo gestos a alguien para que avance. Se sienta frente a la puerta, tratando de arrancarse el moño de la cabeza. Brigita María aparece en el umbral. Lleva otro ramo de flores en la mano. Toni se incorpora, levanta la mano en un saludo y lanza un carraspeo.

Brigita María (pega un grito de terror): ¡Ay! *(Desaparece)*

Toni (menea tristemente la cabeza. Se mira en el espejo, se frota con un trapo la mejilla pintada, luego se sienta. Carraspea, pronuncia sonidos mal articulados): Bri-Cri-Cra... *(Transpira)* Bri... Bri... ¡Yi, yi...! *(Exánime)* María...

Brigita María (se asoma, la nariz hundida entre las flores): Buenas...

Toni (muy suelto): ¡Hello! *(Le sonríe)*

Brigita María (mete la cabeza entre las flores, despavorida): ¡Dios mío!

Toni (toma un diario y se cubre la cara. Brigita María espía por entre las flores. Ve a Toni con la cara tapada y se tranquiliza. Toni espía por encima del diario, embelesado. Brigita María huele las flores con fuertes soplidos. Toni amable): ¿Tenés pólipos?

Brigita María (lanza una risita histérica y nerviosamente deshoja las flores. Se sienta en la cama. Toni le mira las piernas, empieza a temblar, le castañetean los dientes. Brigita María): ¿Manolo?

Toni (temblando): Sa...salió.

Brigita María: ¿Por qué temblás? ¿Tenés frío?

Toni: No... Calor

Brigita María (desaprobadora): Y temblás. ¿Cómo te hizo?

Toni: Como el c... *(Piensa lo que va a decir, traga y se calla)*

Brigita María: No puedo verte así. *(Recoge una frazada de la cama y se la arroja. La frazada pega en el diario y cae al suelo)*

Toni: Acercate.

Brigita María (muy nerviosa, estrujando las flores): Ni loca. *(Toma la escoba y recoge la frazada, cuidando siempre de mantenerse apartada de Toni. Arroja otra vez la frazada que, en esta oportunidad, cae sobre las rodillas de Toni, quien la recoge y se cubre con ella y con el diario. Da vueltas alrededor de Toni, quien gira la silla siguiéndola, y deshoja las flores nerviosamente hasta que no le queda más que el papel en la mano)* ¿No podés quedarte quieto?

Toni (mareado): ¡Sí! *(Se levanta y le ofrece la silla)* Sentate.

Brigita María (se aparta violentamente. Toni, asustado, trastabilla y cae al suelo. Se apresura a cubrirse con el diario y la frazada. Brigita María): ¡Manolo, vení!

Toni (desde el suelo): No está. Fue a comprar yerba.
Brigita María (muy nerviosa): ¿Qué hago ahora?
Toni: Ayudame.
Brigita María (tiende la mano, pero la aparta en seguida): No, me da miedo. *(Gira alrededor de Toni, quien la imita desde el suelo)* Me mareás. Quedate quieto. ¡Ay, qué desgracia! ¿No podés levantarte solo?
Toni: No.
Brigita María (va hacia la puerta y la abre): ¡Qué olor a pintura! ¿Qué pintaron? *(Mira las paredes)*
Toni: Soy yo.
Brigita María (ríe incrédula, huele las paredes): No se aguanta.
Toni: Comprame un perfume. Vení. ¿Qué perfume usás?
(Aparece Manolo con un paquete)
Brigita María: ¡Manolo! ¡Por fin! ¡Se cayó!
Manolo (preocupado): ¿Cómo fue? *(Tira el paquete por el aire y rompe un florero. Como un poseso, se apresura a recoger los vidrios)* ¡Lo reconstruyo! ¡Lo reconstruyo!
Brigita María (señalando a Toni): ¡Primero a él!
Toni (tierno): ¡Dulzura!
(Brigita María queda inmóvil y lo mira. Manolo toma un diario, hace un paquete con los vidrios y lo arroja sobre la cama)
Manolo: Esta noche lo reconstruyo. *(A Toni)* Dame la mano. ¿Qué hacés, todo tapado? *(Aparta la frazada y el diario. Trata de levantarlo infructuosamente)* ¡Cómo pesás! ¿Qué tenés adentro? ¿Fierro?
Toni: No sé, amo. Desde que me alimento, estoy muy pesado.
Manolo: Comé menos. Pesás como un elefante.
Brigita María: No lo ofendas, Manolo.
Toni (extasiado): ¡Preciosa!
(Manolo forcejea con Toni, trata de levantarlo de cualquier lado, pero no consigue moverlo. Respira ansiosamente, extenuado)
Brigita María: Vas a reventar. Descansá un poco, Manolo.
Toni: Sí, amo, descansá. Vas a joderte.

Manolo (a Brigita María): ¡No le hablés en lunfardo! Repite. Quiero que hable correctamente. ¿Qué hacés con esta porquería en la mano? *(Furioso, le arrebata el papel de las flores y distraído, se seca la cara)*

Brigita María: Tomá unos mates, Manolo.

(Busca el paquete de la yerba, prepara el mate. Manolo, extenuado, se sienta sobre la cama y se incorpora precipitadamente con un alarido, tocándose el traste)

Toni (feliz): Los vidrios.

Manolo: ¡Callate, idiota! ¿Quién metió estos vidrios en mi cama? ¿Quieren agujerearme? *(Levanta el paquete deshecho y lo arroja por el aire)*

Brigita María: Tomá, Manolo. *(Le sirve un mate)*

Manolo (sorbe, se lo escupe encima): ¡Qué porquería! ¡Está frío! *(Se lo devuelve. A Toni)* ¿Cómo te sentís?

Toni: Tuve un sobresalto.

Manolo: Querés salir a la calle y ni sabés caminar. Estás mal aceitado. *(Brigita María le tiende otro mate. Manolo sorbe. Furioso)* ¡Quema! *(Una pausa. La mira, se ablanda)* Perdoname, ¿te mortifico?

Brigita María: Sí. *(Una pausa)* Trabajás mucho.

Manolo: Vos también. No quiero que te pase nada.

Brigita María: ¿Qué va a pasarme?

Manolo: La gente desaparece.

Brigita María (dulcemente): Son riesgos. *(Manolo le toma la cara entre las manos y tiernamente le refriega las mejillas con las suyas. Toni lanza unos sonidos inarticulados. Brigita María)* ¿Qué le pasa?

Manolo: No sé. No lo mirés. *(La besa y la acaricia)*

Toni: ¿Qué hacen, los chanchos? Nunca vi. Se pegotean. *(Mira. Lanza unos sonidos angustiados)*

Brigita María (se aparta): No puedo verlo ahí. Parece humano.

Toni (con voz clara y melodiosa): Lo soy.

Brigita María (lo mira estática): ¡Qué encanto!

(Se miran. Manolo descubre la pala contra la pared, la

coloca bajo el traste de Toni y lo levanta fácilmente, depositándolo sobre una silla. En este traslado, la ayuda de Toni es evidente. Toni y Brigita María no han cesado de mirarse, encandilados)

Manolo (dobla el brazo, observándose los biceps): ¡Qué fuerza! *(Ve que los otros se miran)* Brigita María, ¿a quién mirás así? ¡Mirame a mí!

Brigita María (mirando a Toni): Te miro.

Manolo: ¡A mí! Toni, ¡asustala!

Toni: No, amo.

Manolo: ¡Te lo ordeno! Pero no la toqués.

Toni (alza los brazos y avanza, caminando rígidamente hacia Brigita María. Lanza un sonido horroroso. Brigita María grita. Toni bajas las manos, se detiene. Dulcemente): ¿Qué te pasa?

Brigita María (ídem): Me asustaste.

Manolo (furioso): ¡Ah, no! ¡Le corto el circuito! *(Se dirige al tablero, con decisión; empuja la palanca que está, como siempre, atrancada. La palanca cede. Se produce una explosión y Manolo cae al suelo, fulminado)*

Brigita María (dulcemente, mirando a Toni): Manolo.

Escena 4

La misma habitación. En escena, Toni, que está pasándose un algodón por la mejilla pintada. Golpean y se oye la voz de Brigita María que grita con urgencia –¡Abrí Toni!– Al escuchar la voz, Toni sonríe con alegría. Se acuerda de sus dientes y cierra la boca. Con más soltura, toma su aro con llaves debajo del colchón de la cama y se dirige a abrir. En la puerta, aparece Brigita María. Lleva una peluca enorme, renegrida, con un peinado alto, lleno de rulos, y anteojos negros.

Toni (sin reconocerla): ¿Señora?
Brigita María (entra en el cuarto): Soy Brigita María. *(Rápidamente, se saca la peluca y los anteojos negros y esconde todo debajo del colchón)*
Tony: No te conocía.
Brigita María: Acostate.
Toni (se le abren los ojos): ¡Sí! *(Se tira de una sola pieza sobre la cama)*
Brigita María: Estás enfermo.
Toni: ¡No!
Brigita María: No contestés. Te duele la cabeza, estás grave. *(Lo tapa con la frazada. Nerviosa, espía por la ventana)* Van a venir unos señores y les decís que te cuidé toda la noche.
Toni (decepcionado): Es mentira. Dormí con el amo.
Brigita María: Vos decís eso lo mismo. No te equivoqués. Si te ven moribundo, por ahí tengo suerte y los engaño. *(Se pone el guardapolvo gris de Manolo)*
Toni: ¿Moribundo yo? ¡No!
Brigita María (se hunde la gorra de Manolo en la cabeza, corre hacia la ventana): ¿Qué tenés que decir? Repetí: me cuidó toda la noche.
Toni: ¿Qué hacés? Te queda feo.
Brigita María (mirando hacia afuera): ¡Repetí! Me cuidó toda la noche.
Toni (alusivo): ¿Cuándo me vas a cuidar toda la noche?
Brigita María (muy nerviosa): ¡No! ¡Me cuidó! No me moví de acá. ¡Toni, Toni! *(Como Toni hace un movimiento para levantarse)* Quedate acostado, ¡no seas imbécil! *(Mira hacia afuera asustada. Toni lanza un carraspeo ultrajado. Brigita María mira un momento más, en suspenso, luego, incrédula)* Se van. Perdieron la pista. ¡Se van, Toni! *(Ríe, nerviosa. Se quita la gorra y la arroja por el aire)* ¡Oh, qué susto! ¡Me late el corazón! *(Lo mira, Toni tiene cara de enojado)* ¿Qué tenés? Levantate.
Toni (muy ofendido): Me dijiste imbécil.

Brigita María: Me asusté.
Toni (señala el guardapolvo): ¿Qué querían? Sacate eso. Parecés el amo. ¿Qué querían?
Brigita María: Nada. *(Se saca el guardapolvo)* Me buscaban.
Toni: Sos linda.
Brigita María (ríe): No por eso. *(Cuelga el guardapolvo y la gorra. Los mira)* ¡Qué mugre! *(Mira a su alrededor)* ¿No limpian nunca? *(Saca un delantal del cajón de la mesa y se lo anuda en la cintura. Comienza a rasquetear el piso. Toni vuelve a pasarse el algodón por la mejilla que, poco a poco, va quedando blanca. Brigita María)* Estás dejando el piso a la miseria. ¿Manolo?
Toni: Salió.
Brigita María: Claro, a la mañana trabaja.
Toni (avisándole): A la tarde, sale también. Estoy solo.
Brigita María (con decisión): Entonces, no tengo que venir ni a la mañana ni a la tarde.
Toni: ¿Por qué?
Brigita María: Que se quede en casa. Se mete en líos. Como yo.
Toni: Se preocupa.
Brigita María: Pero también se puede preocupar por vos, ¿no?
Toni: ¡Sí! ¡Gracias! *(Sonríe. Brigita María traga y mira hacia otro lado. Toni borra la sonrisa precipitadamente)* Me explicó la situación. Pero yo no entiendo nada.
Brigita María (muy suelta, rasqueteando): Es fácil. Hay gente de un lado y... gente de otro.
Toni (muy atento): Sí.
Brigita María: ¡Y todos se molestan!
Toni: ¿Por qué?
Brigita María: ¿Qué sé yo por qué? Unos tienen que reventar...
Toni: ¿Les gusta?
Brigita María: ¿Sos tonto? Tiene que reventar para que los otros engorden, se sientan felices.
Toni (muy desilusionado): No entiendo.
Brigita María (lo mira, se ablanda): Si sos recién nacido, ¿cómo vas a entender? *(Toni la mira, se olvida de refre-*

garse la cara. Suspira. Contempla a Brigita María con una sonrisa embelesada. Brigita María ve la sonrisa. Al borde de sus fuerzas) ¡Ay, no, no la aguanto! *(Toni se incorpora y se acerca a la ventana. Mira hacia afuera. Brigita María toma una escoba y se acerca)* ¿Qué mirás?

Toni: Las nubes.

Brigita María: ¿Para qué?

Toni: Está todo nublado. Me lleno de tristeza. Si estoy contento, se me abre la boca.

Brigita María: Cepillate los dientes. *(Una pausa)* ¿Qué te pasó allí? *(Le toca el moño)*

Toni: Hilo de nylon. Me cosió con hilo de nylon. Me dijo que se reabsorbía. Pero minga. No me lo puedo arrancar.

Brigita María (le acaricia la cabeza. Toni pierde el aliento, lanza un sonido gutural, se oye, aumentado, el sonido del corazón de Toni: "¡pam-pam-pam-tan!" Brigita María sonríe): Yo no sé arreglarte. No te descompongas *(Le pone la mano sobre el pecho. El corazón de Toni sufre un sobresalto, se detiene y luego arranca, el sonido aumentado)* ¿Por qué estás tan serio? Reíte un poco.

Toni (con precaución): Ja, ja.

Brigita María (se abraza a la escoba y salta hacia la puerta) No, mejor no te rías. *(Toni se cubre los dientes con la mano, la mira, los ojos para afuera. Brigita María, apenada)* ¡Qué solo debés estar!

Toni (ingenuo): ¿Solo? No se me había ocurrido. Está el amo.

Brigita María (muy segura): No importa. Estás solo.

Toni: Quedate vos. Me gustaría cambiar. Dormir con vos, si fuera posible en la misma cama.

Brigita María: ¿Qué?

Toni: Desnudate.

Brigita María: ¿A mí me decís?

Toni: Sí. El amo es todo peludo. No me gusta.

Brigita María: ¡Estás loco! Impertinencias, no.

Toni: No son impertinencias. Es para ver cómo te hizo.

Brigita María: ¿Quién?

Toni: El amo. Y él te ve siempre desnuda. ¿Para qué? Si ya sabe cómo sos.

Brigita María: ¡Inmundo!

Toni (entiende mal): Sí, inmundo. *(Una pausa)* Desnudate como el otro día. Estabas acostada con el amo. Y él debía verte doble con esos anteojos.

Brigita María (indignada): ¡Ah, no! ¡Me voy! *(Abre la puerta. Cambia de idea. Se vuelve)* ¿Sabés lo que estás diciendo? *(Toni mueve tristemente la cabeza)* No, no podés saberlo. *(Dulcemente, con deliberación, Toni se desliza hacia el suelo. Brigita María lo mira. Ríe)* ¡Qué tonto! Ni sabés caminar. *(Se acerca, le tiende la mano)* Levantate.

Toni (le da la mano, pero empuja hacia él. Blandamente, Brigita María se deja caer a su lado. Toni, tiernamente) Tenés unas manchas del hígado. *(Le toca la cara con el dedo)*

Brigita María: Son pecas. *(Una pausa)* No sé porqué me gustás. Sos horrible. Pero tenés ojos tan lindos. ¿De quién son?

Toni: Míos.

Brigita María: Claro, ahora son tuyos. ¿Pero antes? *(Toni se encoge de hombros. Suenan unas bisagras. Brigita María mira hacia la ventana)* ¡Qué ruido! Todo rechina en esta casa.

Toni (para sí): ¡Qué despistada! *(Le acaricia la cara con la punta del dedo)* ¡Linda!

Brigita María (mira a Toni. Lleva la mano al escote, siempre mirando a Toni, y comienza a desabrocharse la blusa. Toni está sin aliento, inmóvil. En un momento dado, Brigita María se abotona nuevamente): Otra vez. Otra vez será.

Toni (dificultosamente): Brigita María... te... te quiero... *(Brigita María se levanta de un salto, demudada, y escapa hacia la puerta. Desaparece con un portazo. Toni se incorpora con facilidad y se sienta en la silla. La puerta vuelve a abrirse. Aparece Brigita María. Toni le tiende los brazos)* ¡Brigita María!

Brigita María: ¡Toni! *(Avanza hacia él, se detiene de golpe, se desata el delantal y se lo arroja hecho un bollo. Luego, precipitadamente, da media vuelta y escapa)*

Toni: ¡Qué gaffe! ¿Por qué me senté? *(Recoge el delantal, lo huele)* Tiene olor a grasa. *(Vuelve a olerlo)* ¡Cómo apesta! *(Hunde con placer la cara en el delantal, luego lo extiende con cuidado sobre el piso. Se queda mirando el delantal, extático. Se sienta, cierra los ojos, lo huele respirando profundamente)*

(Entra Manolo)

Manolo: ¡Qué tufo hay en esta pieza! *(Respira con asco)* ¡Aire, ventilación! Te vas a cocinar en tus olores. ¡Asqueroso! *(Abre de par en par la ventana. Aparta el delantal de un puntapié. Se acerca a Toni que mira, abstraído, un punto en el aire, le pasa las manos delante de los ojos. Con sorpresa)* Toni, ¡bestia! ¿Estás ciego?

Escena 5

En escena, Toni, Manolo y Brigita María. Toni se pasa una lija por los zapatos, cuyas suelas están bastante disminuidas. Se está dejando crecer la barba y las cerdas del pelo comienzan a caerle para atrás. Brigita María sostiene un mísero ramo de flores en la mano y las va deshojando con aire lelo, mirando a Toni.

Manolo (autoritario): ¿Dispuestos? ¡Toni, dejá las suelas tranquilas!

Toni: Sí, amo.

Brigita María (dispone los tallos pelados en un vaso sobre la mesa, saca un papel del bolsillo y se lo tiende a Manolo): Acá está la lista, Manolo.

Manolo: Llamame general. *(Autoritario)* Monedas para el teléfono.

Brigita María: ¿Para qué?

Manolo: Dije "monedas". *(Brigita María abre su cartera y le entrega unas monedas. Manolo se las guarda en el bolsillo. Se acerca al teléfono. Brigita María y Toni están a su lado, expectantes. Manolo, con aire concentrado, marca un número de la lista)* ¿Hola? ¿La señora Piedrabuena? ¿No está? *(A los otros)* No está. *(Por teléfono)* ¿La hija? ¿Es joven? *(Escucha, complacido)* ¡Ah, muy bien! *(A los otros)* Es joven. *(Por teléfono)* ¿Usted no me conoce? Me conoce todo el mundo.

Brigita María (inquieta): Manolo, ¿qué hacés?

Toni (le tira del saco): Amo.

Manolo: No joroben. *(Por teléfono)* Me llamo Manolo. Encantado.

Brigita María: Callate.

Manolo: ¿Cómo callate? *(Por teléfono)* No. A usted, no. Podríamos encontrarnos. Soy joven, alto, altísimo, bien parecido. Vivo cerca, en... *(Brigita María le corta la comunicación. Manolo, furioso)* ¡Era una muchacha! ¡Me arruinaste el programa! ¡Celosa!

Brigita María: Pero Manolo, ¿estás loco?

Manolo: Mando yo. Silencio. Llamo a otro número. Nadie me interrumpa. *(Al ver que Toni intenta arrancarse el moño)* ¡Toni, dejá de manosearte ese moño!

Manolo (se arrima la lista a los ojos, marca otro número): ¿La señora Ramírez? Su hijo ha muerto, señora. ¡Subordinación y valor! *(Del otro lado del tubo se escucha un alarido desgarrador y luego, el ruido de un cuerpo que se desploma. Manolo, contento)* ¿Escucharon? Se desmayó. Debía pesar una tonelada al menos. *(Cuelga. Se sienta. Exánime)* Algo fuerte. *(Toni le sirve una ginebra. Manolo bebe. Lo apantallan con un diario)*

Toni: ¡Qué emoción!
Manolo (exánime): ¿De qué? *(Se agarra del vestido de Brigita María)*
Brigita María (triste): Calmate, Manolo.
Manolo (furioso): ¡No me des consejos! *(Brigita María suelta con esfuerzo los dedos agarrotados en su vestido, le seca la frente)* Basta, basta... ¿Quién creen que soy? *(Toma otra ginebra, se acerca el papel a los ojos, marca otro número)* Señora, su hijo ha muerto. ¡Viva la patria! *(Se oye otro alarido. Manolo cuelga. Destrozado)* ¡Cómo gritan!
Brigita María (trastornada): Voy a lavarme la cara.
Manolo: ¡No rajés! ¡La tenés limpia!
Brigita María: Voy a... *(Desaparece en el baño)*
Manolo (con desprecio): ¡Mujeres! *(A Toni)* ¿Viste? No sirven para nada. Llamá vos.
Toni: No puedo, amo...
Manolo (lo observa, despreciativo y satisfecho): Me lo imaginaba... Mucha altura, pero... Sólo yo, el científico, soy capaz de valor, de crueldad...
Toni: Sí, amo.
Manolo (marca otro número sin leer en la lista): Sólo yo soy un hijo de puta...
Toni: No, amo.
Manolo: ¡Sí! *(Furioso, por teléfono)* ¿Hola? Su hijo Manuel ha muerto. *(Sorprendido)* ¡Manuel, se llama como yo! *(Por teléfono)* ¡Sí, sí, estudia veterinaria! Le tiraron una bomba molotov en el coche. ¿Que no tiene coche? ¡Que se joda! ¡Es cierto! ¡Cállese, no me conteste! Era su sargento, lo sé. Murió carbonizado. ¡No me discuta! ¡Idiota! No, perdóneme. Grite. Alivia. *(Se oye un alarido tremendo. Manolo cuelga)* ¡Por fin! ¡Qué rebelde! *(Busca con los ojos a Brigita María)* ¿Dónde se metió? Que me haga viento.
Toni (se dirige hacia el baño y golpea): Brigita María, ¿qué hacés? Salí.

Brigita María (sale del baño. Mira a Toni): Me pesa.

Toni (le toca la cara debajo de los ojos, suavemente): No te apenes.

Brigita María: ¿Cómo no?

Manolo (temblando): ¡Basta de... char... charla! ¡Qué equipo! *(A Brigita María)* Vení, apantallame. *(Marca otro número de la lista)* Señora, su hijo ha muerto. No me pregunte. No sé cómo. Mañana le entregaremos el cadáver. Está irreconocible. Lo cosieron a balazos. *(Se conmueve)* Era... un buen soldado. Excelente. Mejores notas no podía tener, matemática, castellano, todo... Excelente. Hubiera llegado a teniente, a general, a almirante... *(Tiembla)* Un piola. Tenía... la carrera... del porvenir en sus manos... *(Un silencio. Se escucha otro alarido del otro lado del hilo. Manolo, con el tubo en la mano, alelado)* ¡Cómo gritan! ¡Cuánto... dolor! *(Toni, con suavidad, le corta la comunicación, deposita el tubo. Manolo, intentando reanimarse)* ¿Por qué harán tanto aspaviento? *(Ante el rostro demudado de Brigita María)* Brigita María, no te emociones. Es la guerra.

Brigita María: Sufren.

Toni (le pone la mano sobre el hombro): Pero, después, ¡qué alegría!

Manolo (le aparta la mano): No hace falta que la toques. Estás reconstituido, pero nunca se sabe. *(Muy nervioso)* Sigamos. *(Marca otro número)* ¿La señora Speroni? Su hijo ha muerto, señora. Esta mañana. Hicimos lo imposible por salvarlo. Se desangró, herido de bala en un tobillo. Una lástima. Consuélese. ¡Hola! ¡Conteste, señora! *(A los otros, desconcertado)* ¡No dice nada! *(Con suavidad, por el tubo)* ¿Señora?

Brigita María: ¡Decile que es mentira! Que esta vez, es mentira.

Manolo (furioso): ¡Mierda! ¡Tenés flaca memoria! ¿Y los otros? ¡Esto está lleno de muertos!

Brigita María: Por eso mismo, Manolo. No agregués más.

Manolo: ¡Sí! ¿Qué importa? Si yo hablara en la calle, así, desarmado como estoy, *(alza los brazos)* ¿cuánto duraría? ¡Estos son falsos, fiambres falsos!

Brigita María: ¡Pero pesan como ciertos, Manolo!

Manolo: ¡Mejor! Si no, ¿qué sentido tendría este corso? *(Sacude el tubo)* ¡Y usted hable, señora! ¡Grite! ¡Se lo ordeno! ¿Entiende? ¡Muerto y bien muerto! ¡No se haga la zorra! ¡Me angustia! Conteste. Por favor... no es para tanto... Algún día debía morir... *(Brigita María aplasta la cabeza contra la mesa, llorando)* No llorés. No es tu hijo. *(Por teléfono)* Señora... por favor... Téngame respeto. Soy el almirante, el comandante, el... *(Toni se acerca a Brigita María, le acaricia el pelo, luego va hacia la ventana. Manolo, trastornado)* Señora... es mejor así. Le ahorra la vejez, toda la porquería que es la vejez... Señora... Por favor... Muerto...

Toni (se vuelve. Suavemente): Colgá, Manolo.

Manolo (cuelga): La maté.

Toni (mira por la ventana): Ya empieza la hecatombe. *(Se escucha el rumor de una multitud en la calle, gritos de dolor, frenadas de autos, silbatos)* ¿Para qué sirve, amo?

Manolo: Los muchachos... aprovechan. Agarro... agarro la pintura y... escribo, escribo en las paredes.

Toni: Yo también, amo.

Manolo: Vos quedate acá.

Toni: No, amo.

Brigita María (levanta la cabeza): ¿Para qué sirve, Manolo?

Manolo (desatinado): Vamos... vamos a gritar fuerte. Vamos... a escribir... sabemos... escribir, ¿por qué tenemos que estar mudos? ¿Por qué tenemos que estar mudos? *(Grita, en dirección a Brigita María)* ¡No llorés! ¡Los otros están bien muertos, idiota!

Brigita María: ¿Y esto para qué sirve, Manolo?

Manolo (en la puerta, desesperado): ¡Para nada! ¡Para joder! *(Brigita María deja caer otra vez la cabeza, llorando)*

Escena 6

La misma habitación. En escena, Toni y Brigita María. Toni tiene una gran barba y melena. Los zapatos son casi normales, como los dientes. Brigita María está sentada en sus rodillas. La barba de Toni le cubre el rostro y ella, de vez en cuando, la aparta para respirar. Sostiene un ramo de flores en la mano que deshoja a tientas.

Brigita María (ríe, muy tonta): Me hacés cosquillas. *(De pronto, cesa de reír, preocupada)* ¿Qué le diremos a Manolo?

Toni: Todo.

Brigita María: Se pondrá como loco.

Toni (tranquilo): ¿Y qué más?

Brigita María: ¿Cómo qué más?

Toni: Qué más se pondrá. Ya está loco como una cabra. No te preocupés. Le regalamos un libro.

Brigita María: Tengo remordimientos.

Toni: ¿Qué es?

Brigita María: Un peso, un escozor. A veces pienso y me falta el aire.

Toni: ¿Esos son remordimientos?

Brigita María: No entendés nada. *(Lo besa en la mejilla, apartando la barba)* Sos limpio de nacimiento. *(Le abre la camisa, lo acaricia)*

Toni (duro): No me toqués.

Brigita María: ¿Por qué?

Toni: Me gusta. *(Brigita María ríe y se aplasta más contra Toni. De pronto, éste lanza un alarido de susto)* ¡Ay! *(Se levanta bruscamente, sin pensar en Brigita María que queda enredada en la barba)* ¡Ay! ¡Quedate quieta!

Brigita María (manoteando): ¡Me asfixio! ¿Por qué te levantaste así? ¿De qué te asustaste?

Toni: ¡Me estás sacando la piel! Soltame.

Brigita María: No puedo. ¡Cuántos pelos! ¿Para qué te dejaste tanta barba?

Toni: Es lindo tener abundante todo lo que sea de uno, ¿no? Quedate quieta. Me despellejás.

Brigita María: ¡Y yo me asfixio!

Toni: Esperá. *(Caminando juntos, Brigita María a tientas, Toni busca una tijera sobre la mesa, corta su barba y la deja libre)*

Brigita María (lo mira, rompe a reír) ¡Qué cara! Quedaste todo desparejo. ¿Qué te pasó?

Toni: Me tocabas y...

Brigita María: ¿Y?

Toni (inquieto): Algo me creció.

Brigita María: ¿Dónde?

Toni (rehuye la mirada. Se mira el cuerpo): En... *(Incómodo)* Me creció.

Brigita María (ríe, pregunta, aunque lo sabe bien): ¿Qué?

Toni: No sé.

Brigita María: ¿Cómo no sabés? ¿Qué?

Toni: No sé. Voy a preguntarle al amo. *(Revuelve los libros)* Quizás acá diga algo.

Brigita María (sonríe, lo toma de la mano): Vení, no es nada. Miremos las nubes.

Toni (sonríe): Me gusta. *(Toma una silla y la acerca a la ventana. Brigita María se sienta nuevamente en sus rodillas, pero Toni cuida de mantenerla apartada)* Hay de todos los colores. Hoy son blancas, mañana grises. *(Brigita María bosteza y se duerme. Toni la rodea con su brazo)* Tienen linda pinta las nubes. A veces pesan como una piedra y... *(Brigita María respira fuertemente. Toni)* ¡Qué pólipos!

(Entra Manolo de la calle)

Manolo: ¿Toni? ¿Qué hacés ahí, en la penumbra? *(Enciende la luz)*

Brigita María (despierta y salta de las rodillas de Toni): ¡Manolo!

Manolo (feliz): Brigita María, ¡qué sorpresa! Hubiera venido antes.
Toni: No, amo, ¿para qué?
Manolo (sin escucharlo): ¡Qué lástima!
Toni: Ninguna lástima, amo. Estábamos bien.
Manolo (furioso): Callate. ¿Quién te dio vela en este entierro?
Brigita María (con súplica): Manolo.
Manolo (con voz deshecha): ¿Qué, mi vida?
Toni (admirado): ¡Cómo se cambia el trato de una persona a otra!
(Brigita María, azorada, se acerca a Manolo y lo besa en la mejilla)
Manolo (dulcemente): ¿Cómo te va? Me tenías abandonado. ¿Qué te hice?
Brigita María: Nada, Manolo.
Manolo: ¿Estás enojada?
Brigita María: No.
Manolo: Desapareciste.
Brigita María: Quería... descansar un poco.
Manolo: No se puede.
Brigita María: Me agarraron del pelo.
Manolo: ¿A vos? Y yo, ¿dónde estaba? ¡Seguro en casa, con este idiota!
Toni (ofendido): ¡Amo!
Brigita María: No le digas idiota.
Manolo: ¿Por qué? Le digo cualquier cosa, que se aguante. ¡Tenés que estar siempre conmigo! No sabés correr. Vienen y te quedás papando moscas. *(Le acaricia la cara)* ¿Te asustaste?
Brigita María (ríe, mintiendo): No.
Manolo: Si te hacen algo, ¡los mato! *(La acaricia, dulcemente)* Brigita María...
Toni: ¿Por qué te desarmás, amo?
Manolo (mirando a Brigita María, dulcemente): ¿Quién se desarma? Brigita María, ¿querés? Hace tanto...
Brigita María: No, Manolo.

Manolo: Sí, Brigita María, ¿querés?
Toni: ¿Qué?
Brigita María: Está Toni.
Manolo (muy suelto): Lo duermo.
Toni: ¿Para qué, amo?
Manolo (sin mirarlo): Dormite, Toni.
Toni: No, señor, no me duermo.
Manolo (autoritario): ¡Dormite, Toni! *(Toni lanza un gran bostezo que parece un rugido. Se sienta en la cama. Manolo)* ¡No te acostés en la cama! La necesito. Usá el colchón.
Toni (somnoliento): Amo, no tengo ganas de dormir. Estoy espabilado. A la noche, sufro de insomnio. *(Se levanta de la cama, se le cierran los ojos)*
Manolo (ruge): ¡Dormite! ¡Contá ovejas!
Toni (bosteza): ¿Por qué no puedo... estar... despierto...? Ver...
Manolo (feroz): ¡Duerme veinticuatro horas, Toni! ¡Veinticuatro horas! *(Toni se desploma rígidamente sobre la cama. Manolo)* ¡Qué obcecado! *(A Brigita María)* Vení.
Brigita María (aterrorizada): No, no, con él acá, no.
Manolo: Lo sacamos afuera. *(Lo toma de los pies y lo arrastra. Transpira)* ¡Cómo pesa! Otra vez hago un enano.
(Lo lleva fuera del cuarto, cierra la puerta, mira feliz a Brigita María. Esta traga en seco, recoge una almohada y una manta de la cama y la lleva afuera. Manolo se frota las manos, recoge los pétalos machucados del suelo y los arroja sobre la cama, contento. Entra Brigita María. Se detiene al lado de la puerta)
(Breve oscuridad)

(Brigita María y Manolo están acostados en la cama. Manolo duerme, en calzoncillos, con los brazos sobre Brigita María que está sentada, mirando el vacío. Se abre la puerta y entra Toni, sus pasos son mucho más silenciosos. Brigita María vuelve la cabeza, lo ve y se lleva la sábana hasta la barbilla)

Toni (apenado): Brigita María.
Brigita María (ídem): Toni.
Manolo (entre sueños): ¿Quién es? *(Se mueve, abre unos ojos ciegos)*
Toni: Nadie, amo. Duerme, amo, duerme. *(Manolo se vuelve, cierra los ojos y ronca. Toni se sienta al lado de Brigita María. La mira. Toni)* Me siento apenado y no sé por qué. Como si me hubiera pasado una desgracia. ¿Qué me pasó, Brigita María?
Brigita María: Nada, Toni *(Una pausa)* Dormiste un rato. Te despertaste pronto.
Toni: ¿Quién te agarró del pelo? ¿Otro hombre?
Brigita María: Sí, era un hombre.
Toni: ¿Y quién era? ¿Te quería?
Brigita María (sonríe): No. Me tiró contra la pared.
Toni: ¿Y por qué?
Brigita María: Quería... silencio. Les gusta el silencio.
Toni: Y... el silencio es lindo. Yo me callo. *(Una pausa. La mira)* ¿Me entendiste?
Brigita María: Sí.
Toni: ¿Viste?
Brigita María: Pero ahora hablás. Te pertenece el silencio. No me ocultás nada.
Toni: ¿Te gusta más el amo, Brigita María?
Brigita María: No, Toni. *(Se acerca y lo besa en la mejilla)*
Toni (sonríe, más feliz. Mira a Manolo, dormido): Está cómodo. *(Bruscamente)* ¿Por qué machucabas tanto las flores?
Brigita María: Las deshojaba. Para saber.
Toni: Yo, ya sé. Perdoname. Tardé mucho. *(La abraza. Mira el lugar de Manolo en la cama. Pasa del lado de Manolo, que tiende los brazos buscando el cuerpo de Brigita María. Toni le pone la almohada entre los brazos. Manolo la aprieta, mascullando entre sueños. Toni)* Duerme, amo, duerme. *(Alza a Manolo y se encamina al baño)*
Manolo (dormido, besa a Toni en la mejilla. Divertido) ¡Pica!

Escena 7

La misma habitación. Toni está de pie, frente al espejo cascado que ha colgado de la pared. Se tira del moño de la cabeza. Empuña unas tijeras. Sus zapatos son ya unos viejos zapatos rotosos.

Toni (dudando): ¿Me lo corto? *(Acerca las tijeras al moño)* ¿Y si me desangro? ¡Qué duda atroz! *(Se acerca a la ventana, mira hacia afuera, grita)* ¡Amo! ¿Dónde se metió este infeliz? ¡Qué hambre! Esta casa es un páramo. ¡Qué miseria! *(Se sirve una ginebra y bebe. Va a servirse otra, recapacita)* No, tengo la bebida triste. Me pongo melancólico. *(Hipa. Marca un número en el teléfono)* ¿Está Brigita María? ¿No la conoce? Vive por ahí. ¿No puede ir a buscarla? ¿Y por qué no? ¿Tiene el almacén lleno? Llámela, estoy solo. *(Le cortan)* ¡Qué gente! Un páramo. *(Se sirve otra ginebra)* Hubiéramos podido aprovechar la ausencia del amo. Nos casaremos, tendremos hijos. ¿Y Manolo? Podría ser nuestro hijo. *(Piensa)* No, no creo que le guste. Voy a dormir por mi cuenta. *(Saca su colchón debajo de la cama. Se acuesta. Imita la voz de Manolo)* Dormite, Toni. Digo, duerme. *(Cierra fuertemente los ojos. Simula un ronquido. Abre los ojos)* Imposible, me queda la costumbre. *(Se levanta y se sienta en una silla, la botella al lado. Lucha con su deseo de servirse otra copa, finalmente, tiende la mano y aferra la botella. Golpean violentamente en la puerta)* ¡Aquí está! ¿Quién es?

Voz de Manolo (muy angustiada): ¡Toni, Toni!

Toni (se acerca a la puerta): Abrí, amo.

(Se oye el ruido de una llave que no emboca en la cerradura)

Voz de Manolo: ¡Toni!

Toni (saca su aro con llaves debajo del colchón, las mira): ¿Me delato? *(Manolo patea la puerta. Toni)* Que sea lo que Dios quiera. *(Abre. Entra Manolo. Está irreconocible, sucio de barro, con la barba crecida. Toni, con reconvención)* ¡Amo! *(Manolo lo aparta y entra en la pieza, caminando a empujones, como borracho o dormido. Al llegar al centro de la pieza, se pierde, da dos vueltas como un perro buscándose la cola, y luego se dirige ciegamente hacia la cama y se desploma, sentado. Toni mira sus llaves, las agita en el aire)* ¡Tengo llaves de todo tipo! Una colección. ¡No rezongués! *(Manolo ni las mira. Toni, para sí)* ¿Qué le pasa? *(Se acerca a Manolo, lo contempla. Se indigna)* ¡Ah, muy bien! ¡Ni ves las llaves! ¡Lindo ejemplo! Después de dos días, ¡borracho! ¡Estoy sin comer! ¡Linda forma de cuidar a los hijos! ¡Prostituto! ¿A ver el aliento? *(Le abre la boca y huele. Se aparta)* ¡Qué spuzza! ¿Qué comiste? ¿Cadáveres? *(Una pausa)* Dame un poco. *(Manolo saca un pan del bolsillo y se lo tiende. Toni lo corta por la mitad y le da un trozo a Manolo. Este muerde el pan y mastica como si fuera de goma, mirando al vacío. En un momento dado, lo escupe encima de Toni, que se aparta de un salto. Manolo se echa a llorar. Toni, preocupado)* ¡Amo, amo! ¿Qué te pasa? *(Le enjuga el rostro con la sábana, le saca los zapatos)* Esperá, te hago un té. *(Toma una lata, la da vuelta)* El vacío absoluto. Me mareo. *(Pone ginebra en una taza, azúcar, revuelve el contenido y se lo hace beber a Manolo, que traga ansiosamente)* Amo, ¿qué te pasa?
Manolo (dificultosamente): Bri... Bri...
Toni (paciente): Brigita María.
Manolo: Bri... Bri... Brigita María...
Toni: ¡Encanto!
Manolo: Le... le...
Toni (preocupado): ¡Acá hay un error de programación!
Manolo: Le... le...
Toni: Sí, después me contás. Tomá... tomá un trago. *(Le*

tiende la taza. Manolo hipa. Toni se aparta) No me lo tirés encima.

Manolo: Se... se...

Toni (mundano, para ayudarlo): Se metió en un lío. La política es la perdición del mundo. Unos opinan y otros no. ¡Hay que aceptarlo, amo!

Manolo: Callate, Toni.

Toni: Decía... para animarte.

Manolo: Le... le pegaron un tiro.

Toni (sorprendido y mundano): ¿A Brigita María? ¿Dónde? *(Temblorosa y torpemente, Manolo se lleva la mano hacia un ojo)* ¡Bizca!

Manolo (corrige a su pesar): Tuerta.

Toni: ¡Perdida para la belleza! ¡Qué macana! No me la imagino. *(Se cubre un ojo con la mano)* ¿Así? Pero tiene las pecas, y las piernas y... ¿Dónde está? *(Manolo señala hacia abajo. Toni sigue la dirección de la mano)* ¿En el piso?

Manolo: Se armó una trifulca y... y...

Toni: La ligó, como quien dice. Vamos a verla. *(Manolo sigue señalando el piso. Toni le alza la mano y se la coloca sobre la cama)* ¿Dónde está?

Manolo: Enterrada.

Toni: ¿Qué decís?

Manolo: Ente...rrada.

Toni: ¿Ya? ¿Tan rápido? ¡No puede ser, amo! *(Manolo asiente con un temblequeo de cabeza)* ¿No la velaron? ¿No le pusieron... flores? *(Manolo llora. Con cuidado, Toni deposita el pan sobre la mesa, escupe en la mano un bocado que tenía en la boca y lo arroja al suelo, se limpia lentamente en el pantalón. Mira a Manolo. Con desesperada compasión)* Amo... amito... no llorés... ¿Te hago unos mates? No hay yerba. ¡Reconstituila! Podés hacerla sin granos en la cara, sin pecas, con unas buenas piernas, gordas. Amo, ¡es la gran ocasión! ¡Le sacás los pólipos! *(Manolo arrecia el llanto. Toni toma la sábana y le seca la cara. Manolo lo aparta y oculta el rostro con las manos. Toni le acerca la mano a la cabeza pero no lo toca. De pronto, todo el pesar le sube a la cara. Se vuelve, se acerca a la ventana y mira hacia afuera)*

Segundo acto

Escena 8

La misma habitación. Toni golpea con una cuchara en un plato de lata, buscando a alguien.

Toni (con animación forzada): ¿Dónde está? ¿Dónde se metió? ¡Venga para acá! ¡Qué linda comida! ¡Qué rico olor! *(Mira debajo de la cama, busca por los rincones)* ¿Dónde está? *(Como si llamara a un perro)* ¿Se fue, se fue, el chiquito? ¿Escapó a la calle? ¡Venga...! Tch, tch... *(Desalentado, se sienta sobre la cama. Se escucha un estertor y se ve una mano que cae laxa fuera de la cama. Toni se incorpora de un salto)* ¡Amito! *(Levanta el colchón. Manolo está escondido allí, en camiseta, encogido, respirando dificultosamente, semi-asfixiado. Toni lo levanta en brazos, lo acuna. Manolo llora, tiene el aspecto de haber llorado durante días. Toni, con ternura)* Amito, no llorés. No te desesperés, amito. Ella... ella... te ve desde el cielo.

Manolo (entre sollozos): ¡Minga!

Toni (sienta a Manolo en la cama, toma un vaso de leche sobre la mesa y se lo tiende): Tomá un poco de leche.

(Manolo permanece como si no viera el vaso. Toni se lo acerca a la boca. La leche cae por la barbilla de Manolo. Toni deja el vaso en el suelo. Luego le limpia la cara, le aparta la camiseta y le seca el pecho. Busca los anteojos de Manolo debajo del colchón, se los coloca. Luego le abre un libro sobre las rodillas. Manolo sigue llorando, mirando el vacío. Toni, mostrándole el libro) Está lleno de cagadas de cucarachas. No respetan nada. Se envalentonan. Andá a matarlas, andá. *(Busca el martillo, cierra los dedos de Manolo alrededor del mango. Manolo lo deja caer. Desalentado, Toni le saca el libro de las rodillas, los anteojos. Con falsa animación)* Vamos a charlar. ¿De qué podemos hablar? Si querés, te hablo de nubes. Sé mucho. *(Lo mira)* No. *(Bruscamente)* ¡Terminala, amo! ¡Le gente muere a montones! ¿Por qué tanto escombro? Brigita María no era linda. Vulgar. ¡Muy vulgar! *(Penosamente)* Fulera, falsa, llena de remordimientos. *(Furioso)* ¡Y con pólipos! Se acostaba conmigo. *(Manolo lo mira. Toni, arrepentido)* No. Digo... No llorés. Mujeres como ella hay hasta en la sopa. ¿Te gustaría un poco de... sopa... caliente? *(Manolo llora)* ¡Vamos a alegrarnos! Compro ginebra, invitamos a chicas, hacemos una orgía, ¿querés? No, estamos de luto. ¿Te cuento un cuento? Había una vez... Una chica... *(Abstraído)* La ligó... ¡Dios mío, que falta de repertorio! *(Tratando de animarse)* La pollera demasiado corta, las rodillas como tomates... No hay por qué lamentarlo tanto... ¡Realmente! Ciento cincuenta millones murieron en la guerra, ¿te imaginás cuántas pibas? Y mejores que ésta, seguro, vírgenes, con las piernas más largas y todo mejor, europeo... *(Se entristece)* Los ojos eran lindos, lo único... Y las pecas... hasta los pólipos... Tenía un lugar adentro, lleno de sonrisas, de palabras buenas, de... *(Se le quiebra la voz. Se sienta en el suelo, cerca de Manolo)*

Manolo (lo mira. Después de un momento, se inclina hacia Toni, le pone suavemente la mano en el hombro. Trata de levantarlo, sujetándolo por la ropa): Levantate. ¿Qué hacés en el suelo? Sentate aquí.

(Toni se sienta a su lado, en la cama. Se quedan mudos e inmóviles, hombro contra hombro, inclinados hacia el suelo. Suena un golpe en la puerta. Toni se incorpora y se encamina a abrir. Manolo parece despertar, mira hacia la puerta, se levanta, encogido y lloroso, y corre hacia el baño. A mitad de camino, se vuelve y recoge la sábana que se lleva al baño, arrastrándola por el suelo y enjugándose los ojos con un extremo. Cierra la puerta del baño. Mientras tanto, Toni ha abierto al puerta. Ve algo que lo impulsa a lanzar un alarido de espanto y a cerrarla nuevamente)

Toni (hacia el lugar que ocupaba Manolo): ¿Viste? *(Abre la puerta con precaución. Se escucha un grito idéntico de espanto; de mujer esta vez. Toni, hacia afuera)* No se asuste. Es la primera impresión.

(Deja la puerta abierta y retrocede. Después de un momento, aparece una mujer en el umbral. Es pequeñísima, vestida de negro hasta los pies, tiene un sombrero con un tul que le oculta la cara. Colgada al hombro, lleva una gran cartera negra. La mujer vacila en el umbral y luego entra en el cuarto, con pasitos cortos, como si tuviera las piernas atadas y caminara sobre ruedas. Toni, a la expectativa, aparta una silla. La mujer se acerca con decisión, como si fuera a sentarse, pero se encarama a la silla y se queda de pie sobre ella, aferrada al respaldo)

Abuela: Agáchese. Quiero mirarlo. ¿De dónde sale?

Toni: ¿Yo?

Abuela: ¡Es un monstruo!

Toni: Nunca me lo dijeron en la cara.

Abuela (significativamente): Y bueno... ¿dónde se lo van a decir?

Toni: ¿Quién es usted?

Abuela: La abuela. ¿Dónde está Manolo?

Toni (mira a su alrededor): Estaba aquí. Desapareció.

(Tiende la mano y le levanta el tul. La Abuela se aparta un poco, temerosa, pero la silla se balancea y se aferra al respaldo. Toni) ¡Mama mía!

Abuela (tiene el rostro estirado, como una muñeca. Alegre): ¿Qué le parece?

Toni (intenta sonreír): Y...

Abuela (ídem): Cirugía estética. Ni una arruga. Pero no hablemos de mí. ¿Qué tiene ahí? *(Tiende la mano hacia la cabeza de Toni y le arranca el moño)*

Toni (incrédulo): ¡Lo arrancó! ¡Y no me desangro! *(Muy agradecido)* ¡Señora! Permítame. *(La ayuda a bajarse de la silla. Ella se sienta cruzando coquetamente los dos pedacitos de pierna. Toni, gentil)* ¿Quiere un mate?

Abuela (ofendida): No, joven. ¿Por quién me toma? ¡Tomar mate con usted! No sea inmundo. *(Se levanta y se acerca a los libros desparramados sobre la mesa. Los abre. Intrigada)* ¿Manolo no estudiaba medicina?

Toni: No. Veterinaria.

Abuela (sagaz, mirando a Toni): ¡Ah, ahora me explico!

Toni: ¿Qué puedo ofrecerle, abuela?

Abuela: Quiero charlar. Para usted, soy Norma. ¿Qué pasa aquí? ¡Cuánta mugre! *(Mira a su alrededor con reprobación. Toni, avergonzado, empuja su colchón debajo de la cama. La Abuela se saca el sombrero, tiene una cabeza redonda, repleta de motas blancas. Toni la observa fascinado. La Abuela se lleva la mano a las motas. Con satisfacción)* Permanente. *(Con otro tono)* ¿Qué pasa aquí?, le pregunté.

Toni: Nada.

Abuela: Desenrolle.

Toni: Vivimos juntos, Manolo y yo, para ahorrar plata.

Abuela: No veo las ventajas. Usted debe comer como una bestia. ¿Por qué no escribe Manolo?

Toni: Se habrá olvidado.

Abuela (ofendida): ¿De mí? Imposible. Me tomé un ómnibus

y aquí estoy. Huelo a podrido. Averiguaré, ¡y tenga cuidado! ¡No soy imbécil!

Toni: No pasa nada. Manolo anda... *(Mira a su alrededor, buscando)* por acá. No tiene tiempo. Trabaja.

Abuela: Para mantenerlo. Lo comprendo. *(Amontona las cosas sobre la mesa)* ¡Qué mugre! ¡Qué casa de porquería! *(Llama)* ¡Manolo! ¿Dónde está? ¿Qué le hizo?

Toni: ¡Manolo! ¡Salí!

(Aparece Manolo del baño, arrastrando la sábana. Tiene todo el aspecto de un animal apaleado)

Abuela (lo ve y cae sentada de culo por la sorpresa): ¡Manolo!

Manolo (se arroja en sus brazos, en el suelo): ¡Abuela!

Abuela (lo besa, lo rodea con los brazos): ¿Qué te hicieron? *(Mira a Toni con ojos feroces, extiende el brazo hacia la puerta)* ¡Salga!

Manolo: No, abuelita. Es Toni.

Abuela: Toni o no Toni, ¡que salga!

Toni (tierno): Soy Toni.

Abuela: ¡Váyase a la mierda! ¡Salga de aquí!

Toni: Amo, explicale. *(A la Abuela)* Nací aquí, vivo con él...

Abuela: ¡Maricón! ¡Váyase!

Toni: ¡Amo, me echa! ¡No me dejes solo, amo...!

Manolo: Es... *(Oculta el rostro en el pecho de la Abuela y rompe a llorar)* ¡Abuelita!

Abuela (lo protege con los brazos, lo consuela como a un niño): No, no, no... Contame, Manolo, ¿qué te pasó? ¿Qué te hizo? No le hagas caso. Contale a la abuelita, Manolo. ¿Qué tenés?

(Toni se acerca a la puerta, los mira, luego abre silenciosamente y sale)

Escena 9

La misma habitación. Toni está de espaldas. A su lado, una lata de pintura. Termina de dibujar un marco con flores al espejo cascado. Se corre al otro extremo, en la pared desnuda escribe Brigita María. Dibuja una flor al lado del nombre, pero la borra en seguida con un trapo. Luego escribe su nombre. Mira y lo tacha. Se queda mirando el nombre. Está triste, tiene las suelas rotas, el pelo y barba cortados.

Toni (mira a su alrededor): ¿Qué me llevo?
(Entra Manolo de la calle)
Manolo (con aspecto culpable): Hace frío. *(Huele)* ¿Estuviste pintando?
Toni: Quería dejarte un recuerdo.
Manolo (mira el espejo): ¡Muy lindo! *(Bruscamente)* ¿Un recuerdo?
Toni: Me voy. ¿Me das los diarios?
Manolo: Sí, llevátelos. *(Bruscamente)* ¿Adónde te vas?
Toni: Si uno no se lleva nada consigo, la gente ni se da cuenta de que uno se va. ¡Así es el mundo!
Manolo: ¿Qué decís?
Toni: Me voy.
Manolo: ¿Qué te agarró? ¿La viaraza? Acompañé a la abuela. ¿Qué pretendés?
Toni (furioso): ¡No pretendo nada, carajo!
Manolo: ¿Por qué hablás así? Te enseñé a hablar bien, ¿no? De tú.
Toni: Me ne frego.
Manolo: ¡Hablá bien!
Toni: Es italiano, no se entiende.
Manolo: ¡Dejá esos diarios!
Toni: ¿Me los das o no?

Manolo: Te los doy. *(Tierno y culpable)* Toni, es muy vieja, la acompañé.

Toni: Me echaron.

Manolo: Yo no, ella. No le caíste en gracia. ¿Viste qué vieja es? Un espanto. Necesita sentirse importante, me agarró en brazos. *(Ríe)* ¡Quería consolarme! ¡A mí!

Toni: ¡No le tirés tierra encima! Es triste cuando ustedes echan tierra encima a alguien y no hay un cajón debajo.

Manolo: ¡Pero el cajón está listo! Es muy vieja. Noventa años. Sabés cómo son los viejos, una peste. Pronto se morirá, Toni...

Toni: ¡Esa es eterna! ¡Qué se va a morir! Me hiciste y me largaste duro.

Manolo: No, Toni. Te dejo libre.

Toni: ¿Y para qué?

Manolo: ¿Y qué sé yo para qué?

Toni (recoge los diarios): Chau.

Manolo: ¡Vení, no seas idiota!

Toni: Chau. *(Sale)*

Manolo: Se fue... ¡qué turro! ¡Voy a hacer otro! ¡A mí no me va a joder! *(Se pone el guardapolvo gris. Pensativo)* ¿Con qué empecé? ¿Con las vísceras? ¿Dónde lo anoté? *(Levanta la mirada, abstraído, ve el nombre de Brigita María en la pared. Se acerca y escribe con el dedo)* Manolo... No. Estás sola. *(Toca el nombre)* Y te dejo solo y amargo como si la gente fuera capaz de iluminarse. *(De pronto, se vuelve bruscamente hacia la ventana)* ¡Toni! ¡Toni! ¡Vení! ¿Quién creés que sos? *(Se asoma)* ¡Te digo que vengas! ¡Idiota! ¿Te fuiste para sentarte en la vereda? ¡Vení! *(Se aparta de la ventana)* ¡Cuántos melindres! *(Toma dos botellas de vino, una está vacía, la otra la termina bebiéndose el contenido. Arranca un trozo de cable del tablero y lo coloca en el interior de las botellas, dejando que un extremo asome por la boca de las mismas)*

(Aparece Toni)

Toni: Acá estoy, amo.
Manolo: ¡Ma qué amo! Dame un diario, tengo que envolver esto.
Toni (le da un diario): ¿Qué es?
Manolo: Son dos bombas.
Toni: ¿Tienen dinamita?
Manolo: ¡Qué van a tener! ¡No quiero matar gente! *(Con desprecio)* ¡Dinamita!
Toni: ¿Y entonces?
Manolo: ¡Explotan acá! *(Se toca la cabeza)*
Toni (tibiamente): ¡Qué lindo!
Manolo (lo mira): No. No es lindo.
Toni: ¿Querés que revienten?
Manolo: Algunos sí.
Toni: ¿Y por qué no lo hacés?
Manolo: Soy un boludo.
Toni: Sí. *(Lo mira, se apena)* Me parece. *(Una pausa)* Dame. Las llevo yo.
Manolo (lo mira, ríe, burlándose. Luego, deja de reír): Bueno. *(Bruscamente)* Decime, ¿te acostabas con Brigita María?
Toni: Sí. *(Manolo se acerca y lo llena de puñetazos. Toni aguanta inmóvil un momento, luego estira el brazo, el puño cerrado, y con un solo golpe envía a Manolo al suelo. Toni, tristemente)* La quería.
Manolo (ídem): Yo también.

Escena 10

La misma habitación. Toni está muy atareado, limpiando con un trapo dos botellas de vidrio transparente, arranca otro trozo de cable del tablero y lo coloca en la boca de cada una de las botellas, haciendo un moño en la punta. Envuelve las botellas, luego rompe el papel y deja asomar los moños. Mientras está ocupado en esto, se abre la puerta silenciosamente y entra la Abuela. Parece más enana todavía, el tul mojado le cae sobre la cara, los pasitos más cortos. Se acerca a Toni y lo toca a la altura del traste para llamar su atención.

Toni (volviéndose, con alegría): ¡Abuela! ¡Qué sorpresa! ¿No se fue?
Abuela (con voz desolada): Me fui y vine.
Toni: ¿Por qué?
Abuela (ídem): ¿Qué es eso?
Toni (contento): Símil bombas. Flor de julepe. No tienen nada adentro. Mientras buscan, los empleados salen a la calle y toman sol. Es como un recreo.
Abuela: No haga eso. ¿Qué consigue?
Toni (la toma por la cintura y la sienta en la silla. Se arrodilla a su lado. Dulcemente): Yo creo que nada, abuela. Es por Manolo. ¿Pero cómo voy a rezongarle? No quiere hacerlo en serio, quiere tener las manos limpias, ser inocente. Es un boludo.
Abuela (balbuceando): ¿Cómo... se permite? ¡To... tomarme por la cintura! *(Se levanta y se sienta en la cama)* ¡Vaya a arrimarse a otra! *(Toni la mira y ríe)* ¡Qué juventud!
Toni: Me sacó el moño de la cabeza. Pensé que...
Abuela (sin escucharlo): ¡Qué juventud la mía! Hablo y me olvido... *(Ahoga un sollozo)*
Toni: ¿De qué, abuela?
Abuela: Me... me olvido... *(Se saca el sombrero. Se le cae la cartera. La mira y no la recoge. Tiene el pelo lacio, la piel arrugada)*
Toni: ¿Qué le pasó, abuela? ¡Está arrugada como una momia!
Abuela: Ma... Manolo...
Toni (paciente): Sí, abuela.
Abuela: Está muerto.
Toni: ¿Cómo?

Abuela: Llamaron apenas me fui de casa ¡Murió quemado vivo!

Toni: ¿Llamaron? Pero eso pasó hace mucho, abuela.

Abuela: ¡Me enteré ahora! ¡Me fui de vacaciones! ¿No ve que estoy tostada?

Toni: ¡Preciosa!

Abuela (con interés. Lacrimosa): ¿Sí?

Toni: Fue el amo. Se equivocó.

Abuela: ¿Qué amo? No diga pavadas. Le tiraron una bomba molotov en el coche.

Toni: Pero el amo no tiene coche, abuela.

Abuela (recuperando un poco su energía): Será de otro. ¡Salvaje! Usted se queda con la pieza, estará contento.

Toni: No, abuela, no.

Abuela (llora, tapándose la cara): Llámeme Norma.

Toni: Le preparo un té. No está muerto, abuela. *(Le prepara el té)*

Abuela (se descubre): Sí, no soy creyente. ¿Qué cree? ¿Que está en el cielo, volando? Le tiraron una bomba... Quiero recoger sus huesitos. Voy a agarrar al de la bomba. Lo voy a hacer polvo, le voy a sacar el hígado, los ojos...

Toni (admirado): Es un pozo de venganza. ¡Diablo de vieja!

Abuela (obsesionada): Lo trituro...

Toni: No está muerto, abuela.

Abuela: ¡Cállese, idiota! ¿Por qué no se habrá muerto usted? ¿Para qué sirve?

Toni: Tome un poco de té. Tiene ginebra. *(La Abuela bebe y le produce el efecto de un narcótico. Se queda dormida, apoyada en los barrotes de la cama. Toni la acuesta, le saca el calzado y la cubre con la colcha. Recoge la cartera y se la coloca al lado. La Abuela llora entre sueños. Toni le enjuga el rostro con la sábana. Mira el paquete con las botellas. Con tristeza, lo toma y lo esconde bajo la cama. Se acerca a la Abuela y vuelve a secarle el rostro)* Se va a resfriar con tanta agua...

(Entra Manolo de la calle. Permanece al lado de la puer-

ta, con las rodillas batiéndose una contra otra hasta que Toni se acerca y se las inmoviliza)

Manolo: Soltame. *(Toni lo suelta. Manolo apoyándose contra la pared, habla a sacudones)* Pegamos cien carteles. Nos rompieron el culo a patadas. Nos corrieron a balazos. Pero después, agarramos a uno en un rincón, lo fajamos... lo... *(Las rodillas vuelven a temblarle. El mismo les pega un golpe para que se le inmovilicen)*

Toni: Amo, es duro.

Manolo (se separa de la pared. Feroz): ¿Qué te importa? También son duras otras cosas.

Toni: Lo sé, amo, lo sé. No volví a ver a Brigita María, tuerta. ¿Cómo habrá quedado tuerta, amo? Ya no debe tener ni carne...

Manolo (horrorizado): ¡Callate! ¡Y no me llamés más amo!

Toni: Sí. No te llamo más amo... Manolo.

Manolo (se saca los pantalones y se acuesta en la cama. Tantea a la Abuela y no la reconoce): ¿Qué metiste aquí? ¿Un gato? ¡Qué ocurrencia de mierda!

Toni: Es la abuela.

Manolo (con alegría): ¡Abuelita!

Abuela (se incorpora, como movida por un resorte): ¡Manolo! *(Abre los brazos)*

Manolo (se arroja dentro): ¡Abuelita!

Abuela (lanza una risa feliz. Abre la cartera con una mano, saca la peluca blanca enrulada y se la coloca. Toni ríe también): ¿De qué se ríe este estúpido?

Manolo: Está feliz de verte, abuelita.

Abuela: Yo no.

Manolo: Es Toni.

Abuela: Ya lo sé, ¡y no me gusta!

Toni: ¡Otra vez! *(Se sienta en una silla)* No me marcho.

Manolo: ¡Está bien hecho, abuela!

Abuela: Se propasó. Es un puerco, un confianzudo.

Manolo: ¿Qué?

Abuela: No lo trago.

Toni: Vivo acá y me quedo acá. Sentado. ¿Entiende? Es simple. No me muev...

Abuela (lo interrumpe, como si oyera llover): ¿Qué pasó, Manolo? Llamaron a casa, dijeron que habías muerto.

Manolo: ¿Lla... llamaron? ¿Qui... quién, abuela?

Abuela: Tu sargento.

Manolo (abre la boca, sorprendido, y de pronto, comprende. Se toma la cabeza entre las manos y rompe a reír angustiosamente): ¡Mi... sargento! ¡Se me hizo un cortocircuito en la cabeza! ¡Qué... qué gracioso!

(Toni se levanta, lentamente recoge su saco y se encamina hacia la puerta)

Abuela: ¡Usted! ¡No se vaya! ¡Hágalo callar!

Manolo (se detiene con esfuerzo. A Toni): ¿Te acordás? ¡Mi sargento! ¿Por qué no me avisaste, idiota? ¡No te diste cuenta! ¡Mirabas a Brigita María! ¿Y cómo sonó, abuela?

Abuela (mira a los dos. Ofendida, terrible): ¿Y qué pasó? ¿No era cierto?

Toni (dulcemente): No, abuela.

Abuela: ¡Cállese! *(A Manolo)* Estabas carbonizado, dijeron. *(Manolo vuelve a reír)* No empecés otra vez. Callate. ¡Una bomba molotov en el coche! ¿Quién es tu sargento, el de la broma? ¡Lo trituro, le saco los ojos, lo despedazo! *(Una pausa. Señala a Toni, terrible)* Ese, ¿es tu sargento? *(Toni niega tristemente con la cabeza. Se sienta en una silla, agobiado. La Abuela, a Manolo)* Callate. *(Manolo, que ha ido disminuyendo la intensidad de la risa, deja de reír del todo. Mira a Toni con piedad. Abuela, tajante, a Toni)* Ahora puede irse, marmota.

Manolo: Dejalo, abuela. Se puso triste. *(Una pausa. Manolo, angustiado y bromista)* ¡Ese, ése fue! ¡Es mi sargento, abuela!

(Toni alza los ojos sorprendido)

Abuela: ¡Ah! *(Se pone de pie sobre la cama, levanta los brazos como un pájaro feroz, y se tira de la cama en dirección a Toni)*

Escena 11

La misma habitación. El biombo está abierto nuevamente detrás de la mesa, ocultando una parte de la habitación. El tablero se encuentra reacondicionado, con los cables anudados y lamparitas multicolores. Sobre la mesa, una mísera torta de cumpleaños con una sola vela. Manolo, vestido con su largo guardapolvo gris y la gorra, sostiene un pequeño espejo delante de la cara. Se pinta un ojo torpemente con un lápiz negro. Observa el resultado a la distancia.

Manolo: Un monstruo. ¡Qué difícil es! *(Insiste, se mira)* ¡Que se quede como está! Renuncio. *(Se frota, pero lo único que consigue es borronearse el ojo de negro. Se quita el guardapolvo y la gorra. Cuelga ambas prendas. Silba con fingida animación mientras arregla la mesa, coloca dos vasos, luego piensa y agrega uno más. Se deja caer sobre la silla)* Trabajé como un burro. Basta que le guste el regalo. ¡La gente es tan rara! *(Entra Toni de la calle. Manolo se levanta y canta)* ¡Happy birthday to you, happy birthday to you!

Toni (con asombro): ¿Qué mosca te picó?

Manolo: Es tu cumpleaños. Felicidades.

Toni: Gracias. No sabía. *(Advierte el tablero reacondicionado)* ¿Otra vez? ¿Qué estás haciendo ahora?

Manolo: Tengo un regalo para vos. Te va a gustar. Sentate. *(Lo hace sentar)* Cerrá los ojos.

Toni (obedece. Manolo corre hacia el aparato y mueve la palanca. Las lamparitas multicolores comienzan a encenderse y a apagarse. Toni abre los ojos): Es lindo. ¿Qué anuncian?

Manolo: ¡No espiés! ¡Cerrá los ojos!

Toni (obedece. Manolo espía hacia el biombo. Luego sube y baja repetidas veces la palanca, que chirría fuertemente.

De pronto, se escuchan ronquidos espeluznantes detrás del biombo. Toni se levanta de golpe): ¿Qué hiciste? ¿Otro?

Manolo (una pausa): Otra.

Toni (trastornado): ¿Qué?

Manolo (ríe angustiosamente): Bueno... ¡así es!

Toni: Te... ¡te mato! *(Se encamina hacia el biombo)*

Manolo (lo sujeta): ¡Esperá! ¡Todavía no está lista! No terminé la pintura. ¡Faltan detalles! ¡Llegaste pronto!

Toni (sin moverse): Soltame.

Manolo: Te suelto. Pero no me arruinés el laburo. Me falta... ¡una cosita de nada! Sentate. *(Toni lo mira. Deshecho, se deja caer sobre la silla. Muy nervioso, Manolo se dirige hacia el guardapolvo colgado. Mira hacia Toni)* Cerrá los ojos. *(Toni los cierra, pero los abre en seguida. Manolo saca algo que parece ser una cabellera del bolsillo del guardapolvo. Lo esconde detrás de la espalda. Advierte que Toni lo está mirando. Con una sonrisa de disculpa)* Esperá... Ya... ya vuelvo...

Toni (se acerca): ¿Qué tenés ahí?

Manolo: ¿Qué te importa?

Toni: Dejala en paz. ¡No resucita nadie!

Manolo: ¡Qué sabrás! ¿Y Lázaro? Y me voy a hacer yo, más lindo. Te enseño a operar y me ponés mi cerebro, como en las películas.

Toni (tiende la mano): Dame.

Manolo: No seas cargante. ¡Salí! *(Toni trata de arrebatar a Manolo lo que esconde detrás de la espalda. Se produce un forcejeo que los lleva detrás del biombo, sin que desaparezcan de la vista. Toni mira, desorbitado. Deja caer los brazos. Manolo aprovecha y desaparece detrás del biombo. Luego reaparece, contento, frotándose las manos)* Ya está. *(Corre hacia el tablero. Vuelve la palanca a su posición anterior. Se apagan las luces del tablero. Manolo)* ¡Vení para acá! Sentate. La improvisación no me gusta. Un poco de... ¡paciencia! *(Manolo acerca la silla. Toni, trastornado, se sienta. Una pausa. Manolo)* ¿Qué... qué tal?

Toni (exánime): Te salió una porquería.

Manolo (desanimado): ¿Te... te parece? ¡Es igualita! Te impresionó porque estaba... pelada.., Tengo que conectar todos los cables. ¡Faltan! ¿Quién cuernos se los llevó?

Toni (con voz neutra): Las bombas.

Manolo: Lo que pasa es que me emociono. Me tiemblan las manos.

Toni: No podés hacerla. Está muerta.

Manolo: ¡Sí, puedo! *(Con manos temblorosas, manipula nerviosamente los cables, haciendo nudos a diestra y siniestra)* Arreglo el tablero, bajo la palanca y... Pam-pam-pam

Toni: Está muerta. Vivimos frágilmente y una vez que se termina...

Manolo: ¡Se empieza otra vez!

Toni: ¡No, no se empieza! ¿Para qué me hiciste, Manolo?

Manolo (trastornado): ¿No... no te va bien?

Toni: No. ¿Qué sentido tiene, Manolo?

Manolo (aparta la mirada): Ninguno. Pero quiero tener mi dignidad.

Toni: ¿Cómo?

Manolo: No sé. ¿Qué pretendés? ¡Cumplís un año! ¡No es fácil! Bajo la palanca y... *(no sabe qué decir. Termina como un poseso, desesperado)* ¡los jodo, los jodo!

Toni: ¡Dejá!

(Manolo baja la palanca, las luces del tablero comienzan a encenderse y a apagarse, luego de un momento, se apagan solas. Manolo y Toni se vuelven hacia el biombo. Hay unos ruidos, algo se apoya pesadamente en el suelo. De pronto, una voz agria y tartajosa rompe a cantar -Happy birthday to you, happy birthday to you...)

Manolo (mira a Toni. Tímidamente): ¿Ves? La preparé especialmente. Van a cumplir años juntos. La torta va... a... a servir... para los dos... *(Ríe angustiosamente)* ¡Ahorran!

(Toni permanece con la vista clavada en el biombo. Aparece Brigita María. Es ella, pero es también claramente, la imagen femenina del monstruo de Frankenstein, las costuras en la frente, la palidez. Viste como Brigita María, pero a través de una transformación grotesca, y su maquillaje está distorsionado y acentuado en el color. Lleva un ramo de flores en la mano)

Manolo: ¿Quién le dijo a ésta que se levantara?

Toni: Bri... Bri... Bri...

Manolo: Brigita María. *(Toni comienza a llorar, siempre inmóvil, mirando a Brigita María. Manolo)* ¿Te gusta? La miro y... y... me emociono. *(Mira a Toni)* ¿Qué te pasa? No llorés. Yo no la quiero.

Toni (con un hilo de voz): Yo tampoco.

Manolo: ¿Qué decís? La hice para vos. Quería... compensarte. Pero me emocionaba. Ninguna víscera me venía bien, ninguna cara.

Toni (ídem): Es horrible.

Manolo: ¿Y vos? Ja, eras así, ¡espantoso! Te movías de una pieza, no sabías hablar. Te enseñé. ¡Yo te enseñé! Mirá. *(A Brigita María)* Caminá, Brigita María. *(Brigita María camina rígidamente hacia la ventana)* Para acá. *(A Toni)* ¿Querés que le diga que te abrace?

Toni: No.

Manolo (a Brigita María): Sentate. *(Brigita María se acerca a una silla, pero no se sienta, los ojos perdidos. Manolo)* Mirame a mí. *(Brigita María se sienta pesadamente. Manolo temblando)* Parece un elefante. Reíte. *(Brigita María ríe con una risa imbécil)* Pará. *(Brigita María sigue riendo. Manolo inquieto)* Pará. *(Brigita María ídem. Manolo se acerca al tablero, mueve la palanca, se encienden las luces, baja la palanca, las luces siguen encendidas. Frenéticamente, Manolo empieza a aflojar las lamparitas, pero Brigita María continúa riendo, más fuerte. Manolo)* Pará.

Toni (con un hilo de voz): Parala.

Manolo: Brigita María, basta.
Toni (grita): ¡Basta!
Brigita María (cesa de reír. De inmediato con una voz estúpida y gutural): ¡Happy birthday to you, happy birthday to you!
Toni: Gracias. Callate ahora, callate, callate.
(Brigita María se calla. Toni la mira, después de un momento, se acerca y se inclina sobre ella)

Manolo (se aleja del tablero. Apenas vuelve la espalda, las luces que aún permanecían encendidas se apagan solas. Manolo se vuelve bruscamente hacia el tablero con un gesto de furia, pero todo está quieto. Luego, a Brigita María): Dale las flores.
(Con un gesto casi espástico, ajena, Brigita María deshoja una flor, luego tiende la mano y casi le hace comer las flores a Toni)

Toni: Gracias. *(Deja caer las flores. Le acerca la mano a los ojos. Dulcemente):* ¿Te dolió mucho el tiro?

Manolo (trastornado): ¿Qué mierda le preguntás? La hice para vos, ¡pero no le preguntés eso! ¡Respetala!
Brigita María: ¡Happy birthday to you, happy birthday to you!

Toni: ¡Amo!
Manolo (distraído, mirando a su alrededor): ¿Qué amo?
Toni (con voz gutural y furiosa): ¡Amo!

Manolo (retrocede, horrorizado): ¡Oh, no! *(Toni tuerce la boca, avanza hacia él. Manolo)* ¡A... ayyyyy!
Toni (ríe. Triste, con voz natural): No me sale.
Manolo: Me asustaste.

Toni (a Brigita María, con ternura): ¿Te dolió mucho? Mirá, es mi cumpleaños. Vamos a tener fiesta, vamos a bailar, vamos a apagar la velita...
Manolo: Me pongo triste. No me salió bien. La... la quería.
Toni: Sí, sí, Manolo. *(A Brigita María)* Después de la fiesta, Manolo te lleva a tu casa.

Manolo: ¿A qué... casa?
Toni (acaricia la cara de Brigita María): Dos veces, no. Y no es la misma.
Manolo: ¡Te digo que sí!
Toni (sin mirarlo): Poné música.
Manolo: ¿Para qué? ¡No sabe bailar! *(Enciende una pequeña radio portátil)*
Toni: Yo creo que... *(A Brigita María)* Te gustaba bailar.
Manolo: ¡Qué le iba a gustar! Era una pata dura. No sabía correr. A ésta... ¡a ésta le saqué los pólipos! ¡Los granos! ¡Es una ganga!
Toni (a Manolo, mirando siempre a Brigita María): ¿Le gustará bailar?
Manolo: No sé. *(Bruscamente)* ¡Me salió estúpida! ¡Perdoname, Toni!
Toni: Callate. Decile que baile.
Manolo: Bailá, Brigita María.
(Brigita María se alza rápidamente, como una muñeca. Abre los brazos. Baila con Toni. Manolo los mira)
Toni: ¿Te dolió mucho?
Manolo (furioso): ¡Dejá de preguntarle eso! ¡Si la mandamos de vuelta, dejala en paz! *(Los mira, rompe a reír penosamente)* ¡Oh, cómo bailan! ¡Qué espantapájaros! *(Ríe)* ¡Ay, qué dolor de barriga! *(Toma un fósforo y enciende la velita de la torta)* Vení a apagar la vela, Toni. Acercate, Brigita María. *(Los dos dejan de bailar y se acercan Manolo mira a Brigita María. Furioso y desesperado)* Feliz muerte, Brigita María. Que esta vez tengas feliz muerte.
Toni (con ternura): Callate.
Manolo (mira a Toni): Feliz cumpleaños, Toni.
Toni (lo mira. Conmovido): Gracias. *(Sonríe. Se lleva la mano a la boca)*
Manolo: No te tapés los dientes. Son buenos. Feliz cumpleaños.

(Manolo y Brigita María cantan tristemente -Happy birthday... Manolo deja de cantar. Toni se inclina y apaga la velita mientras sólo se escucha la voz de Brigita María. Al mismo tiempo, se hace la oscuridad)

Telón

Impreso en GRÁFICA GUADALUPE
Av. San Martín 3773 (1847) Rafael Calzada,
Provincia de Buenos Aires, Argentina,
en el mes de agosto del año 2000.